Leena Lehtolainen

Dödsspiralen

Kriminalroman

Översättning av
MARJUT MARKKANEN

Albert Bonniers Förlag

www.albertbonniersforlag.se

ISBN 91-0-010347-0
Finska originalets titel: Kuolemanspiraali (Helsingfors 1997)
Copyright © Leena Lehtolainen 1997
Första svenska utgåva 2003
Bonnierpocket 2004
Printed in Denmark
Nørhaven Paperback A/S
Viborg 2004

Prolog

Vapnet var riktat mot flickans hjärta. Hennes ögon blev runda av skräck, blicken bönföll jägaren att skona hennes liv. Mannens blick förblev obeveklig ett ögonblick, sedan veknade han och sänkte vapnet. Flickan flydde på sina skridskor, långt bort till andra änden av den frusna skogen, och djurens glädjedans fyllde gläntan.

Men flickans prövningar var inte över. Skogens rovdjur anföll henne och när hon till slut räddade sig till dvärgarnas hus, mötte hon först bara ovänlighet även där. Sedan kom den elaka styvmodern utklädd till gammal gumma och gav Snövit det förgiftade äpplet.

Undrar vem som skött sminkningen? Det måste vara ett verkligt proffs, för vem som helst skulle inte på tio minuter kunnat förvandla Silja Taskinen till en gräslig rynkig gumma eller förtrollat Noora Nieminen till en Snövit som hämtad direkt ur den tecknade filmen. Men flickorna hade också sin del i det hela. Båda två levde sig på allvar in i sina roller.

Jag har alltid tyckt om konståkning för att den balanserar på gränsen mellan riktig melodram och smaklöshet. I konståkning återges stora känslor till uttjatad musik. På

5

grund av de strikta reglerna är det svårt att vara originell. Och ändå kommer någon emellanåt på något nytt och fräscht, medan någon annan lever sig in i sin uppvisning som en toppaktris. Det är därför jag tittar på konståkning.

Till slut fick Snövit sin prins. Jag försökte dölja tårarna. Jag ville inte att min chef Jyrki Taskinen bredvid mig skulle se, och framför allt inte hans fru Terttu. Även om man kunde skylla grinandet på att jag var i sjunde månaden ska inte vuxna falla i tårar över en isshow. Den vanligtvis behärskade Jyrki började vråla när Silja, som spelade den elaka styvmodern, kom ut för att tacka för applåderna. Också jag klappade och stampade, men ännu ivrigare applåderade jag åt Noora Nieminen.

Egentligen borde rollerna ha varit ombytta. Silja Taskinen var skönheten, Noora Nieminen var bredhöftad och såg alldaglig ut, och det borde egentligen vara hon som avundades den andras utseende. Noora hade fått rollen som Snövit i Esbo Konståkares våruppvisning för att hon var paråkerska på internationell nivå. Hennes kortprogram i vårens stortävling hade varit just Disneys *Snövit*. Nooras partner Janne var som skapt för prinsrollen. Även den här kvällen var Mattby ishall full av småflickor som suktade efter Jannes autograf och efter att röra vid honom. Killen var onekligen förbannat snygg: tjockt ljusblont hår som precis räckte till en hästsvans, en välskapt och nästan för lång kropp för en skridskoåkare och ovanligt klargröna kattlika ögon. Visst hade jag också suckat framför TV:n när kameran zoomade in Jannes höga kindben och breda mun. Att titta på vackra män är ett av mina favoritnöjen.

6

Noora och Janne åkte ut på isen en gång till och gjorde en trippel salchow och en dödsspiral. Babyn sparkade till, kanske hade den vaknat av oväsendet.

Plötsligt drog Taskinen häftigt efter andan. En man med ljusa slingor i sitt mörka hår och svart mustasch hade dykt upp vid iskanten. Han kastade ett knippe blodröda rosor till Noora. Hon gjorde ingen min av att hämta blommorna och kronbladen maldes snart sönder under skridskorna på skogens djur, hovfolket och dvärgarna som kommit för att tacka.

"Är det han som har förföljt dem?" frågade jag Taskinen. Trots att fallet inte hade hört till vår rotel kände jag till att en man besvärat familjen Nieminen under de senaste åren. Han hade främst trakasserat Nooras mamma och hade till slut dömts till böter för hemfridsbrott.

"Ja. Karaokekungen Vesku Teräsvuori." Taskinen ryckte irriterat på axlarna. Polisen kunde inte hindra Teräsvuori från att komma till ett offentligt evenemang eller att kasta blommor till Noora. Det var ju bara en vacker gest.

Men när de små skridskoåkarna, dvärgar och skogens djur, slutligen åkte iväg avtecknade sig ett spår av söndertrasade rosenblad i rinken. Som om någon stänkt blod på isen.

"Vi hämtar Silja i omklädningsrummet, du kan åka med oss", sade Terttu Taskinen.

När Jyrki hade sålt biljetter till isshowen på jobbet, hade jag som gammalt konståkningsfan utan att tveka köpt två, men min man Antti hade inte kunnat följa med. Jag visste inte att jag skulle hamna bredvid Jyrki Taskinen och hans fru på VIP-platserna på F-läktaren. Mina ar-

7

betskamrater följde showen mittemot oss i den trånga ishallen.

"Jag kan ta bussen", försökte jag protestera, men förgäves. Det var förstås roligt att få kika in i omklädningsrummen. Jag borde kanske sälla mig till skaran som jagade efter Janne Kivis autograf. Men först måste jag hitta en toalett. Jag kom överens med Jyrki och hans fru att vi skulle ses vid dörren till omklädningsrummen och slank iväg i de kala korridorerna i ishallen.

På tre herrtoaletter gick det en damtoalett och där stod dessutom ett tiotal småflickor i kö. Eftersom jag var höggravid och polis bestämde jag att jag mycket väl kunde använda toaletten med den avvisande skylten: *Endast för personal*. Jag öppnade dörren och gick lugnt in i det ena båset.

Jag kämpade just med den invecklade knäppningen på mina mammatrikåer när jag hörde dörren slås upp. Det lät på stegen som om de var två.

"Vad i helvete tror du att du håller på med?" väste en ursinnig röst, som lika väl kunnat vara en kvinnas som en mans. Av ett stön och en smäll drog jag slutsatsen att talaren flög på den andra. Slagsmålsljuden, en duns mot handfatet och slamret av en papperskorg som välte, överröstade svaret. Jag borde väl ingripa så fort jag fått igen byxorna.

"Stick, och kom inte tillbaka!" Sedan hörde man dörren öppnas igen, som om väsrösten slängt ut den andra i korridoren. När jag slutligen lyckats fästa byxhaken var tvättutrymmet redan tomt. Men en skräphög på golvet och en spegel på sned bevisade att jag inte inbillat mig.

Jag bestämde mig för att glömma alltihop och kryssade

8

iväg mot omklädningsrummen. Där var det fullständigt kaos med tio små skridskoåkare som letade efter sina föräldrar och torkade av sig sminket: morrhår, ekorrnosar och hartänder. En flicka i tolvårsåldern som spelat Prosit försökte torka av sin rödmålade näsa och prinsens adjutanter fäktades med sina låtsassvärd. En kraftigt sminkad kvinna i ankellång päls försökte förgäves få barnen att lyssna på vad hon hade att säga.

"Tyst nu allihop!" ekade plötsligt en låg kvinnoröst med så pass mycket auktoritet att hon knappast behövde höja den. På ett ögonblick tystnade den högljudda skaran när Elena Grigorieva tackade sina skridskoåkare för en lyckad uppvisning och för en bra säsong.

Också jag lyssnade, inte så mycket på Grigorievas ord, som på hennes röst. Var det den som jag nyss hört väsa fram hotelser inne på toaletten? I detsamma drog Jyrki Taskinen mig i ärmen.

"Det här kommer ta en stund. Rami och Elena har ordnat med saft och kex för att fira säsongsavslutningen."

"Vi kunde väl åtminstone få champagne", suckade en annan mansröst bakom mig. Jag vände på huvudet och mötte Janne Kivis gröna, uttråkade ögon.

"Fick inte du tillräckligt med champagne i Edmonton", skrattade Silja Taskinen bredvid honom.

"Men det var ju för två månader sen!" sade Janne överlägset.

Finlands unga konståkningstrupp hade klarat sig skapligt i världsmästerskapen i Edmonton i Kanada. När Mila Kajas insjuknat hade Konståkningsförbundet i stället skickat Silja Taskinen, och hon hade överraskat alla genom att storstilat kamma hem tolfte platsen. I herrarnas och i isdansen hade det gått lite sämre, men Noora Nieminen och Janne Kivi blev den verkliga sensationen med sin nionde plats i paråkning. Inte på flera årtionden hade det i Finland funnits några paråkare på internationell nivå. Kommentatorerna på Eurosport hade till och med förutspått att Noora och Janne skulle vinna världsmästartiteln om några år.

"Kom så åker vi, pappa", skyndade Silja på Jyrki. "Vi har ingenting att fira, vår nya säsong har redan börjat."

Efter världsmästerskapen hade Silja, Janne och Noora tagit ledigt ett par veckor innan repetitionerna på isshowen började. När terminen var slut för Silja och Noora på Tölö Samskolas gymnasium skulle laget och deras tränare Elena Grigorieva och Rami Luoto åka till Kanada för att träna i ett par månader.

"Janne, du har nog inte träffat Maria", sade Terttu Taskinen vänligt. "Maria Kallio är Jyrkis närmaste medarbetare."

"Hej", sade Janne artigt, fastän han uppenbarligen inte brydde sig ett skvatt om vem jag var. Jag kände hur någon trängde sig emellan mig och Janne och upptäckte Noora Nieminen.

Jag var själv nätt och jämnt en och sextio, men Noora var åtminstone fem centimeter kortare, en sextonåring som var en lustig blandning av liten flicka och kvinna. De grå ögonen var en vuxens, de verkade ha sett alltför mycket.

"Hej, Noora, tack för en fin uppvisning. Hoppas Teräsvuoris blommor inte störde dig", sade Jyrki Taskinen bekymrat.

"Kan han inte lämna oss i fred nån gång!" suckade

Noora dramatiskt. "Han vet mycket väl att jag inte ens skulle ta i hans blommor! Mamma blev säkert hysterisk när han dök upp. Är det nån som har sett mina föräldrar, förresten?" Noora försökte speja över folkmassan.

"Din pappa står borta vid ytterdörren", sade Janne från sina etthundraåttiofem centimeters höjd. På isen såg Noora och Janne ut som ett välproportionerat par, men annars framhävdes skillnaderna i såväl längd som ålder, fastän Janne bara var tjugoett.

"Jag sticker i alla fall nu", annonserade Janne och började tränga sig bort mot dörren.

"Vi ses i morgon, Silja", viskade Noora och började bana sig fram i motsatt riktning, mot ytterdörren där en tunnhårig och rödbrusig man stod och gestikulerade. Av utseendet att döma var det Nooras pappa. Han erbjöd sig inte att bära Nooras enorma sportbag, trängde sig till och med ut före henne som om han var arg. Noora och hennes väska klämdes nästan i dörren.

Det var enda gången jag träffade Noora Nieminen i livet.

1

Kati Järvenperä parkerade sin urgamla mörkblå Merca på övre planet i Mattby köpcentrums öde parkeringshus. Det hade funnits plats längre ner, men Kati var inte på humör att börja försöka lirka in den kolossala bilen i något trångt utrymme. Klockan var tjugo i åtta, hon skulle precis hinna handla. Besöket med Olli hos öronläkaren hade tagit över två timmar. Hon skulle bli tvungen att ta med sig pojkarna in i affären, och där skulle Jussi förstås börja tjata om godsaker under förevändning att Olli var sjuk.

Kati öppnade bakluckan och tog fram Ollis sulky och en tom drickaback. Hon hade gjort sig förtjänt av ett par kalla cider efter att barnen kommit i säng. Hon brydde sig inte om att låsa bagageutrymmet. Det var för det mesta olåst och det hade aldrig försvunnit något. Bilen såg så risig ut att ingen kunde tro att det fanns något som var värt att stjäla. Kati satte den knappt tvåårige Olli i vagnen, sade åt fyraårige Jussi att hålla i drickabacken, suckade och släpade sig in i affären.

De var klara en minut i åtta. Jussi hade tjatat tills de fick varsin chokladpudding och en stor påse Xylitol-

12

tuggummin. Kati orkade inte bråka. Det hade varit en djävulsk arbetsdag på sommaruniversitetet, och när de sedan ringde från dagiset och sade att Olli klagade över sitt öra igen var katastrofen fullständig. Katis man föreläste från sex till åtta, så hon var tvungen att ta med båda pojkarna till sjukhuset för att köa in till läkaren.

Kati öppnade först bildorrarna, lyfte upp Olli i barnstolen och satte Jussi på bilkudden i framsätet, spände sedan fast bådas säkerhetsbälten. Hon fällde ihop sulkyn och öppnade bakluckan.

Först bara stirrade hon en lång stund. Flickan som låg instuvad i bagageutrymmet tittade inte tillbaka, ögonen var täckta av blod. Kati kände hur benen vek sig och hur världen blev suddig. Först när Jussi skrek: "Kom nu, mamma!" insåg hon att något måste göras.

Försiktigt letade hon efter pulsen på handleden som stack fram. Det hade hon lärt sig på första hjälpen-kursen. Handen var fortfarande varm, hon hittade lätt ådern, men kände ingen puls.

Kati stängde och låste bakluckan. Hon öppnade bildörren på Ollis sida och sade till pojkarna:

"Hoppa ur, bilen har gått sönder. Vi får beställa taxi och ringa polisen."

"Nej, verkstan", protesterade Jussi. "Polisen kan inte laga bilar."

"Polisen vet säkert en verkstad", sade Kati. Underligt hur stadig rösten lät. Precis som förut. Pojkarna fick inte märka nåt. Var fanns telefonen? Och hur i helvete skulle hon förklara den lemlästade flickkroppen i bagageutrymmet för polisen?

Jag kunde inte minnas en lika kall maj. En isande vind slog emot mig när jag cyklade in i tunneln under Åboleden. Morgontemperaturen var inte ens tio grader och jag tyckte synd om de stackars bofinkarna som försökte sjunga. Fjorton dagar till sommaren, säkert, vädret var ju nästan som i oktober. Det hade regnat häftigt hela föregående kväll och natt och återigen steg moln, lika blåsvarta som gårdagens blåmärke, upp i öster.

Jag kände mig kall om brösten och näsan rann när jag till slut svängde in på polishusets gård. Eftersom jag var i sjunde månaden var det svårt att springa, så jag försökte hålla mig i form genom att cykla och gå på gymmet. Annars hade graviditeten gått bra, och ibland kom jag inte ens ihåg att jag väntade barn. Kanske var det något slags försvarsmekanism, för graviditeten var inte planerad, utan spiralen hade svikit.

Jag jobbade som kriminalinspektör vid Esbopolisen, på roteln som specialiserade sig på våldsbrott och yrkesbrottslighet. Ibland kändes tanken på mammaledighet, att slippa mord- och misshandelsfall, väldigt lockande. Frånsett några månader som arbetslös hade jag jobbat på som en blådåre sedan jag tog studenten – det var tretton år sedan.

"Jyrki vill träffa dig genast!" ropade avdelningssekreteraren när jag steg in i korridoren. Så jag tittade bara in i mitt rum för att ta av mig jackan och för att byta ut joggingskorna mot inneskor.

Kriminalkommissarie Jyrki Taskinen satt vid sitt skrivbord och pratade hetsigt i telefon. När han upptäckte mig avslutade han snabbt samtalet. Jag anade att min chef inte fått mycket sömn: det smala ansiktet som för det mesta

14

var blekt var nu askgrått, han hade påsar under ögonen och var orakad. Taskinen visade med en gest att jag skulle sätta mig, det tycktes vara svårt för honom att börja.

"God morgon, Jyrki. Nåt nytt?"

"Jo... det inträffade ett mord i går kväll, som jag vill att du ska utreda. Du kan ta Pihko och Koivu till hjälp, och självklart alla andra som du behöver. Jag vill inte ge det här till Ström för att..." Taskinen slog ut med händerna. Kommissarie Pertti Ström var känd för sin ickeexisterande finkänslighet och sitt tanklösa språkbruk.

"Vad rör det sig om?" frågade jag en aning tveksamt. Mammaledigheten skulle börja om en dryg månad, så jag betraktade varje nytt fall som någonting andra till slut skulle få lösa.

"Du kommer väl ihåg isshowen för ett par veckor sen..." Taskinen fick tvinga fram orden. "Noora Nieminen hittades i går i ett bagageutrymme, misshandlad till döds."

"Gode Gud! Vems bil var det?"

Taskinen kastade en blick i sina papper.

"Kvinnan heter Kati Järvenperä. Hon jobbar som utbildningsplanerare på Helsingfors sommaruniversitet, bor på Fiskargränden i Distby. Hon säger att hon lämnade bakluckan olåst när hon gick in i mataffären med sina barn ungefär tjugo i åtta. När hon kom tillbaka, enligt henne själv en minut i åtta, hittade hon Nooras kropp i bagageutrymmet."

Jag försökte förtränga bilden av det hela, men den dök upp igen fast jag inte ville. Nooras skrämda bedjande ögon, Snövits ögon när hon bönföll jägaren att skona hennes liv. Nooras koncentrerade min före ett hopp, det

15

strålande leendet efter en lyckad uppvisning...

Jag kände de sura uppstötningarna i matstrupen, som så ofta på sistone, hjärtat hade börjat klappa dubbelt så fort. Jag tvingade mig att fortsätta ställa frågor som jag inte ville höra svaret på.

"Vad har hon blivit utsatt för?"

"Hon har fått ta emot slag mot huvudet och mot överkroppen med ett än så länge okänt föremål. Det verkar inte handla om nåt stickvapen. Dödsorsaken är i alla fall ett slag som krossat bakhuvudet. Det fanns jord, mossa och stenflisor i såret, så hon kan ha ramlat och slagit huvudet mot en vass sten. Kroppen var våt, det regnade ju i går. Hon har förmodligen bragts om livet utomhus, på hemvägen. Hon gick från ishallen i Mattby vid sjutiden, och hon hade uppenbarligen tänkt promenera hem till Krokudden, åtminstone sa hon så vid ishallen."

Taskinen darrade på rösten. Jag hade bara sett honom gråta en gång tidigare, när en polis på vår avdelning hade blivit skjuten i ett gisslandrama.

"Vad har man gjort hittills? Man har väl meddelat familjen?"

Taskinen sade att patrullen som först fått anropet inte känt igen Noora. Ansiktet hade varit sårigt och blodigt. Det var först läkaren i Bolarskog, som dödförklarat Noora och var engagerad i konståkning, som insett vem hon var. Då hade Lähde från vår avdelning, som vid det laget hunnit dit, haft vett nog att ringa Taskinen, som hade åkt för att bekräfta att det verkligen var Noora. Sedan hade han varit tvungen att åka och berätta vad som hänt för Nooras föräldrar, som redan börjat undra var deras förstfödda dotter blivit av.

"Du har väl varit uppe hela natten? Vet Silja om det?"
"Jag var hemma för en timme sen och berättade. Hon gick helt i bitar. Terttu hade ett möte direkt på morgonen, så hon kunde inte stanna kvar och lugna Silja. Hon var ju och tränade i ishallen i går, men gick före de andra och var hemma redan halv sju. Grannen Mirjami var och hälsade på, hon träffade också Silja. Janne och Noora hade stannat kvar med Rami och Elena för att träna en ny hoppkombination."

Förutom smärta fanns även ett stråk av lättnad i Taskinens röst. Även om Silja knappast var huvudmisstänkt för Nooras mord så underlättade det för befälsrelationen i utredningen att kriminalkommissariens dotter hade alibi. Men om man inte kunde lösa fallet snabbt var man tvungen att förhöra också Silja. Taskinens situation var i alla händelser ändå lite knivig, eftersom en anhörig känt den avlidna.

Jag betraktade kartan över Esbo som hängde bakom Taskinens bord. Från Mattby ishall och söderut sträckte sig ett parkområde ända ner till Krokudden. Vid vackert väder var den drygt kilometerlånga gångsträckan trevlig, men varför hade Noora traskat i väg i ösregnet?

"Har området mellan ishallen och Krokudden genomsökts?"

"Teknikerna stack dit vid sextiden. Koivu och ett par andra intervjuar dem som brukar använda parkeringsgaraget. Vi sätter upp ett polismeddelande på anslagstavlorna i affärerna först, och om det inte hjälper tar vi hjälp av närradion och de viktigaste tidningarna. Vi kollar igenom bandet från övervakningskameran, men den filmar inte själva parkeringsutrymmet, bara in- och utfarten. Vid behov kollar vi förstås varenda bil som åkt in i garaget mellan sju och åtta. Men det är ett ganska stort projekt. Och kameralinsen var ganska smutsig, det kan hända att man inte ens kan urskilja alla registreringsnummer."

Taskinen hade kommit i gång ganska bra med utredningen. Men varför hade han inte ringt mig direkt när han fick veta att det var Noora, varför hade han väntat till morgonen och att jag kom in till stationen? Utan att fundera visste jag att anledningen var att jag var rejält gravid. Omtanken både rörde och irriterade mig. Efter att min graviditet blivit offentlig hade jag ständigt fått försäkra släkt och arbetskamrater att jag var kapabel att fortsätta jobba på i samma takt. För det mesta satt jag ändå bakom skrivbordet, förhörde människor och gjorde pappersarbete. Jag hade bara råkat ut för ett par nära-ögat-situationer under min poliskarriär.

"Det kanske är bäst att låta Nooras föräldrar vara i fred under förmiddagen. Jag tror jag börjar med de tre som var kvar i ishallen när Noora gick."

"Det var faktiskt fler där än Janne och tränarna Rami Luoto och Elena Grigorieva. Åtminstone när Silja gick var Elenas man Tomi Liikanen och Ulrika Weissenberg, ordförande för Esbo Konståkare, kvar. Och vi kan inte bortse från Vesku Teräsvuori. Nooras föräldrar anklagar honom för att ha mördat deras dotter."

"Det är väl bäst att jag ber att få papperen om fallet med barnantastaren från granndistriktet. Teräsvuori är onekligen huvudmisstänkt. Men en sak i taget."

"Ström trodde att det kunde vara samma typ som gett sig på småflickor i området runt Mattby-Olars under våren."

18

"De flickorna var ju mycket yngre än Noora, sådär i tioårsåldern. Det är väl Ströms fall", konstaterade jag frågande. Pertsa kunde kanske roffa åt sig Nooras mordutredning genom att hävda att den skyldige kunde vara förgriparen i Mattby. Den yrkesmässiga konkurrensen mellan Pertsa och mig var redan tillräckligt jobbig, och jag ville inte börja kabbla med honom om marschordningen i utredningen.

"Ströms fall har stått stilla en längre tid. Jag tror inte heller att sambandet är så troligt, men vi måste ta hänsyn till den möjligheten också." Taskinens röst var en halv oktav lägre än vanligt på grund av tröttheten, en gäspning avbröt honom då och då.

"Visst. Jyrki, kan du inte åka hem och lägga dig? Silja behöver dig också hemma."

"Det går inte. Jag har intervjun med ledningsgruppen i dag."

Under de senaste åren hade Esbopolisen förändrat sin organisation ganska kraftigt. Distrikten hade fått ett ökat självständigt ansvar och man hade försökt riva de stela hierarkierna. Nu när polismästaren skulle gå i pension hade en riktig karriärklättring startat i huset. Taskinen var en av de starkaste kandidaterna som chef för våldsroteln, men han hade tyvärr ingen som helst medlemsbok. Vissa chefer inom polisen tycktes anse det viktigare än Jyrkis fläckfria karriär. Om Taskinen blev vald skulle det uppstå en intressant situation på vår avdelning, för om chefens plats konkurrerade två nästan jämnstarka personer: jag och Ström. Båda hade vi en jur. kand., jag med något bättre betyg, men Pertsas yrkeserfarenhet som polis var större. Det främsta hindret för att välja mig var att jag skulle bli tvungen att påbörja min nya tjänst som mammaledig.

Jag visste inte om jag borde lyckönska Taskinen inför ledningens intervju eller inte. Han skulle bli en bra chef för våldsroteln, men jag skulle inte stå ut med Ström som överordnad.

"Är förhörsprotokollet med kvinnan som hittade liket klart?" frågade jag med handen på dörrhandtaget.

"Nej. Vi har inte ens förhört henne ordentligt. När den första patrullen anlände till platsen var Järvenperä helt lugn, hon berättade vad som hänt, ordnade med sina inköpskassar och beställde taxi. Patrullen lovade köra hem henne och barnen. Men när hon kom hem och lämnade över barnen till sin man kom chocken. De var tvungna att tillkalla en läkare till slut."

Jag nickade. Jag hade själv hittat ett lik en gång, och fastän jag fram till dess genom jobbet hunnit se ett flertal hade det varit en hemsk upplevelse. Och Noora Nieminens kropp hade uppenbarligen varit illa tilltygad. Jag borde nog gå bort till Rättsmedicinska avdelningen för att titta på den. Men vid det laget skulle blodet redan vara borttvättat, armar och ben skulle ha placerats i en fridfull ställning, rädslan för döden försvunnit ur ögonen.

Jag började inse att Noora Nieminen var död. Jag skulle hellre varit utan den insikten, skött fallet på rutin. Fast det var sällan det lyckades när det var fråga om ett dödsfall. Dödens oåterkallelighet inverkade på utredningen, vare sig jag ville det eller ej.

"Kanske börjar jag med Elena Grigorieva", sade jag till Taskinen och satte i gång att jobba.

20

Jag knackade på dörren till pojkarnas rum, som jag döpt Koivus och Pihkos arbetsrum till. Den senare var lyckligtvis inne och fri att sticka iväg och intervjua folk tillsammans med mig. De officiella förhören skulle vi ta senare. Jag kastade en blick på mina tygskor som såg alldeles för tunna ut för det iskalla vädret, men jag hade ingen lust att besöka en rad sorgehus i tennisskor.

Elena Grigorieva bodde i ett av höghusen i Kvisbacka. Det skulle förstås ha varit vettigt att först ringa och försäkra sig om att hon var hemma, men jag visste ju inte om hon kände till Nooras död ännu. Det ville jag inte ta per telefon.

Jag lät Pihko köra och försökte pussla ihop bilden av Elena Grigorieva. Hon måste vara minst fyrtio, för det hade säkert gått över tjugo år sedan hennes tid som konståkerska. Elena och hennes man Anton hade tillhört Sovjetunionens paråkningstrupp vid samma tid som Irina Rodnina och Aleksandr Zajtsev. Paret Grigorieva hade tekniskt sett varit väldigt skickliga, men deras uppvisningar hade saknat den personliga glöd som krävs av ett par på elitnivå. Men de hade ändå fått medalj i både Europamästerskapen och världsmästerskapen. Anton Grigoriev hade dött, om jag mindes rätt var det i en bilolycka, för ungefär åtta år sedan. Paret hade en dotter, Irina, som nu var i elvaårsåldern och det ryktades att hon var en enormt talangfull konståkerska.

Elenas andre man, Tomi Liikanen, hade ett gym men jag kände inte till var de hade träffats. De hade gift sig för några år sedan och Elena hade flyttat till Finland med sin dotter. Esbo Konståkare hade anställt henne som instruktör och resultaten hade börjat synas redan under våren. Silja Taskinen skulle säkert kunna berätta en hel del om Elena. Jag hade fått en bild av en konståkerska som såg målmedveten och sträng, till och med lite skrämmande, ut och som nästan aldrig log. Elena hade behållit sitt efternamn och den engelska stavningen efter att hon flyttat till Finland.

Jag hade träffat Tomi Liikanen några gånger. Även om polisstationen i Esbo hade eget gym och vi hade rätt att använda det en gång i veckan under arbetstid tränade jag helst någon annanstans än mitt bland jobbarkompisarna. Att slita på gymmet innebar också att släppa tankarna på jobbet. Emellanåt tränade jag i Hagalund eller i Kampen, ibland på Tommy's Gym i Olars. Man kom in i gymmet dygnet runt med ett nyckelkort, och ibland var jag där helt ensam. Tomi själv var en ganska stöddig typ som gärna visade upp sina muskler för de kvinnliga besökarna.

"Här är det." Pihko parkerade intill idrottsplatsen i Kvisbacka. Några killar i högstadieåldern spelade slött fotboll, läraren försökte hålla fast vid reglerna. Jag mindes mitt eget fotbollsintresse under skoltiden, hur det kändes att vara enda tjejen i ett pojklag. Jag hade klarat mig hyfsat, men det kändes bra att veta att om mitt barn var en dotter och ville spela fotboll, skulle hon kunna göra det i ett tjejlag utan att man såg henne som något freak. Fotboll upplevdes fortfarande mer som en killsport, medan konståkning i likhet med gymnastik verkade vara en av de få grenar där majoriteten av utövarna och publiken var kvinnor.

Vi tog hissen upp till åttonde våningen. Pihko höll sig så långt som möjligt ifrån min mage, som stod rätt ut. Jag hade lyckats dölja min graviditet på jobbet fram till bör-

22

jan av april, trots att Ström lyckats gissa sig till mitt tillstånd redan i januari. Jag tyckte det var förvånansvärt att han hållit tyst om det, även om han pikade mig för det när vi var ensamma. I april hade jag bestämt mig för att berätta för Taskinen, inte minst med tanke på ordnandet av vikarie. Vid det laget var jag redan så rund att det inte skulle ha gått att hålla det hemligt länge till.

Dörren där det stod både Grigorieva och Liikanen såg illa åtgången ut. Hade någon försökt ta sig igenom den? Pihko ringde på och dörren öppnades genast, som om Grigorieva väntat på oss bakom den.

"Inspektör Maria Kallio och assistent Pihko från Esbopolisen, god dag. Ni är väl Elena Grigorieva?"

Elenas min förvandlades från förbryllad till ursinnig, en hotfull glimt tändes i de mörkbruna ögonen.

"Kommer ni och frågar om mitt uppehållstillstånd nu igen? Alla papper är i ordning, hur många gånger måste jag upprepa det för er! Det är väl ändå underligt att man inte låter en människa jobba i fred i det här landet heller!" Elena Grigorieva försökte stänga dörren, men jag trängde mig emellan med magen.

"Det handlar inte om ert uppehållstillstånd nu. Det vore nog bäst om vi fick komma in. Det handlar om Noora Nieminen."

"Noora? Vad är det med henne? Den där galningen har väl inte gjort henne nåt?" Grigorievas ilska gick över i rädsla, hon vinkade snabbt in oss i det trånga vardagsrummet, som fylldes av ett otal spetsdukar, småbord och prydnadsföremål.

"Ni har alltså inte hört ännu. Jag är ledsen, men Noora Nieminen är död."

Både Pihko och jag ryckte till av Grigorievas skrik.

"Njet! Njet! Det kan hon inte vara! Jag skulle göra världsmästare av henne!"

Jag lyckades nätt och jämnt undvika en kristallvas som kom flygande mot mitt huvud och gick i kras mot balkongdörren. Pihko hade gripit tag i Grigorieva och tryckt ner henne i soffan. Jag skakade det värsta glassplittret ur håret och vadade fram till henne genom glaset. Grigorieva hade brustit i gråt, Pihko hade en olycklig min när han kom ut från köket med hushållspapper och ett glas vatten, som Grigorieva viftade undan. Efter att ha gråtit i några minuter lugnade hon sig, eller snarare såg hon till att hon lugnade sig: sänkte huvudet mellan händerna, andades djupt några gånger, höll sedan andan, fnös till, lyfte på huvudet och torkade tårarna.

"Ni kom säkert inte för att se mig gråta, utan för att ställa frågor. Fråga på."

Jag tyckte det var underligt att hon inte alls undrade över hur Noora dött. Men det var ändå förhastat att dra slutsatsen att det betydde något annat än att hon trots den skenbart lugna rösten och hennes lugna yttre inte alls mådde bra. Men jag insåg i alla fall att det var bäst att dra fördel av situationen, det kunde ju hända att hon snart skulle börja härja igen.

"Ni tränade i Mattby ishall med Noora igår? Vilken tid slutade träningen och när gick Noora därifrån?"

"Ja... Vi slutade vid sjutiden. Noora duschade väl och bytte om. Vi var vid dörren ungefär tio över."

"Vilka är vi?"

"Noora och Janne Kivi, samt jag och min man Tomi. Rami Luoto, den andre tränaren, hade nog gått redan tidigare. Hör ni… Ni är alltså från Esbopolisen? Känner ni kommissarie Jyrki Taskinen?"

"Han är vår närmaste överordnade", svarade Pihko.

"Varför kom inte han och berättade om Noora?" Ilskan glimtade återigen till i de små bruna ögonen.

"Ni kommer nog att prata med honom också. Vi tar bara hand om det förberedande förhöret", sade jag lugnande.

"Förhöret? Vad ska ett förhör vara bra för? Vet ni inte vem som körde på Noora?"

Hennes kommentar förvånade mig.

"Ja, alltså… Hon dog inte i en trafikolycka. Varför trodde ni det?"

Elena Grigorieva skakade på huvudet, blicken flackade någon helt annanstans än till köksdörren, som hon skenbart betraktade. Hon kämpade uppenbarligen med självbehärskningen. Som tur var stod det ingen vas på soffbordet, bara en tom fruktskål i trä.

"Ursäkta. Jag blandar ihop saker och ting. Anton, min förste man, blev överkörd. Men inte Noora. Hur dog hon då?"

"Den exakta dödsorsaken har inte fastställts ännu", svarade jag undvikande. Var det egentligen någon mening med att förhöra Grigorieva? Trots att hon kämpade för att hålla sig lugn, var hon uppenbarligen helt omtumlad. Men jag fortsatte ändå att fråga ut henne:

"Var det nåt särskilt i går, eller var det en helt normal träning? Vilket humör var Noora på?"

"Normal!" fräste Grigorieva. "Situationen var allt annat än normal. Den där förbaskade Ulrika Weissenberg, idiotiska kärring… Ursäkta." Elena drog ett djupt andetag, det var som om hon räknade till tio för att lugna ner sig. "Ulrika och Noora grälade om annonspengarna. Jag vet inte så mycket om det, men Rami hade väl diskuterat det med Janne och Noora och så Ulrika. Men Noora var inte nöjd med sitt avtal."

"Gjorde Noora upp om sina avtal själv? Hon var väl bara sexton år?"

"Noora är inte som vilken sextonåring som helst. Hon är väldigt begåvad, men också otroligt envis... Var envis. Hon var med och planerade koreografin ett par gånger också. Och nog kunde hon gasta åt Janne när han gjorde nåt fel..." Elena begravde ansiktet i händerna, gråten som började på nytt var stillsam, nästan läkande. Pihko tittade frågande på mig, jag ryckte på axlarna. Låt henne gråta. Kanske skulle hon kunna prata snart igen.

För att ha något att göra reste jag mig upp och började plocka ihop de största bitarna av vasen. Vilken tur att jag inte fått den i huvudet. Och vilken tur att det var den lugna och eftertänksamma Pihko jag hade med mig, som inte gjorde stor affär av saken. Pertti Ström skulle helt säkert ha krävt att hon skulle anhållas för hot mot tjänsteman. Undrar var Grigorieva förvarade sopborsten och sopskyffeln? Fast man skulle väl bäst få bort glassplittret ur mattan genom att dammsuga den.

Grigorieva lyfte på huvudet när hon insåg vad jag höll på med, irritationen glimtade till i blicken som skymdes av tårarna.

"Börja för Guds skull inte städa! Brukar inte polisen stöka ner utan att städa upp efter sig? Det var åtminstone brukligt i Moskva. Har ni nåt mer att fråga om?"

"Om ni orkar prata, så berätta lite om gårdagens trä-

26

ning. Det var alltså Janne, Noora och Silja Taskinen som var på isen?"

"Precis. Kan ni nåt om konståkning?"

"Ja, jag brukar titta på det. Jag var med kommissarie Taskinen och tittade på er våruppvisning."

"Jaha. Tävlingssäsongen slutade i slutet av mars för de här tre skridskoåkarna. Nu är det i princip konditionssäsong, vi har bara isträning en gång om dagen två gånger i veckan, då tränar vi nya rörelser. För Siljas del innebär det svåra hoppkombinationer och finslipning av trippel lutzen, medan Noora och Janne övar på trippel salchowen, ett par lyft och en ny typ av dödsspiral."

Ordet dödsspiral fick återigen Grigorievas ansikte att förvridas och hon sade som för sig själv:

"Det var det de övade på alldeles före slutstretchningen: dödsspiralen... Nooras hållning blev bara bättre och bättre, bakhuvudet strök nästan mot marken..."

"Kom Weissenberg och avbröt träningen?"

"Ja! Hon kommer alltid in och kommenderar, som om hennes ärenden vore viktigare än nåt annat. Framgångarna tar hon minsann åt sig äran av. Noora och Janne höll på att stretcha, Silja provade på en kombination av trippel lutzen och trippel toeloopen. Ingen kvinna hoppar nåt som är svårare än det", sade Grigorieva stolt.

"Och Weissenberg kom och avbröt", stack Pihko emellan. Han var tydligen inte intresserad av att höra något föredrag om konståkningsteknik.

"Det var ett fruktansvärt oväsen i omklädningsrummen. Noora skrek för fullt åt Weissenberg. Jag kunde inte urskilja orden för jag var så inne i det Silja gjorde."

"Ni fick inte reda på orsaken till grälet senare heller,

förutom att det handlade om nån reklamfilm?"

"Nej. Noora tyckte inte om Ulrika Weissenberg. Och den kvinnan tycker i sin tur inte om nån som inte lyder henne utan att protestera."

"Men Weissenberg lämnade ishallen långt före Noora?"

"Hon stannade bara en stund. Silja gick vid sextiden och vi stannade kvar för att öva på dödsspiralen. Jag fick intrycket att Janne skulle köra Noora hem. Noora hade mycket saker med sig, hon provade ett par nya skridskor också."

"Så ni kommer ihåg att Noora hade med sig väskan när hon lämnade ishallen?"

Grigorieva nickade. Tyvärr hade hon inte sett om Noora åkte med Janne eller om hon gick iväg hemåt, för hennes man hade hämtat henne och haft bråttom. Det verkade som om den enda som kunde säga vart Noora gått från ishallen var Janne Kivi.

"Vad hade man gjort mot Noora?"

Elena Grigorievas fråga överrumplade mig, jag hann inte svara innan hon fortsatte:

"Hade Noora blivit våldtagen?"

Det hade Taskinen inte nämnt någonting om, inte ens när vi pratade om Pertsas antastarteorier. Så jag nekade och konstaterade bara att Noora hade misshandlats till döds, och att det inte kunde handla om någon olycka.

"När dog Noora då, direkt efter träningen?" frågade Grigorieva.

"Hon kom aldrig hem. Kroppen hittades vid åttatiden."

Grigorieva fick ett konstigt uttryck i ansiktet som jag

inte lyckades tyda. Det var en blandning av ilska, rädsla och ytterligare något annat.

"Då var hon ju inte på balettlektionen i morse heller! Varför har ingen meddelat mig…"

Grigorievas röst började stiga igen, jag frågade snabbt om hon kommit direkt hem från ishallen. Hon dröjde ett tag med svaret.

"Ja, vi körde hem. Vi stannade till vid närköpet på hemvägen och när vi kom hem började vi laga mat. Fiskseljanka."

Det fanns många saker till som jag ville fråga henne om. Men först ville jag träffa dem som varit i ishallen i går. När jag gick försökte jag antyda att det inte var bra för henne att vara ensam, men hon började förvånat räkna upp dagens arbetsbörda.

"Klockan fyra är det gruppträning med juniorerna. Den måste jag planera. Jag vet av erfarenhet att arbete hjälper även mot den värsta smärta."

"Arbeit macht frei, just precis", muttrade Pihko när vi trängde oss in i hissen. Om ett par veckor skulle han lämna stationen, allra först på semester. Den tänkte han tillbringa med att plugga inför inträdesproven till juridiska fakulteten. Pihko var en ambitiös kille som ville bli minst kriminalkommissarie, även om han inte direkt ville skryta med sitt skarpa huvud. Om han hade turen med sig skulle han bara jobba som sommarvikarie på stationen.

"Jag kollar om Rami Luoto är hemma. Han har ju tränat Noora och Janne i åratal, förmodligen har Nooras föräldrar informerat åtminstone honom."

Jag fick inte tag i tränaren, endast telefonsvararen. En behaglig pojkaktig röst bad att man skulle lämna ett meddelande, vilket jag inte gjorde.

"Kivi eller Weissenberg?" frågade Pihko i Kvisbacka-vägens korsning. Innan jag hann svara ringde telefonen. Man hade hittat Noora Nieminens väska i skogsdungen i Krokudden, nära flickans hem. Också vapnet som Noora misshandlats med hade nu fastställts, för i väskan hade man hittat hennes egna blodiga skridskor.

2

Platsen där man hittat Noora Nieminens sportbag, ett fuktigt skogbevuxet område mitt emellan ett bostadsområde och en parkkulle, var full av poliser. Koivu var också där. Han var uppenbarligen färdig med rundfrågningen i affärerna och parkeringshuset i Mattby.

"Du vill säkert se det här innan det skickas till labbet", sade Karttunen från tekniska roteln. När jag nickade fortsatte han: "Väskan hade stuvats in bakom stenarna där borta, så den hade varit svår att hitta om man inte visste vad man letade efter. Skridskorna låg överst. Titta."

Karttunen öppnade väskan och en lukt av svettiga träningskläder slog emot mig. Under den kunde man ana den motbjudande, svagt metalliska lukten av torkat blod från de rostfärgade, klibbiga skridskorna. De hade lagts överst i väskan. Elena Grigorieva hade berättat att Noora hade haft sina nya skridskor. En bild av Noora som Snövit när hon bönföll jägaren om nåd blixtrade förbi. Hade hon sett likadant på sin mördare?

"Före labbundersökningen kan vi förstås inte vara säkra på att Noora Nieminen misshandlades med just dessa,

31

men det är ganska troligt", sade jag mer för mig själv än till Pihko eller Koivu som stod bakom mig. "Skicka det till labbet, jag kollar resten av innehållet i väskan när skridskorna har analyserats. Fanns det fler spår på platsen, till exempel tecken på slagsmål eller nån sten med blodfläckar?"

"Har inte sett nåt. Det regnade häftigt i natt. De där uppe kan mycket väl ha sköljt bort spåren, men vi fortsätter leta", suckade Karttunen.

"Ett jävligt bra mordvapen", hördes en bekant röst bakom mig. Jag snurrade runt och stirrade rätt in i Pertti Ströms acneärrade ansikte, där näsan som han brutit ett par gånger lyste violett som en överkokt rödbeta.

"Vad gör du här, Pertsa? Det är inte ditt fall!"

"Jag råkade köra förbi på Västerleden när jag hörde stationsbefälet kalla på dig Jag tänkte bara titta hit av ren nyfikenhet. Ett par skridskor alltså... De är allt jävligt vassa, jag kommer ihåg när jag som grabb under en hockeymatch fick en motståndares skridsko i kinden. Jag har fortfarande ett ärr kvar. Och har inte konståkare taggar på dem dessutom. Dem kan man allt göra slut på nån med."

"Håll käften, din idiot! Jag kan nog föreställa mig hur Noora Nieminen mördades utan ditt föredrag!"

Min och Pertsas relation hade blivit nästan outhärdlig sedan det blev klart att vi båda eftertraktade Taskinens tjänst som eventuellt skulle bli ledig. Pertsa kände sig i underläge för att jag var kvinna, eftersom man numera försökte uppmuntra kvinnor inom polismakten att avancera. Om jag blev Taskinens efterträdare skulle Pertsa säkert göra klart för alla att jag bara fått tjänsten för att jag var kvinna.

"Herre jisses, i Joensuu var skinnskallarna knäppa, i Esbo är poliserna också det", drog Koivu till med. Han hade efterträtt en polisassistent på vår rotel så sent som för ett par veckor sedan. Jag hade jobbat med Pekka Koivu när jag för några år sedan hade haft ett sommarvikariat på polisstationen i Helsingfors. Koivu hade gått över till kriminalpolisen i Joensuu, och för ett par somrar sedan hade jag hamnat som vikarierande länskvinna i min gamla hemstad Arpikylä. Där hade vi tillsammans fått lösa mordet på en konstnär. Efter min förflyttning till Esbo hade jag saknat Koivu och nu kändes det roligt att jobba tillsammans med honom igen. Han var egentligen mer än en arbetskamrat, nästan som den bror jag inte hade, däremot hade jag två systrar.

"Fick du fram nåt på rundan i affärerna?" frågade jag Koivu. Han ansåg att vi fick sätta största hoppet till anslagen i parkeringsgaraget. Någon skulle kanske komma ihåg såväl Järvenperäs gamla Merca som mördarens bil, som förmodligen parkerats bredvid den. Noora måste ju ha förts dit i bil. Flickans mördare hade tagit en jävligt stor risk. Kati Järvenperä som hittat liket var också en nyckelperson, för det var troligt att förövaren redan befunnit sig i parkeringsgaraget när hon anlände och att han sett henne lämna bakluckan olåst.

"Den här skogsplätten ser ut som en möjlig mordplats", sade jag fundersamt. Just här på norra sidan av Krokuddsvägen fanns det ingen bebyggelse, bara en sumpig skogsdunge som slutade i ett videbuskage. Bakom den låg en lång, igenvuxen backe som korsades av gångstigar. Videsnåret skymde delvis sikten in i buskaget, delvis beskuggades det av tallarna. Nooras hem låg på den södra sidan av Krokuddsvägen, bara ett par kvarter bort. Jag undrade hur det kändes för Nooras föräldrar att se polisbilarna på parkeringsplatsen intill dungen, och de rödgulsvarta plastbanden som avgränsade området som finkammades på spår efter dotterns mördare? Skulle de någonsin mer kunna gå förbi dungen utan att tänka att deras dotter hade blivit ihjälslagen där?

Jag var tvungen att ruska om mig själv mentalt för att inte börja tänka alltför mycket på människors känslor. Det skulle nog vara nyttigare att till exempel fundera på hur mördaren lyckats få tag på Nooras skridskor. Skridskoproffs, som Noora, beställde vad jag visste både skorna och skären separat och var definitivt rädda om sin utrustning. Noora hade knappast transporterat sina nya skridskor oövertäckta, utan haft överdrag på dem, mjuka tygpåsar. Plastskydden som man använder när man har skridskorna på sig får lätt skären att rosta. Varför hade skridskorna tagits fram ur sportbagen, och var det Noora som gjort det – eller mördaren? Och var fanns skydden nu?

Jag ställde mig en bit bort för att ringa. Jag fick tag på Taskinen som var på väg hem. Han hade trots allt bestämt sig för att titta till Silja före intervjun.

”Ulrika Weissenberg? Jag känner henne inte särskilt väl. Vi var på bjudning hemma hos henne en gång, men hon anser inte att en polis och en barnomsorgsplanerare är särskilt glamourösa.” Taskinens röst var förvånansvärt skarp, uppenbarligen tyckte han inte mer om konståkningsförbundets ordförande än vad Elena Grigorieva gjorde. Några grundfakta kunde Taskinen åtminstone dra för mig.

Ulrika Weissenberg var både ordförande för Esbo Konståkare och vice ordförande för Finlands Konståkningsförbund. Hon hade inget regelbundet jobb, utan ägnade sig åt organisationsverksamheten som hon blivit intresserad av tjugo år tidigare när hennes dotter hade sysslat med konståkning. Dottern hade gett upp grenen ganska snart, men Ulrika hade fortsatt. Finlands Konståkningsförbund var såvitt jag visste en av de allra mest omtvistade förbunden, och den makthungriga Weissenberg fungerade inte direkt som fredsmäklare. Hon tyckte om att ordna med saker och ting, men hennes skridskor gick ofta på tvärs med idrottarnas.

Taskinen kunde dessutom berätta att Weissenbergs man var en av de viktigaste cheferna inom Nokia. Det lät verkligen inte lockande att förhöra Ulrika Weissenberg, men jag ville väldigt gärna veta vad hon grälat med Noora om i går kväll.

"Koivu, gör mig en tjänst och ring Ulrika Weissenberg. Låtsas att du är från nån välgörenhetsorganisation. Jag vill bara veta om hon är hemma, inte säga vad jag vill i förväg."

"Varför just jag? Varför gör du det inte själv, eller ber Pihko?"

"För att vi ska åka dit på en gång om hon är där." Koivu muttrade något och gick bort till bilen för att ringa, han kom ut nästan direkt igen med ett brett grin i ansiktet.

"Det var en tuff kärring, tjöt som en siren att hon bidrar med flera tusen om året till Barnklinikens faddrar och Kyrkans Utlandshjälp och inte skänker till några andra tiggare."

"Vad bad du om pengar till då?" frågade Pihko nyfiket.

"Till ett skyddshem för pensionerade polishundar... Nej, allvarligt talat så bad jag om pengar till ett stödcenter för aids..., det var det första jag kom att tänka på, men tydligen inget bra val med tanke på mottagandet."

"Tack i alla fall, Koivu. Vi ses väl senare i dag. Vi kan kanske ha ett möte vid tvåtiden om vad vi fått fram så långt. Kom igen, Pihko!"

Jag ville ha lite action och det snart, jag ville bort från dungen som doftade av jord, och bort från letandet efter tecken på blodsdådet. Babyn hade också tröttnat på att vara stilla och simmade rastlöst omkring inuti mig. Helst skulle jag ha stuckit iväg upp på den gräsbevuxna kullen för att kika på molnen och känna de skälvande rörelserna i min mage, försöka lugna ner mig och koncentrera mig på förhören som väntade. Men direkt aktion var ändå det bästa receptet mot den häftiga smärtan som blixtrade inom mig. Jag ville få fast den som lemlästat en talangfull ung flicka med hennes egna skridskor.

Familjen Weissenberg bodde på Tallvägen i Nöykis. Trädgårdarna var stora, det ena huset tjusigare än det andra. Huset jag letade efter såg ut att vara en enplansvilla och vindlade på ett spännande sätt i en sluttning, det var svårt att hitta ingången bland rosenbuskarna. Vi tänkte just ge oss iväg när det bakom dörren började höras rasslanden och sedan skall, som tystades av en skarp tillsägelse. Dörren öppnades raskt och jag stirrade rakt på kvinnan i päls, som förgäves försökt få tyst på skridskotruppen i Mattby ishall.

Också nu var hon kraftigt och omsorgsfullt sminkad.

Det svartbruna håret hade dragits ihop till en tjock knut i nacken, det solbrända ansiktet med örnprofilen framhävdes av guldörhängen. Den svartvita, randiga byxdräkten såg enkel ut, men hade förmodligen kostat en hel inspektörslön. Klackarna på de svarta pumpsen var minst tio centimeter höga. Ulrika Weissenberg var just den typen av kvinna som fick mig att bli medveten om mitt rufsiga hår och min skrynkliga skjorta. Jag hade inte ens brytt mig om att sminka mig i morse, eftersom jag cyklat till jobbet.

"Inspektör Kallio och assistent Pihko från Esbopolisen", fick jag fram. "Får vi komma in?"

Weissenberg kommenderade undan den vita pudeln vid sina fötter. Blicken dammsög först mig och sedan Pihko.

"Ert ärende rör säkert Noora Nieminens död", konstaterade hon.

"Så ni har hört talas om det?" Jag ställde mig bredvid Weissenberg i hallen, fastän hon inte bjudit in oss.

"Nooras far ringde mig för en timme sen. Men kom in, jag hjälper gärna till även om jag inte vet mycket om det hela. Vi kan gå in på mitt arbetsrum." Weissenberg vände sig om och jag följde efter henne i jasmindoftens kölvatten.

Weissenbergarnas hem var lika prydligt som dess ägare. Fruns arbetsrum låg i norra änden av huset, fönstren vette mot en bergig skog. Det var en rejäl kontrast mot Elena Grigorievas stenmurar i Kvisbacka, även om avståndet bara var några kilometer. Möblerna var av italiensk design med mjuka linjer. Pihko satte sig försiktigt på en trebent stol, som om han förväntade sig att den

37

skulle välta. Jag sjönk ner i en svart skinnsoffa.

"Jag hoppas att det inte tar så lång stund, jag måste åka bort till Nooras föräldrar och förbereda nåt slags pressmeddelande om saken. Jag har försökt få tag på kommissarie Jyrki Taskinen. Ni känner honom förmodligen, hans dotter är med i vårt konståkningssällskap. Men Jyrki var inte där, så ni kanske kan berätta för mig hur långt polisen hunnit i utredningen. Har ni fått tag på galningen som mördade stackars Noora än?"

Weissenberg visste tydligen inte vem av oss som stod högst i hierarkin, den hon borde rikta sina frågor till. Jag var äldst och hade skött snacket hittills, men å andra sidan var jag kvinna och dessutom gravid. Allt eftersom magen blivit rundare hade jag till min förundran märkt att en del människor behandlade en gravid kvinna som en efterbliven. Kanske var en gravid kriminalpolis en underlig syn. Pihko var man, men yngre och tystlåtnare. Han öppnade inte munnen nu heller, utan lät mig svara:

"Än så länge har ingen gripits. Vad menar ni med pressmeddelande?"

"Det är klart att Esbo Konståkare och Finlands Konståkningsförbund måste ge ett officiellt tillkännagivande om saken! När en sån elitidrottare som Noora dör intresserar det journalisterna. Nooras föräldrar orkar förstås inte ta hand om sån här publicitet, så det blir min uppgift."

"Det vore nog bäst att diskutera innehållet i pressmeddelandet med polisen", sade jag argt, för Weissenbergs soloagerande skulle kunna ställa till med besvär för utredningen.

"Det var just det jag tänkte prata med kommissarie

Taskinen om." Ulrika Weissenbergs röst klingade som en istapp mot metall, de långa naglarna knackade ilsket mot bordet. Det var bara nageln på höger pekfinger som var kort, men även den var täckt av nagellack som såg ut som torkat blod.

"Ska vi gå över till assistentens frågor?"

Jag brydde mig inte om att rätta titeln till inspektör, fastän tilltalet uppenbarligen var menat som en förolämpning. Det gjorde detsamma vad hon kallade mig, jag hade ändå befogenheter att göra livet surt för henne. Jag inledde i en anklagande ton:

"Ni är en av de sista som såg Noora Nieminen i livet. Jag har hört att ni hade ett stormigt gräl med henne i ishallen i går. Ni stannade väl inte kvar och väntade på Noora och fortsatte grälet, till exempel i er bil?"

Pihko drog häftigt efter andan, han var förmodligen förfärad över min förhörsteknik. Weissenbergs parfym började dofta ännu starkare, en genuint mörk färg steg fram under rouget.

"Antyder ni att jag... Hör nu assistent vad ni nu heter, jag säger inte ett ord till om jag ska behandlas på det här sättet! Jag pratar bara med Jyrki Taskinen. Jag ber er att gå omedelbart!"

Pihko drog återigen efter andan, sade sedan med för vånansvärd auktoritet i rösten:

"Inspektör Kallio hade absolut inte för avsikt att anklaga er." Pihkos ögon sökte mina som för att uppmana mig att be om ursäkt, så att vi kunde fortsätta förhöret. Stoltheten tog emot, men mitt professionella jag vann:

"Jag är ledsen om jag lade fram orden så att de kan uppfattas som en förolämpning. Men jag skulle ändå vilja höra vad ert gräl med Noora handlade om. Hon kanske fortsatte gräla om samma sak med nån annan?" Nu var jag också röd, för jag avskydde den här typen av krälande, men det var ju jag själv som hade orsakat situationen.

Weissenberg tvekade en stund, men beslöt sedan att godkänna min ursäkt.

"Grälet handlade om en reklamfilm för Valioglass. Jag har lyckats förhandla fram en väldigt lukrativ reklamkampanj för Konståkningsförbundet med Noora, Janne Kivi och Silja Taskinen som huvudstjärnor. Nu måste jag förstås avboka det också. Eller åtminstone ändra manuset. Silja och Janne skulle ju kunna…"

Jag kunde nästan se sedlarna i Weissenbergs ögon och jag började ilskna till igen.

"Reklamen, ja?"

"Noora tyckte inte om reklambyråns idé. Valio kommer med en ny typ av yoghurtglass. Idén i reklamen var att Noora glömmer sig kvar med en glass och inte bryr sig det minsta om att Janne åker iväg med Silja. En rolig, humoristisk reklam, väldigt lyckad tycker jag."

"Men det tyckte inte Noora?"

"Vem tror hon egentligen att hon är!" Ilskan från gårdagen blossade upp igen, det tog väl en liten stund för Weissenberg att komma ihåg att Noora var död. "Eller trodde att hon var, borde man kanske säga. Man ska ju inte tala illa om de döda, men Noora var väldigt nyckfull. Allt skulle vara exakt enligt hennes önskemål. Fast jag såg allt igenom henne. Hon ville inte vara med i reklamen för att hon skulle ha varit tvungen att tävla om Jannes uppmärksamhet med Silja. Och i verkligheten var det tydligt vem Janne helst såg på! Noora var verkligen ingen skönhet. Rumpan var hur bred som helst."

"Är inte det där ganska grymt?" Jag visste ju att konståkning var ganska utseendefixerad, men Ulrika Weissenbergs ord kändes ändå obefogade. Vad hade Noora egentligen gjort, eftersom hon fortfarande var så ursinnig?

"Grymt? Det är det, men det är också ett faktum som man måste ta hänsyn till. Det är underligt att Noora kom så långt inom konståkningen med det ansiktet och den kroppsbyggnaden. För soloåkning hade hon alldeles för korta ben och för breda höfter, det var därför hon utsågs till Jannes partner."

"Så Noora vägrade att göra den planerade reklamen?"

"Hon försökte vägra. Men jag kan inte tillåta nåt sånt, det handlar om så pass stora summor! Allt var dessutom redan planerat, också tiderna för filmandet. Noora insåg förstås inte att det inte är en helt lätt sak att hitta sponsorer. Och jag vill ju inte heller besvära skridskoåkarna med det. De får sköta sitt jobb, så sköter jag mitt."

Weissenbergs pudel smet in i rummet och började gnälla som om den var orolig. Hundens matte reste sig utan ett ord och försvann iväg med hunden efter sig. Kanske behövde den gå ut för att uträtta sina behov. Jag försökte skaka av mig motviljan mot Ulrika Weissenberg och komma på vettiga frågor. Elena Grigorieva hade berättat att Weissenberg lämnat ishallen redan långt innan träningen var slut. Kunde hon ändå ha stannat och väntat på Noora för att pressa henne ytterligare? Kunde mordet ha skett i hennes bil?

"De andra skulle alltså ha gått med på reklamfilmen?"

41

frågade jag när Weissenberg kom tillbaka, fortfarande utan att förklara något.

"Det är klart! Silja och Janne inser faktum. Träningslägren och tävlingsresorna är inget gratisnöje!"

"Och ni lyckades inte lösa er meningsskiljaktighet med Noora?"

Weissenberg skakade på huvudet, men inte ett enda hårstrå rörde sig i den stramt åtdragna knuten.

"Vid vilken tid lämnade ni ishallen och vad gjorde ni sen?"

"Klockan var väl sex. Jag åkte hem. Men vad angår det er? Varför besvärar ni egentligen mig? Varför åker ni inte och anhåller mannen som förföljt familjen Nieminen, det var säkert han som tog livet av Noora!"

Pihko sneglade undrande på mig, han visste uppenbarligen inte vad Ulrika Weissenberg pratade om. Pihko hade inte jobbat på stationen då och jag var också helt ny när Vesku Teräsvuori hade plågat familjen Nieminen som värst. På hemvägen måste jag berätta för Pihko vad det rörde sig om.

"Kan nån bekräfta när ni kom hem?" frågade jag.

"Nej! Min man jobbade. Vad är det här egentligen, anklagar ni mig för Nooras död?"

"Jag anklagar ingen. De här frågorna hör till utredningen, och vi kommer säkert att behöva återkomma till dem. Tack tills vidare i alla fall. Det vore bra om ni kunde rådgöra med kommissarie Taskinen om pressmeddelandet."

Det kändes som om jag skulle explodera igen om jag inte kom ut ur huset snart. Jag hade inbillat mig att graviditeten skulle lugna ner mitt lynne, men jag var samma

42

gamla krutdurk som förut, och jag hade redan börjat oroa mig för hur mina nerver skulle klara babyns gallskrikande. Våren hade susat förbi i en väldig fart och jag hade inte hunnit fundera så mycket över mitt förestående moderskap, kanske hade jag till och med flytt undan tankarna på det.

Jag hoppade lättad in bakom ratten på polisbilen och gasade raskt iväg från den lummiga gårdsplanen. I nästa backe blev jag tvungen att tvärbromsa, för vägen blockerades av en klunga som bestod av en tax, fyra promenerande småbarn, en fullproppad tvillingvagn och en vuxen. Tydligen var barnen väluppfostrade för de väjde vant undan nästan ner i diket och stirrade på polisbilen. Det yngsta av dem, en guldlockig och rundögd liten krabat som det inte gick att bestämma könet på, skrek ivrigt: "Ooiiiuuu, ooiiiiuuu!"

"Är alla sex den där kvinnans, tro?" funderade jag för mig själv, frågan intresserade inte Pihko. Genast när han satt sig i bilen grävde han fram juridikboken ur väskan. Killen hade bestämt sig för att komma in på universitetet, under hela förra vintern hade han tagit kurser vid öppna högskolan. Rädslan att bli underordnad Ström var tydligen den bästa kicken för att anstränga sig. Men jag avbröt bryskt läsandet och redogjorde för Pihko vad fallet med förföljelsen egentligen handlat om.

Jag körde tillbaka till stationen, regnet hade börjat stänka mot vindrutan igen. Magen vrålade av hunger, jag var tvungen att äta innan jag ens kunde tänka på att göra något annat. Jag slukade en tallrik av torsdagsärtsoppan i ett nafs och skulle just hugga in på ugnspannkakan när Ström dök upp bredvid mig.

"Här sitter Kallio och äter för två?"

"Väldigt originellt. Sätt dig när du ändå står där, jag måste prata med dig. De där barnantastarfallen i Mattby-Olars..."

"Så du tänkte på samma sak som jag?"

"Nej, men Taskinen sa att du misstänker att det är samma person som har tagit livet av Noora Nieminen. Dra fallet kort. Hur gamla var flickorna nu igen?"

"Från åtta till elva år."

"Riktiga barn alltså? Såg de ut som barn?"

"Precis."

"Vilken typ av våld hade de blivit utsatta för?"

Pertsa grimaserade, nappade åt sig en tändsticka från bordet och började peta naglarna. "Två av flickorna hade tvingats till oralsex. De tre andra hade han själv tafsat på. Han hotade dem även med kniv."

Plötsligt smakade inte pannkakan gott längre. Jag flyttade undan tallriken.

"Mordet på Noora passar inte riktigt in i profilen. Att fallen skulle ha nåt gemensamt tycker jag verkar vara en ganska dålig teori."

"Ja, för du vill inte att jag ska lägga mig i fallet Nieminen! Ett mord på en stjärnidrottare, vilken chans att hamna på löpsedlarna! Försök inte, Kallio, jag ser nog igenom dig, fastän du är ganska tjock", slängde Pertsa ur sig, slamrade med stolen när han reste sig upp och försvann ut för att röka.

Jag orkade inte bry mig om Ström, utan reste mig, stoppade ett tuggummi i munnen och försvann ner till arkivet för att hämta papperen om Vesku Teräsvuori. Rapporten var skriven av min kollega Palo som dog i tjänsten i vintras. Det kändes fortfarande konstigt att se hans namnteckning. Det hade bara varit en tillfällighet att psykopaten inte tillfångatagit mig utan honom. Rapporten var typisk för Palo, sparsam och saklig, redogjorde bara för det nödvändigaste om fallet.

Vesa "Vesku"Teräsvuori, vars yrke angetts som "karaokekung", hade för två och ett halvt år sedan blivit förälskad i Nooras mamma Hanna Nieminen. De hade haft ett förhållande som varat i några månader, och Hanna hade då flyttat hem till Vesku. Men efter att de bott tillsammans i en månad hade Hanna valt sin familj och flyttat tillbaka till Krokudden igen.

Trakasserierna hade börjat två månader efter flytten. Då hade Vesku Teräsvuori uppenbarligen insett att Hanna Nieminen inte tänkte komma tillbaka till honom. Teräsvuori hade börjat med telefonsamtal, och när familjen Nieminen skaffat hemligt nummer hade han gått över till att ringa till Hannas mans, Kauko Nieminens, transportfirma där Hanna också jobbade. Kauko Transport AB kunde inte ha hemligt nummer utan att affärerna blev lidande. Vesku hade dessutom börjat skicka hotbrev till familjen och lurpassat i trädgården till deras hus i Krokudden. Ibland följde han efter barnen, Noora och den nu trettonårige Sami.

Hanna hade förhalat en polisanmälan, kanske för att hon lade skulden på sig själv för det som hände, och för att hon skämdes över sitt snedsteg. Och polisen skulle inte ha kunnat göra särskilt mycket heller. Finlands lagstiftning förbjuder nämligen inte någon att gå nära en annan person. När trakasserierna pågått i ett år hade Kauko Nieminen stämt Teräsvuori för hot. Domen hade varit

45

förvånansvärt mild, bara ett par tusen mark i böter.

Rapporten beskrev bara en del av detaljerna i trakasse-rierna. I telefonmeddelandena hade Teräsvuori hotat att skada Hanna eller någon annan i familjen om inte Hanna fortsatte sitt förhållande med honom. Det fanns kopior på några av breven, eftersom det material som Palo sam-lat ihop använts som bevis i åtalet mot Teräsvuori. Jag tyckte att formuleringarna i breven var så graverande att det skulle ha räckt för åtminstone en villkorlig dom.

Min älskade Hanna!
Du är mitt livs kvinna och jag kan inte leva utan dig. Utan dig är min värld öde som Saharaöknen. Min jacka behöver ingen nål eller tråd, men min själ skulle behöva bättre säll-skap, och du är just det. Om jag inte kan få dig vill jag inte ge dig till någon annan heller, utan jag tar med dig till dödens Sagorike, där vi får vara tillsammans i evighet.

Hanna, min älskade och dyrbaraste,
Varför lade du på luren när du hörde min röst? Jag vill dig ingenting illa, jag vill bara vara nära dig. Men jag är svart-sjuk på din man, vad ser du egentligen i den skallige tjocki-sen? Du sade ju själv att Kauko saknar ömhet i sitt hjärta. Om du själv inte är stark nog att bli av med Kauko, lämna saken åt mig. Ett enda ord och det är ute med Kauko, och han kan inte såra dig mer.

Jag läste igenom resten av rapporten noggrant. Det fanns mer än nog av hotelser, och eftersom de sista anteckning-arna var från november hade trakasserierna tydligen fort-satt även efter åtalet. Jag hade ju själv för ett par veckor

46

sedan sett hur Teräsvuori kastade rosor åt Noora i ishallen. Hade familjen till slut funnit sig i situationen när inget verkligt farligt hade hänt? Och hade Vesku Teräsvuori helt spårat ur och bestämt sig för att hämnas på Hanna för att hon lämnat honom genom att ta livet av hennes stora stolthet, Noora?

Jag tyckte inte alls om det har fallet. Även om lösningen var enkel och Vesku Teräsvuori hade mördat Noora, låg det något ytterst motbjudande i alltsammans. I princip var obehagliga saker vardagsmat för mig, vad annat gick en kriminalpolis jobb ut på än att rota i andras avfall, men det äcklade mig ändå.

Vesku Teräsvuori, karaokekungen alltså. Han hade vunnit en karaoketävling på TV för några år sedan och blivit B-kändis ett tag. Han försörjde sig genom att ordna karaokekvällar på restauranger och på båtar. Också jag hade mot min vilja hamnat på en sådan när vi haft svensexa för en av Anttis före detta körkompisar. Ett av numren hade varit brudgummens karaokeserenad för kvinnorna som var på plats. Jyri hade tagit i med Fougstedts *Romansen* nio gånger tjusigare än Leif Wager, och det verkade irritera Vesku.

"Det är lätt för en körsångare att sjunga en serenad", hade han hånat i mikrofonen. "Men hur är det med rock? Vad sägs om till exempel *Blue Suede Shoes*."

Nog hade Jyri kunnat rocka loss till Elvis också, men efter det hade vårt sällskap varit i onåd hos karaokejockeyn. Antti hade fått köa i över en timme för att få sjunga Kirkas *Timmen är slagen*, som han alltid började skråla efter fem öl. Just när det var hans tur hade Vesku stängt av karaoken. Då hade jag haft lust att ta på mig polisrollen

47

och börja kommendera karaokekungen, men jag hade druckit cirka sju glas anissprit och insåg att jag bara skulle ha verkat skrattretande. Och Vesku Teräsvuoris superstora ego hade inte lyckats förstöra svensexan. Nästa morgon hade jag och Antti vaknat med århundradets baksmälla och brudgummen hade med nöd och näppe återhämtat sig till bröllopet.

Elena Grigorieva, Ulrika Weissenberg, Vesku Teräsvuori... De misstänkta i fallet Noora Nieminen var åtminstone inget att hurra för. Jag sökte fram Teräsvuoris adressuppgifter, han bodde i Helsingfors, i Gräsviken. Han var utan tvekan näste man till förhör. Karaokekungen skulle få komma in till polisstationen, det var bäst att sköta det här så officiellt som möjligt.

"Hej, det här är Vesku", sjöng en hes tenorröst. "Lämna ett meddelande eller försök på min mobil."

Han lämnade inget nummer, men jag fick det hos nummerupplysningen. Teräsvuori svarade på andra försöket.

"Esbopolisen? Kul att för en gångs skull få prata med en kvinna därifrån. Vad gäller saken?"

"Vi skulle vilja förhöra er så snart som möjligt. Passar det klockan fyra i dag här på polisstationen i Esbo?"

Det knastrade obestämbart i telefonen, samtalet bröts för ett ögonblick men kom tillbaka igen.

"Det går tyvärr inte, jag har ett gig i Vasa i kväll. Jag är precis på väg dit. Vad gäller det?"

"Ni är alltså på väg till Vasa... Var befann ni er i går kväll?"

"Hör nu, tjejen. Att prata i mobil medan man kör anses som vårdslöshet i trafiken. Jag kommer tillbaka till

Helsingfors i morgon, jag är anträffbar efter klockan tolv. Ring då om det är viktigt!" Teräsvuori lade på luren.

Jag lämnade ett meddelande på hans hemtelefon. I detsamma tågade Taskinen in. Han hade varit hemma och rakat sig och bytt skjorta, kanske till och med sovit lite, för den askgrå färgen i ansiktet hade försvunnit.

"Hej, Maria. Hur går det?"

"Jag pratade just med Vesku Teräsvuori. Han är på väg till Vasa. Ska vi stänga gränsen?"

"Gör det. Han är ju den troligaste gärningsmannen här. Silja vill prata med dig. Hon misstänker att det inte är så enkelt trots allt."

"Varför det?"

"Fråga henne själv. Även om det här är jobbigt för henne vill jag sköta det officiellt."

"Silja har inte fyllt arton än. Kan jag förhöra henne bara sådär?"

"Terttu är hemma, du behöver ingen barnvakt. Ta med nån, Silja är beredd att avlägga vittnesmål."

Taskinens röst var allvarlig, jag undrade vad det egentligen kunde vara fråga om. Men jag kände min chef så pass väl att jag inte bad om någon förklaring. Det var säkert jobbigt för honom att den privata och den officiella rollen blandades ihop, jag undrade varför han inte bett att fallet skulle flyttas över till någon annan rotel.

"Ulrika Weissenberg ringde. Ta det lugnt med henne. Ulrika är en ganska självupptagen kvinna."

Jag nickade. Det var inte första gången Taskinen hamnat mellan mig och någon annan. Den person jag oftast kom ihop mig med var chefen för våldsroteln, som inte kunde tåla mig.

"Nu tänkte jag försöka få tag på Janne Kivi och Rami Luoto."

"Åk hem till oss först. Janne och Rami får du tag på i ishallen i kväll, om du orkar med en lång arbetsdag."

"Ja, det orkar jag." Jag försökte flina, fastän något i Jyrkis uttryck skrämde mig. Vad i all världen var det för förfärligt som Silja egentligen hade att berätta?

Koivu, som var tillbaka från Mattby, följde med mig. Han och Lähde hade lyckats hitta två personer som befunnit sig i parkeringsgaraget strax innan åtta föregående kväll. Lähde hade lovat ringa Koivu på mobilen om det dök upp något som var viktigt för utredningen. Ändå var jag mer intresserad av vad Silja Taskinen visste. Visste hon kanske vem som var Noora Nieminens mördare?

50

3

"Är du nervös för att förhöra chefens dotter?" frågade Koivu när vi tog av mot Alberga från Ringväg I.

"Det är ju en underlig sits, men jag har varit med om liknande förut. Du kommer säkert ihåg mordet på Meritta Flöjt? Nästan alla misstänkta var gamla kompisar."

"Träffade du inte Antti i samband med nåt mord också?"

"Jo. Han var faktiskt den starkaste mördarkandidaten. Rätt otroligt att jag kunde misstänka honom, han kan ju inte ha ihjäl metfiskar ens. Det är det där huset, där bakom kyrkan."

Huset såg nergånget ut. Det var ett av de nya höghusen som i all hast byggdes av dåligt material i början av 90-talet. Den största delen av familjen Taskinens inkomst gick till att finansiera Siljas skridskoåkning, men jag hade aldrig hört Jyrki beklaga sig över det. De sponsorpengar som Ulrika Weissenberg nämnt var garanterat välbehövliga för dem. Nooras död behövde ju inte påverka Siljas position. Den tolfte bästa isprinsessan i världen, dessutom vacker, skulle säkert duga för reklamkampanjerna hos ett flertal företag.

51

Terttu Taskinen kom och öppnade.

"Silja ville absolut prata med dig i dag, fast jag vet inte om det är så klokt."

"Oroa dig inte, vi kan avbryta om det skulle bli nödvändigt. Det är nog bäst om du är med."

"Silja vill prata med er utan mig. Jag väntar i köket, hon är på sitt rum. Gå dit ni bara."

Silja Taskinens rum var trångt, det fanns bara plats för en säng, ett skrivbord och en liten fåtölj. Silja själv satt hopkurad på sängen omgiven av en massa mjukisdjur. I famnen kramade hon en tvättbjörn i naturlig storlek. Hon var svullen under ögonen och det nyligen påstrukna ceratet kunde inte dölja de spruckna läpparna. Hon såg inte ut att vara i stånd att förhöras, men svarade ändå förvånansvärt piggt på min hälsning. Jag visste inte riktigt hur jag skulle börja. Koivu satte sig på skrivbordsstolen, började montera upp bandspelaren på bordet. Jag funderade på om jag skulle sätta mig i fåtöljen eller på sängen bredvid Silja. Eftersom jag inte kände henne särskilt väl valde jag fåtöljen.

"Vi tar det här helt formellt nu", sade jag till Silja och började rabbla upp tid och plats för förhöret. Det välbekanta i rutinerna underlättade, med hjälp av dessa kom jag in i yrkesrollen igen och kunde åtminstone delvis glömma att Silja Taskinen var någon annan än ett fyllo som anhållits för att ha knivskurit sin kompis.

"Du kände uppenbarligen Noora Nieminen ganska väl, ni tränade mycket tillsammans och gick i samma skola. Hon var din vän. Har du nån uppfattning om vem som kan ha tagit livet av Noora?"

"Hon var egentligen inte min vän, men det är klart att

52

vi varit tvungna att umgås genom åren, inte minst på grund av omständigheterna."

"Ni gick båda på Tölö Samskolas gymnasium?"

"Ja. Noora gick en årskurs under mig, hon skulle ha börjat tvåan nu." Silja grävde fram en näsduk ur fickan på sin luvtröja och snöt sig innan hon fortsatte: "Hon började väl skolan när hon var sex, hon var två år yngre än jag. Hon var rätt speciell. Ibland verkade hon mycket äldre och ibland alldeles hopplöst barnslig. Hon var så enormt uppriktig."

"Jag hörde om reklambråket. Vad tyckte du om saken?"

"Varken jag eller Janne tyckte väl att det var nån kanonidé, men vad gör man. I praktiken är vi alla tre nästan på toppen. Men ända upp kommer man inte med småpengar. Noora hade kanske råd att rynka på näsan, det går nog rätt bra för hennes pappas firma, men inte jag eller Janne…"

"Blev ni arga på Noora för det?"

"Jag ville inte lägga mig i hennes och Ulrikas gräl. Noora bråkade med alla. Janne var den enda hon emellanåt lyssnade på. Men de har haft det väldigt jobbigt de senaste två veckorna. Noora bestämde väl efter niondeplatsen i Edmonton att hon skulle bli världsmastare i konståkning, men hon tyckte inte att Janne satsade tillräckligt mycket. Och Noora kunde inte tänka sig nån annan partner, för det finns inga manliga paråkare i Finland på samma nivå som Janne."

"Noora hade ingen möjlighet som soloåkare?"

"Nej, och inte Janne heller. Det är nämligen så att jag representerar den perfekta skridskoåkartypen", sade Silja okonstlat. "En bra konståkare är smärt byggd, kort och lätt. I hoppen är det en nackdel om man är för lång. Janne är en och åttiofem, det är minst tio centimeter för mycket för en ordentlig trippel axel. Noora däremot har korta ben och breda höfter och en förmåga att lägga på sig kilon. Men hon är otroligt smidig och enormt talangfull. Vad är det jag egentligen säger?"

Silja insåg tydligen att hon använde fel tempus och började gråta. Jag hade redan hunnit glädjas över att hon kontrollerade sina nerver så bra. Jag frågade om hon ville avbryta förhöret, men hon sade att hon orkade fortsätta.

"Rami och Elena var också ganska trötta på Nooras gnällande och konstrande. Rami har väl försökt lugna ner henne, men det har inte direkt hjälpt nåt", berättade Silja och kvävde en ny snyftning. Koivu räckte över ett paket näsdukar från bordet och jag såg att han rodnade. Silja var otvivelaktigt väldigt vacker även när hon hulkade och grät.

"Det har alltså varit ganska spänt i er trupp på sistone, trots framgångarna. Hur var arbetsfördelningen mellan Elena Grigorieva och Rami Luoto?"

"Elena flyttade ju till Finland för ett par år sen. I Ryssland hade hon specialiserat sig just på att träna paråkare, men nu tränar hon soloåkare också, för det finns helt enkelt inga par här. Rami har tränat oss alla sen vi var små, och det var ju han som kom på att Janne och Noora skulle prova på paråkning. Han kom ganska långt med dem och nu har han börjat göra koreografi för junior- och nybörjartävlingarna, den delen intresserar honom nog mer än själva tränandet. Arbetsfördelningen är nog ganska oklar. Ibland tar Rami hand om en sak, ibland Elena, och

54

det retar nog Elena. Men resultaten av samarbetet har varit bra."

Silja lugnade sig märkbart när hon fick prata om konståkning i stället för mänskliga relationer. Men jag tyckte att vi borde återgå till dem.

"Ramis och Elenas förhållande då? Har de haft några konflikter? Vems sida var Noora på?"

"Inga direkta konflikter. Rami är en sån... Ger alltid med sig. Jag tror att Rami är lite rädd för Elena. Och Noora litade utan tvivel mer på Elena. Men Janne påstår att Ramis stil passar honom bättre."

Silja gjorde en ny paus för att snyta sig, tystnade sedan som om hon funderade på något. Sedan rätade hon på axlarna och såg inte på någon av oss när hon sade:

"Jag är jätterädd för att Janne ska ha tagit livet av Noora. Han gick som på nålar i går, rena undret att han inte slängde Noora i isen mitt i ett lyft. När jag skulle gå hem kom han ut i båset för att dricka. Elena visade just då Noora hur man ska hålla den fria foten i en dödsspiral. Janne var helt rasande. "Satans tjurskalle", sa han. "Jag skulle kunna döda henne."

Silja började storgråta igen, jag lutade mig framåt i fåtöljen och klappade henne på axeln när jag inte kunde göra annat. Koivu såg ut som om han skulle ha velat stryka över Siljas ljusa hår som samlats ihop till en ballerinaknut.

"Många säger så fastän de inte tänker ta livet av nån", försökte jag lugna. "Det känns förstås som om du förråder Janne när du berättar det här för oss, men var inte orolig. Vi anhåller ingen bara på grund av ord. Var det därför du ville träffa oss?"

"Inte bara. Pappa berättade inte för mig hur Noora mördades, men jag hörde när han pratade med mamma... De trodde väl att jag inte skulle höra. Blev Noora verkligen ihjälslagen med sina egna skridskor?"

Jag kunde inte svara. Silja såg förtvivlat och bedjande från Koivu till mig och fortsatte:

"Snälla, berätta sanningen! Om jag inte vet vad som hände föreställer jag mig nåt ännu värre!"

"Noora misshandlades med sina skridskor, men den slutliga dödsorsaken var att skallen krossades", sade jag tyst.

"Hur länge pågick det? Hur mycket fick Noora lida?"

"Vi vet inte riktigt, men allt måste ha hänt relativt snabbt, om Noora gick från ishallen vid sjutiden. Man hittade henne strax före åtta."

Jag hade också försökt trösta mig själv hela dagen med att Noora inte behövt lida i flera timmar. Men vem kunde mäta någon annans smärta och rädsla, spelade det egentligen någon roll hur länge dödsångesten pågick? Jag mindes återigen Nooras ögon när hon föreställde flickan som inväntade sin egen död. Jag ville inte tänka på hur hon sett ut i verkligheten, utan frågade snabbt:

"Du gick från ishallen redan vid sextiden? Hade Ulrika Weissenberg redan åkt då? Såg du nån i närheten av ishallen som verkade avvika från det normala?"

"Ulrikas guldfärgade BMW stod kvar på parkeringen. Jag kommer ihåg det, för det hade börjat regna och jag funderade på om hon kunde skjutsa mig till busshållplatsen. När Ulrika inte syntes till sprang jag till hållplatsen. Tomis bil, Elenas mans alltså, körde upp mot hallen."

"Så Vesku Teräsvuori syntes inte till?" frågade jag rätt ut.

"Nej, fast han brukar hänga utanför ishallen och vänta på Noora och hennes mamma. Jag såg i alla fall inte till honom i går."

Silja tystnade igen, snappade åt sig en långhårig nalle också. Mängden av maskotar såg underlig ut för Silja verkade annars så vuxen, men kanske var mjukisdjuren presenter från beundrare. Ingenting annat i rummet pekade på att det bodde en konståkare på elitnivå där. På väggarna hängde ett par lugnande skogslandskap, de torkade rosorna på skrivbordet såg ut att vara konfirmationsgåvor. Och något prisskåp skulle inte ha fått plats i Siljas rum, kanske fanns bucklorna och medaljerna i vardagsrummet.

Silja snöt sig ljudligt, men lyckades ändå se elegant ut. Hon kramade nallen och tvättbjörnen hårdare i famnen och nästan skrek:

"Ni fattar väl att skridskorna är en viktig detalj! Den som dödade Noora visste att hon hade ett färdigt mordvapen i väskan. Det måste vara nån som kände Noora!"

"Efter tävlingarna i Edmonton kände ganska många igen Noora", svarade jag, men visst hade jag tänkt samma sak som Silja. "Nooras mördare kan mycket väl vara nån som visste vem hon var, fastän Noora inte kände honom. Och det var väl inte så svårt att gissa att Noora hade skridskorna i väskan, eftersom hon var på väg från ishallen."

"Men hur skulle en främmande människa ha fått Noora att ge ifrån sig skridskorna? Fast jag kan nog tänka mig hur det måste ha gått till." Silja snöt sig igen innan hon fortsatte:

57

"Noora hade låtit slipa en väldigt djup skål, för då kom hon ner i en väldigt vass, låg båge i dödsspiralen. Vi förundrades alla över skålslipningen i går. Nån har bett Noora visa upp sina skridskor på hemvägen. Nån som hon litade på…"

Silja började storgråta igen, det var svårt att höra vad hon sade. "I stället för att titta började han slå Noora med skridskorna…" Silja begravde ansiktet i tvättbjörnen. Koivu sneglade på mig, han ville uppenbarligen stanna bandet och avsluta förhöret. Terttu Taskinen kom in i rummet, men sade inget, hon gick bara fram till sin dotter och slöt henne i sin famn.

"Vi slutar nu, Silja. Jag uppskattar din teori, men försök att inte tänka för mycket på att Nooras mördare skulle vara nån i din trupp. Det är mycket troligare att det inte förhåller sig så. Du är väldigt tapper som orkade prata med oss", sade jag och klappade försiktigt axeln som skakade av gråt. Jag rabblade in förhörets avslutande ord på bandet och viftade åt Koivu som ett tecken på avfärd.

"En sak till", sade Silja precis när vi skulle gå. "Noora tappade humöret fullständigt för att hon inte kunde hitta skridskornas skyddspåsar, hennes mamma hade tydligen av misstag satt dem på de gamla skridskorna. Eftersom skridskorna låg i väskan bland alla andra grejer var hon tvungen att sätta på plastskydden. Hon oroade sig för att de nya skridskorna skulle bli rostiga med en gång."

Plastskydden var mjuka och porösa, fingeravtryck skulle lätt fastna på dem. Var i all världen fanns de nu?

I bilen var min kollega, som påminde om en ljushårig nallebjörn, underligt tyst.

"Har du sett Silja på isen?" frågade han till slut och tittade lite skamset på mig.

"Ja, både i verkligheten och på TV. Jag tycker om hennes stil. Många kvinnliga åkare är för sirapssöta för min smak, men Silja har temperament."

"Ja, fastän hon ser ut som Monacos furstinna när hon var ung."

"Det gör hon faktiskt, hon liknar precis Grace Kelly i *Fönstret åt gården*! Men Koivu, Silja är tio år yngre än du."

"Än sen då! Åldern är väl inte allt", sade Koivu och rodnade rart. Han tycktes verkligen ha blivit förtjust i Silja Taskinen.

"Är Silja tillsammans med den där Janne Kivi?" fortsatte Koivu. "Jag menar bara att Noora kanske var svartsjuk. Och Silja var så orolig för sin kompis…" Koivu trasslade in sig alltmer, men hans klumpiga förfrågningar kändes uppfriskande mitt i all dysterhet. Det hade börjat regna igen, det gråa molntäcket hade brett ut sig nästan ända ner till trädtopparna, små täta droppar smattrade mot vindrutan.

"Jag har åtminstone inte hört nåt sånt, vad jag förstår så är Silja en fri kvinna. Jag lovar att du får åka och hämta underskriften till förhörsprotokollet."

Koivu rodnade ännu värre, jag rufsade honom i håret som på en lillebror.

Jag tog telefonen för att meddela Antti att jag inte skulle komma hem än på några timmar.

"Nåt otäckt?" frågade Antti försiktigt, för han var van vid att jag inte pratade mycket om jobbet.

"Ett mord."

Jag hörde hur Antti suckade i luren. Han hade inte vågat säga rakt ut att han börjat bli rädd för mitt jobb sedan min kollega dog i vintras. Det var klart att han också var rädd om barnet som jag bar på. Jag visste inte riktigt vad jag skulle tycka om Anttis rädsla. Det var sant att jag ofta handlade utan att tänka efter, det var sant att en kvinna som var gravid i sjunde månaden även borde tänka på sitt barn. Men det var en helt annan sak att sluta dricka alkohol under graviditeten än att lämna över de psykiskt påfrestande arbetsuppgifterna åt andra. Och jag ville inte att man skulle pyssla om mig bara för att jag var gravid.

Vi körde till parkeringsgaraget vid Mattby köpcentrum. Till nedre planet körde man direkt från gatan, till det övre planet slingrade sig en smal, kurvig ramp.

I går kväll hade övre planet varit nästintill öde enligt de poliser som Järvenperä tillkallat, men nu var eftermiddagsrusningen i full gång, för folk skyndade sig till affären innan *Glamour* började på TV. I den låga, ekande hallen fanns bara ett par tomma platser. Parkeringsutrymmet hade inte spärrats av för polisutredningen, eftersom man ansåg det osannolikt att det skulle finnas kvar några spår efter gärningsmannen eller dennes bil. Det var viktigare att fråga ut dem som varit här i går. Jag frågade Koivu om han hört något, varpå han insåg att hans mobil inte var påslagen.

"Fan också, ursäkta... Lähde har skött det, jag ringer honom. Ska jag kolla nedmonteringen av övervakningskameran i garaget samtidigt?"

"Gör det. Var det inte nåt problem med bilden?"

"Den här förbaskade mobilen funkar inte när det är så

här lågt i tak, jag går ut. Vänta här."

Koivu steg ur bilen, jag kravlade mig också ut och blev kvar i det dystra fullproppade parkeringsgaraget. Hur hade Nooras mördare kommit på tanken att dumpa flickans kropp just här? Det verkade troligt att han transporterat hit henne i bil och sedan kanske sett hur Kati Järvenperä lämnade bakluckan olåst. Men risken att bli upptäckt var väldigt stor. Gärningsmannens bestyr verkade inte särskilt genomtänkta. Det var högst troligt att vi kunde hitta den vi letade efter genom att höra gårdagskvällens besökare. Någon måste ju tvunget ha sett Nooras mördare!

Sedan tänkte jag på hur lite jag själv lade märke till de bilar som stod parkerade bredvid mig, och humöret sjönk. Jag bestämde mig ändå för att hämta fordonsuppgifterna på Nooras bekanta från Bilregistret. En grå Volvo av herrgårdsmodell startade bredvid mig, det fick mig att fundera på om Järvenperä parkerat sin Merca på det vanliga sättet med nosen mot väggen eller om hon hade backat in. Om hon hade backat in hade de öppnade bakluckorna skyddat förflyttningen av kroppen från den ena bilen till den andra ganska bra.

Men var hade Noora dött, i Krokuddens skogsdunge nära hemmet? Och om det gått till så, hur hade man fått in flickans kropp i bilen utan att någon lade märke till det? Hade mördaren tagit livet av Noora i bilen? Jag skulle aldrig få tillstånd att gå igenom sex sju möjliga bilar utan bevis på att brottet begåtts i någon av dem.

Koivu kom tillbaka, jag såg redan på minen att han inte hade något nytt.

"Lähde och Puupponen håller som bäst på att förhöra

61

dem som var här i går, de har också hittat en som parkerade på övre planet halv åtta. Men vi har ingen glädje av övervakningskameran. Bandet är nästan helt svart. Kom och kolla, så fattar du varför."

Övervakningskameran fanns på nedre planet ovanför inkörsrampen. Någon flink person hade sprejat svart färg på kameralinsen. Det var säkert samma person som sprejat ner hela taket och väggarna med obestämda tags. Jag orkade för det mesta inte irritera mig på klottrare, det var sällan de förstörde något vackert, men nu var jag förargad. Varje bil som körde in i garaget skymtade åtminstone förbi kameran.

"När hände det där?"

"Tydligen förra veckan. De rengör kameran en gång i månaden, men graffitimålarna som håller till här kluddar över den innan de sätter i gång. Ägarna orkar inte bry sig längre. Det är gratisparkering här, kamerorna är bara till för att skydda kundernas bilar. Oftast är det så mycket folk här att det inte sker några bilinbrott."

"Jag fattar fortfarande inte hur man fått in kroppen i Järvenperäs Merca obemärkt! Hoppas hon är i stånd att förhöras i morgon, och likaså Nooras föräldrar. En kul dag att se fram emot."

"När börjar din ledighet?"

"Midsommarveckan. Vi har några veckor på oss att knäcka det här fallet. Berättade inte Järvenperä att det bara stod ett par bilar i garaget när hon kom, innan hon säckade ihop. Vi måste hitta dem. Vi sätter in en annons i tidningarna, och om inget annat hjälper så anlitar vi *Efterlyst* också, även om jag hatar det programmet. Vad garvar du åt?"

62

"Du går verkligen på högvarv i det här fallet. Du tänker verkligen visa att du har vad som krävs för att bli rotelchef, eller?"

"Det handlar inte om det! Jag... Inte vet jag. Du frågade om jag sett Silja Taskinen på isen. Hon gjorde ett stort intryck, men Nooras skridskoåkning fångade mig ännu mer. Hon var verkligen nåt speciellt."

Paret Nieminen-Kivi hade varit bra redan i Europamasterskapen i Sofia. Janne hade ramlat i kortprogrammets trippel toeloop och deras sida-vid-sida-piruett hade också varit lite i otakt. Friprogrammet till musiken ur filmen Hair hade gått desto bättre, trots att Janne drattade på ändan i hoppkombinationen också och Noora kom ner på två ben i treahopp-salchowen. Men de hamnade ändå på tionde plats, vilket var mycket bra för ett par nykomlingar från ett av de länder som inte dominerade i konståkning. Redan då hade Eurosports kommentatorer talat med glöd om Nooras temperament och personlighet.

Världsmästerskapen gick ännu bättre. Programmen hade vässats, Noora var lysande som Snövit i kortprogrammet och också Janne höll sig upprätt i trippel toeloopen, även om vänsterfoten skrapade mot isen en aning. Jag hade tyckt att friprogrammet var bra, Janne klantade sig visserligen i hoppkombinationen igen. Enligt kommentatorerna var deras dödsspiral den snyggaste i hela mästerskapen. Men alla domare var inte så förtjusta i Hair-musiken och hippiekläderna, och poängen för det konstnärliga gick isär från 4,9 till 5,5. Niondeplatsen var ändå jättebra och jag hade nästan haft tårar i ögonen när jag lyssnade på hur Chris och Simon på Eurosport upphöjde Noora till den talangfullaste paråkerskan i konståkning sedan Irina Rodnina och Jekaterina Gordeeva.

Och nu var hon död.

"Vi hinner ta en kopp kaffe innan träningen börjar. Jag bjuder", lovade Koivu.

"Ja, men häll i hälften mjölk. Jag får sura uppstötningar nåt så in i helvete", tillstod jag och Koivu blev förlägen. Det var tydligen inte lätt för honom att förhålla sig naturlig till min graviditet, och han tappade koncepterna om jag avvek från rollen som öm väntande moder genom att till exempel svära. Han borde ju känna mig. En graviditet kunde inte orsaka en plötslig personlighetsförändring hos någon.

I caféet på bensinstationen sparkade jag av mig skorna, för trots kylan var fötterna svullna. Kanske skulle ingen dyka upp vid ishallen så att jag fick åka hem. Kaffet var beskt och mot min vana lade jag i en sockerbit, men fick ändå inte ner det. Det kändes som om babyn inte tyckte om det heller, för den vände och vred på sig som om den var sårad över den hemska smaken på drycken som förmedlades via navelsträngen. Jag var tvungen att dricka ett stort glas filmjölk efteråt, och eftersom vi sölade så var klockan redan halv sju innan vi var framme vid ishallen. Koivus mobil ringde vid dörren och han blev kvar på gården för att prata.

Det var nästan helt mörkt i ishallen, inte en enda lampa lyste upp läktaren. De enda strålkastarna var riktade mot isen. När jag gick mot ljuset dånade musiken i gång. *Aquarius* ur *Hair*, inledningen till Jannes och Nooras friprogram.

I detsamma gled Janne fram på isen. Jag hade sett de-

ras program så många gånger att jag visste när hoppkom-
binationen skulle komma. Nu lyckades Janne hålla sig
upprätt, bara en liten krängning i landningen vid dubbel
toeloopen, när skärets sista tagg tog emot isen.

Det var spöklikt att se Janne åka programmet ensam,
för han tycktes hela tiden titta på en osynlig partner. I det
första lyftet höll han tydligt upp någons tyngd, i parpiru-
etten iakttog han om partnern var i takt med honom.
Musiken gick över i *Hair*, Janne rörde vid håret som
hängde fritt ner i ansiktet, det var faktiskt ovanligt långt
för en manlig skridskoåkare, och grimaserade trotsigt –
stället som ska ha upprört de mest konservativa av do-
marna. Jag kom ihåg hur Noora hade sett ut i det mo-
mentet, med den mörka hästsvansen guppande runt det
snurrande huvudet. *Give me a head with hair, long beauti-
ful hair*... Där skulle det ha varit en dubbel hoppaxel, nu
gled Janne med armarna utsträckta, dök sedan för att
fånga en skugga som han sedan gled in i nästa stegsek-
vens och nästa musikstycke tillsammans med. *How can
people be so heartless, how can people be so cruel*, så löd nog
texten, men skridskoåkare var förstås tvungna att använ-
da instrumentalversionen. En ångestfylld blick hörde till
programmet under dödsspiralen, men nu var den så äkta
att jag var nära att rusa ut på isen för att avbryta Janne.

"Avbryt honom inte", viskade en röst bakom mig. Jag
kunde nätt och jämnt urskilja Rami Luotos profil, jag
hann se den snabba handrörelsen när han med ena han-
den torkade sig över kinden. Mina ögon naglades återi-
gen fast vid Janne, jag kunde nästan se hur Nooras skrid-
skor blixtrade i saxlyftet, Jannes händer satte lugnt och
säkert ner tomheten, sedan ökade tempot inför finalen.

Let the sunshine in. Jag hade sett Formans film åtminstone fyra gånger och slutet fick mig alltid att tjuta. Det var väl därför jag lipat också när Noora och Janne åkte i takt med musiken på tävlingsisen. Jannes dubbel axel var felfri, han gled först långt och gjorde sedan ett dramatiskt utfall mot isen som om han härmade en döende soldat, sedan stegringen mot den prisade avslutande dödsspiralen, som jag endast såg som en dunkel rörelse genom det skiftande spektrumet av ljus.

Rami Luoto rörde sig bakom mig, började sedan halvspringa mot kanten av banan, dit Janne var på väg. Jag ville att någon skulle tända ljuset, så att den overkliga stämningen bröts, och torkade av ansiktet mot ärmen, någon näsduk hade jag inte i fickan. I detsamma lystes ishallen upp. Jag såg hur Koivu sicksackade sig fram mot mig mellan bänkraderna.

"En röd Nissan Micra, registreringsnumret börjar med A, och en vit Renault Clio!" tjöt Koivu på långt håll, men det tog en stund innan jag förstod vad han menade.

"Lähde har hittat nån som stod på övre planet till parkeringsgaraget kvart i åtta och som dessutom kan bilmärken. Förutom Järvenperäs bil stod de bilarna där!"

"Jaha! Bra! Då sätter vi i gång", sade jag överhurtigt. Jag skulle helst inte ha velat träffa Janne Kivi nu. Även om paret haft det stormigt ibland kunde man inte, efter att ha sett Janne åka skridsko, tvivla det minsta på att han var helt utom sig över Nooras död.

Janne satt med huvudet lutat mot händerna i spelarbåset. Han hade inte ens tänkt på att sätta på skridskoskydden, utan skären skrapade hål i det svarta gummit. Rami Luoto stod bredvid med handen på Jannes axel, och jag tror att det var en lättnad för honom att se oss.

"Inspektör Kallio och assistent Koivu från kriminalpolisen i Esbo, god kväll. Vi har försökt få tag på er båda hela dagen, därför vågade vi komma och störa träningen."

"Vi ska inte ha nån träning", sade Rami och sträckte sedan fram handen. "Raimo Luoto, Nooras och Jannes tränare. Hur kan jag hjälpa till?"

Rami Luoto var i ungefär fyrtiofemårsåldern, det fanns redan ett stänk av grått i det välklippta svarta håret och de sjuttiotalsaktiga polisongerna som omgav de förvånansvärt små öronen. Luoto var kort, knappt en och sjuttio, och fortfarande spänstigt smärt som en balettdansör. I mitten av sjuttiotalet hade Rami varit Finlands främste manlige skridskoåkare, men hade inte riktigt nått fram till medalj i elittävlingarna. Hans stil hade varit mjukt koreografisk, särskilt fina hade piruetterna i svindlande fart varit, men han hade haft problem med hoppen. Min syster Helena, vår familjs ivrigaste konståkningsfan, hade beundrat Rami väldigt. Men han hade varit en omanlig mammas pojke och inte ens snygg. Åldern hade dock gjort hans ansikte smalare, fått ögonen att dra ihop sig på ett trevligt sätt och gett munnen med de smala läpparna karaktär.

"Polisen har skäl att anta att Noora Nieminen bragtes om livet ganska snart efter att hon gick från träningen i går. Vi försöker ta reda på vad hon gjorde innan dess så noga som möjligt. Elena Grigorieva sade att ni två var de sista i ishallen."

Rami Luoto lyssnade tyst på mig, men nickade sedan mot Janne.

67

"Jag tror inte att det är så bra att ni pratar med Janne just nu. Det vore väl bäst för honom att åka hem. Han fick höra om Nooras död först för en stund sen. Han började undra när det inte var nån i ishallen och ringde till familjen Nieminen."

Jag kom ihåg att Taskinen hade sagt något om en balettlektion på morgonen som Janne också skulle delta i, men jag frågade inte mer om det.

"Orkar du köra hem själv, Janne, eller ska jag köra dig?" sade Rami Luoto oroligt. Pojken svarade fortfarande inte, utan satt bara med huvudet lutat mot händerna. Axlarna under den svarta t-shirten darrade, det var svårt att avgöra om han grät eller var andfådd efter skridskoåkandet nyss.

"Skulle ni kunna svara på några frågor åtminstone", bad jag. "Såg ni när Noora gick från ishallen?"

Rami Luoto nickade fundersamt.

"Ja, det såg jag... Hur var det nu... Saker upprepas varje dag, det är svårt att komma ihåg vad som hände när. Men träningen i går var ovanligt jobbig. Jag var nog kvar sist, jag bytte några ord med föreståndaren för ishallen, eftersom isen inte har varit i så bra skick de senaste dagarna. Jag såg hur Noora gick ut genom dörren, ni gick väl samtidigt, eller hur Janne?"

Inget svar.

"Hur hade ni själv tagit er hit?"

"Jag? Jag gick, jag bor ju alldeles här i närheten. Det började regna nästan genast, jag fick springa hem till Lisasgränden och blev ändå helt genomvåt."

"Ni sa att gårdagens träning var ovanligt jobbig. Går det bra om vi spelar in samtalet? Ni får svara på de frågor

68

vi nyss ställde, men lite mer detaljerat, och berätta mer om gårdagen och om Noora."

Rami Luoto nickade och föreslog att vi skulle sätta oss i omklädningsrummet, eftersom det var varmare där. På ytan verkade Rami lugn, men när han tog tag i Jannes axel igen såg jag att händerna darrade. Rami var van vid att dämpa känslostormar hos dem han tränade, kanske tvingade omtanken om andra honom att glömma sina egna känslor.

"Janne, vi går härifrån. Det är kallt här."

Luotos röst var tyst, ändå ekade orden egendomligt i den tomma ishallen. Fastän man klagade på att Mattby ishall var så trång kände jag mig ändå liten och ensam mitt bland bänkraderna som rymde hundratals människor.

"Om ni vill köra hem honom kan vi ses på polisstationen i morgon", föreslog jag och funderade samtidigt på om man inte borde ta Janne Kivi till en läkare. Men i detsamma lyfte han så mycket på huvudet att han mellan tänderna kunde väsa fram:

"Tjafsa inte, Rami! Jag är helt okej."

Fortfarande utan att se på oss började Janne snöra upp sina skridskor. Rami Luoto såg det uppenbarligen som ett tecken på att Janne var i tillräckligt bra skick för att lämnas ensam, för han började gå längs gången mot omklädningsrummet. Jag och Koivu följde efter, men när gången svängde tittade jag bakåt. Janne Kivi satt orörlig med händerna om skridskosnöret och stirrade framför sig mot isen som om han fortfarande kunde se Noora glida omkring där.

Rami öppnade dörren till ett litet omklädningsrum,

där det på en krok bara hängde en röd handduk som såg kvarglömd ut.

"Vi kan prata här. Janne kommer säkert efter när han orkar."

Koivu satte på bandspelaren igen, jag rabblade upp formalian i mikrofonen, som om jag själv varit en inspelning. Luoto svarade ännu en gång på samma frågor. Han hade inte heller sett någonting eller någon utanför ishallen, Weissenbergs bil hade redan åkt iväg, likaså Tomi Liikanens. När Luoto lämnade ishallen hade Noora och Janne också redan hunnit gå.

"Ni sa att gårdagens träning var ovanligt jobbig. Varför det? Berodde det på Nooras och Ulrika Weissenbergs gräl?"

Rami nickade.

"Noora hade... En väldigt stark vilja. Om hon hade en dålig dag blev det en dålig dag för oss andra också. Tränaren fick verkligen jobba hårt för att hålla hennes känslor i schack. Dessutom var reklamidén ganska fånig, jag sa till Ulrika Weissenberg att Noora i alla fall inte skulle komma att godkänna den. Men hon lyssnade förstås inte på mig. Och när Noora fick höra att jag visste om det men inte börjat bråka om det blev hon arg på mig också. Janne blev hon helt vansinnig på, för han tyckte att idén var okej."

"Och Janne blev tydligen arg tillbaka. Ni då?"

"En tränares uppgift är ju inte att bli arg, utan att medla. Jag försökte lugna ner situationen, så att vi kunde träna ordentligt, och det lyckades ju till slut."

"Noora var alltså svår att träna?"

Jag blev lite förvånad när Rami Luoto brast i skratt, men han tystnade snabbt.

70

"Hemskt svår, och helt underbar! Hon var ju väldigt talangfull och extremt målmedveten. Skridskoåkningen betydde allt för henne. För två och ett halvt år sen hade hon det tufft när tonårens kroppsliga förändringar satte igång. Hon fick ganska stora problem med hoppen, och med uthålligheten. Jag tvingades ta mod till mig och säga att Noora kanske aldrig skulle hamna på toppen som soloåkare."

"Varför det? På grund av hoppen?"

"Bland annat. Rörelsemekaniken i skridskoåkning är ingen enkel sak. Men annars var hon väldigt talangfull, och eftersom Janne Kivi hade samma typ av problem, han är ju för lång för att hoppa till exempel trippel axeln ordentligt, så tänkte jag att vi provar att göra ett par av dem. Och det var helt rätt lösning, jag är fortfarande stolt över den."

"Ni tränade dem i ett par år och sen kom Elena Grigorieva med i vintras, eller hur?"

"Precis."

"Jag har hört ryktas att Noora bara ville ha en tränare", sade jag rakt ut, fastän jag inte trodde att Luoto skulle ha gått och mördat Noora bara för att han inte ville sluta träna henne. Men Luoto blev tyst för ett ögonblick innan han svarade:

"Det är ingen hemlighet att Noora ville att bara Elena skulle träna dem. Det är sant att den största utvecklingen skett efter att Elena kom med i teamet. Men jag tyckte att jag också behövdes. Elena och Noora är temperamentsmässigt alldeles för lika, de saknar förmågan att kompromissa. Utan mig kommer nån att dö."

Rami började flina åt sitt skämt, men insåg i detsamma

vad han hade sagt, rodnade häftigt och fortsatte snabbt:

"Vi såg det i går också. Elena rasade och frustade i kapp med Noora. Jag tycker att Elena var för auktoritativ mot Noora, en elev av Moskvas konståkningsskola. Där är tränaren nästan en gud. Tekniskt sett är hon lysande, jag erkänner helt hennes överlägsenhet."

"Vem var det egentligen som grälade med vem i går, och varför?" kastade Koivu emellan när han inte orkade lyssna på konståkningspratet.

"Gårdagens träning var inget bra exempel på någons färdigheter som tränare. Vi borde ha haft en ordentlig semester, men uppvisningen förhindrade det. Även om säsongen var bra var den väldigt jobbig", pratade Luoto på som för sig själv, och Koivu började återigen visa tecken på irritation.

"Så Noora Nieminen grälade med alla som var där?" avbröt han Luoto.

"Inte riktigt alla. Silja Taskinen lämnade hon av nån anledning i fred. Och Silja gick hem tidigare, vi blev kvar för att finslipa några nya rörelser. Även om Noora trots allt koncentrerade sig bra verkade hon ändå ilsken när hon gick. Jag är inte alls förvånad om hon av misstag skulle ha gått rakt ut framför en bil."

Jag och Koivu stirrade ett tag förvånat på varandra, sedan mindes jag Elena Grigorievas uppfattning att Noora likt hennes före detta man skulle ha blivit överkörd. Fastän jag sagt att det inte förhöll sig så, hade Grigorieva uppenbarligen inte förstått det i sitt upprörda tillstånd, utan hade berättat fel version för Rami Luoto också.

"Noora blev inte överkörd", sade jag till slut, "och det handlar inte om nån olycka. Nån tog livet av henne."

72

Rami Luotos ansikte blev askgrått, hela kroppen började skaka. Han sjönk ner på bänken och började gråta som ett barn.

Koivu var urtypen för en finsk man, han blev besvärad när en annan man grät. Han vände bort ansiktet, jag talade in ett avbrott på bandet och lät Luoto gråta.

"Jag går och letar upp Kivi", sade Koivu sedan, flydde uppenbart från platsen. Jag, som inte kom på något annat, hämtade en bunt strävа gula papperservetter från toaletten och räckte dem till Rami.

Precis som hos ett barn upphörde även Luotos gråt plötsligt. Inom ett par minuter var han återigen sig själv och började fråga vad som hade hänt. Jag nämnde inget om skridskorna, men berättade om misshandeln och att hon hittats i bagageutrymmet.

"Har ni nån aning om vem som gjorde det?" frågade Luoto, men jag hann inte svara innan Koivu kom tillbaka med föreståndaren för ishallen.

"Janne Kivi syns inte till nånstans."

Vi rusade ut i korridoren som om det handlat om en nödsituation. Föreståndaren och Rami ropade på Janne och kontrollerade omklädningsrummen. Till slut gick vi ut på den stora gårdsplanen, men där var han inte heller. Rami Luoto rynkade lite förbryllat på ögonbrynen och sade:

"Janne har väl åkt hem då. Hans bil syns i alla fall inte till, ser ni den? Det är en liten Nissan Micra."

73

4

"Var bor Janne Kivi?" frågade jag Rami Luoto, som uppenbarligen inte förstod varför vi stirrade på honom som om han vore en vålnad.

"I Otnäs."

Jag ville prata med Janne Kivi. På en gång. Jag halvsprang ner till bilen, Luoto spurtade efter. Jag öppnade dörren och trängde mig in på förarsidan. Magen tog redan emot, jag hade kanske haft lite svårt att anpassa mig till att det inte längre gick lika lätt att ta sig fram. Luoto grep tag i bildörren:

"Ni misstänker väl inte på allvar Janne! Pojken är helt ifrån sig. Han kan bli ännu mer förvirrad om ni rusar hem till honom och kastar ur er helt idiotiska anklagelser. Vem vet vad det kan leda till!"

Koivu kom joggande med bandspelaren, jag smällde nästan igen bildörren över Rami Luotos fingrar och startade innan Koivu ens hunnit sätta sig tillrätta.

"Ring Bilregistret och kolla upp Jannes Nissan, så att vi inte drar några förhastade slutsatser", flåsade jag och svängde i korsningen ut på Västerleden. Jag funderade över om jag skulle sätta på sirenen när jag för en gångs skull hade en radiobil, men jag iddes inte göra det. Människorna väjde snällt ändå när de såg en polisbil bakom sig. Jag skrämdes själv över min hastighet i de avsmalnande körfälten i Gäddvikskorsningen, men det kändes som om det var bråttom nu. Och jag visste inte ens om Janne Kivi var hemma. Kanske blåkörde vi mot Otnäs i onödan.

"En röd Nissan Micra, årsmodell 94, AZG-577. Kivis bil alltså. Vi kan be honom köra bilen till parkeringsgaraget och hämta dit vittnet. Och självklart gör vi en fiberundersökning i bilen."

"Ja. Men först förhör vi honom."

När vi kom fram till parkeringsplatsen utanför Jannes hus lyste en röd Nissan oss i ögonen. Han hade tydligen haft bråttom när han parkerade, för bilen stod snett över strecket som skiljde parkeringsrutorna åt.

Janne bodde på tredje våningen. Vanligtvis tar jag mig uppför en sådan trappa utan att bli andfådd, men nu tog luften slut redan på andra våningen. Koivu hann först fram till dörren, ringde häftigt på klockan. När han hade ringt tre gånger hördes ett rytande inifrån:

"Lämna mig i fred, Rami!"

"Öppna, Janne, det är polisen!" ropade jag tillbaka. Var kunde fastighetsskötaren tänkas bo, hur lätt kunde man få tag på en huvudnyckel? Men vi behövde inte hämta någon nyckel, för Janne öppnade.

Hans panna glänste av svett, andedräkten stank av spyor. Hyn var vit som Nooras skridskor.

"Försvinn! Jag har inget att säga."

Men Janne kunde inte med att knuffa bort mig från dörren, uppenbarligen tack vare min mage. Sedan försvann han in på toaletten, efter en stund hördes det hur han kräktes, vilket fick det att vrida sig obehagligt också i min mage. Jag förflyttade mig från hallen bara för att slippa lyssna. Till höger fanns ett litet kök med plats bara för ett bord och två stolar. På bordet stod en hoptryckt juiceförpackning och en halväten lättfilstallrik. I övrigt såg köket nästan för välstädat ut.

Det andra rummet, där Koivu dråsat ner i den ena av fåtöljerna, var ett kombinerat sov- och vardagsrum. Futonen för två var utbredd, lakanen under täcket var hoptrasslade till ett enda virrvarr. Jag satte mig i den andra fåtöljen och försökte reda ut tankarna. Koivu snurrade rastlöst i sin stol, reste sig sedan upp för att kontrollera om toalettdörren var låst.

"Försöker du dränka dig i toan!" ropade han till Janne som fortfarande kräktes. Till svar fick han ett ohörbart mummel. Efter en stund spolades det i toaletten och vatten rann ur kranen, sedan kom Janne in i rummet medan han torkade ansiktet i den t-shirt han tagit av sig. Ofrivilligt klistrades min blick fast vid den vältränade överkroppen och de tvättbrädesaktiga magmusklerna, som darrade efter illamåendet. Sedan kände jag mig som en snuskig gammal tant och vände bort blicken.

Janne sjönk ner på kanten av futonen och gömde ansiktet i tröjan. Jag kastade en blick på Koivu som började utfrågningen:

"Du och Noora gick tydligen från ishallen samtidigt. Var skildes ni åt?"

Janne svarade inte. Ansiktet förblev fortfarande dolt bakom det svarta tyget, det ryckte i magmusklerna. Koivu mötte min blick, höjde på ögonbrynen och skakade på huvudet. Jag undrade om det verkligen var Noora

Nieminens mördare som satt och kurade där på futonen.

"Hördu Janne, det hjälper inte att tiga. Berätta vad som hände i går, så lämnar vi dig i fred."

Fortfarande inget svar. Koivu reste sig rastlöst igen, gick bort till bokhyllan som innehöll betydligt mer skivor och olika prylar än böcker. Sedan böjde han sig ner och lyfte upp ett stort inramat foto från golvet, glaset stack upp som vassa spjälor. Utan att säga ett ord räckte han över fotot till mig. Att döma av kläderna och bakgrunden var det taget under världsmästerskapen i Edmonton. Skridskoåkarna höll om varandra och log brett. Janne såg in i kameran, Noora på Janne, och det gick inte att ta miste på blicken. Den var dyrkande.

"När hade du sönder det här?" frågade jag.

"Fatta att jag inte har nåt att säga!" vrålade Janne så högt att fotot slant till i händerna på mig och det trasiga glaset skar upp ett ytsår i handflatan mellan vänster tumme och pekfinger. Janne studsade upp, såg sig omkring, men sjönk sedan ner igen. Svetten pärlade fortfarande i hans ansikte, de klargröna ögonen ville inte titta längre upp än i golvet.

Vi försökte förgäves få honom att svara på våra frågor. Det enda han ville säga var att han inte hade något att säga. Till slut visste jag inte vad jag skulle göra längre. Även om det var svårt att tro att Janne var skyldig till Nooras död betedde han sig som om han var det. Och han var uppenbart förvirrad, det kunde vara farligt att lämna honom ensam. Borde jag ringa Taskinen och fråga hur jag skulle gå till väga? Men nej, jag måste fatta mina beslut själv. Om jag skulle bli rotelchef kunde jag inte luta mig mot andra längre. Nu hade jag förstås behövt en of-

77

ficiell häktningsorder från kriminalkommissarien.

"Samla ihop dina grejer", sade jag till Janne till slut. "Vi fortsätter på polisstationen."

"Hörde du vad inspektör Kallio sa!" röt Koivu efter ett tag när Janne inte reagerade det minsta på vad jag sagt. "Vi skulle också vilja ha nycklarna till din bil, vi behöver den för utredningen."

Nu såg Janne för första gången rakt på mig.

"Vad är det här egentligen? Tänker ni anhålla mig? Då får ni allt bära ut mig."

"Du har rätt till advokat under förhören. Vill du ringa direkt?" frågade jag och försökte hålla mig lugn. Jag ville ju inte behöva släpa iväg Janne till finkan med tvång, jag ville bara skrämma honom till att prata.

När han inte gjorde en ansats att resa sig för att klä på sig öppnade jag på måfå det närmaste skåpet där det fanns sockor och tröjor. Det första jag fick tag på var en grön bomullströja och svarta sockor. Jag gav dem till Janne och sade åt honom att klä på sig. Han svarade inte, satt bara orörlig och stirrade i golvet.

Under min poliskarriär hade jag bara haft två fall då jag varit lika förvirrad och osäker. En del av mig sade att det var en väldigt dålig idé att anhålla Janne, det fanns ju egentligen inga bevis för att han skulle ha varit delaktig i Nooras död. Men att han helt vägrade samarbeta var underligt, det kunde förstås också bero på chocken efter dödsbudet.

Men det började gå mig på nerverna, jag ville åka hem.

"Då klär vi på dig. Då får man öva lite i förväg, fastän barnet är stort", sade jag och började dra på Janne sockorna på fötterna med de långa tårna. Situationen kändes

78

idiotisk. Jag hade ju klätt av fyllon och kroppsvisiterat de underligaste typer, men Janne var så stilig att det generade mig. Koivu kom som tur var för att dra på honom tröjan, jag tog på honom ett par seglarskor jag hittade i hallen, Koivu jackan.

"Bilnycklarna", sade jag. "Och allt annat som du vill ta med dig."

Janne reagerade inte, jag sade åt Koivu att titta i jackfickan och där låg mycket riktigt bilnyckeln, likaså lägenhetsnyckeln som jag tog hand om. Jag bad Janne att resa sig upp, men han hade menat allvar med att vi skulle få bära honom.

"Ska jag hämta handklovarna i bilen?" frågade Koivu till slut. Det var tur att det bara var den lugne Koivu som bevittnade det bedrövligaste anhållandet under min poliskarriär, han litade ibland till och med för mycket på min förmåga att sköta saker och ting väl.

"Han kommer nog med ändå", sade jag och lyfte Janne i axeln.

"Börja för helvete inte lyfta honom i det där tillståndet!" röt Koivu till förvånansvärt argt, tog tag i Janne på andra sidan och baxade upp honom. Koivu var några centimeter längre än Janne och ungefär femton kilo tyngre, och även om jag var mindre och gravid innebar det inga problem att lyfta en tredjedelsjanne. Så pass gav han åtminstone med sig att han började röra på fötterna så att vi äntligen fick in honom i bilen. Koivu satte sig utan att fråga bredvid honom i baksätet. När vi svängde ut på Åboleden började Janne till min förvåning prata.

"Får man fråga varför ni anhåller mig och genomsöker min bil?"

Jag berättade för honom om den röda Nissan Micran som setts i Mattbys parkeringsgarage vid samma tid som Nooras kropp gömts där. När han hörde det gav han ifrån sig ett ofrivilligt kvidande, jag såg i backspegeln hur hans huvud föll ner mellan händerna. Det kändes som om jag hade en isklump i halsen. Jag hade förstås velat att Nooras död skulle klaras upp fort, men inte med ett sådant här resultat.

Mer än det gick inte Janne med på att säga. Jag lämnade honom och Koivu att vänta medan jag bad om en häktningsorder från grannrotelns stationsbefäl, som först hummade lite men sedan bekräftade anhållandet. Vilken tur att det inte var Ström som tjänstgjorde, han skulle säkert ha velat grilla Janne hela natten. Nu skulle killen få fundera i lugn och ro över om det lönade sig att börja prata i morgon.

Trots allt tyckte jag synd om Janne när jag överlämnade honom till stationsbefälet för att han skulle föras till arresten. Jag hade frågat om han behövde läkare, psykolog eller en lagkunnig rådgivare, men han sade inget, bad oss inte ens meddela någon om att han anhållits.

Lähde var kvar på stationen, knappade in rapporter från förhören i parkeringsgaraget. Han grävde fram informationen om vittnet som hade sett Micran, ordnade med att denne skulle komma och titta på Jannes Micra klockan åtta nästa morgon. Då insåg jag att bilen fortfarande var kvar i Otnäs.

"Jag kan hämta den i morgon bitti", erbjöd sig Koivu som kamperade i Fågelberga.

"Men borde man inte ta den till labbet först? Bagageutrymmet borde undersökas genast. Om det finns blod…"

80

"Inte nu längre!" stönade Koivu, men när jag sade att jag skulle åka ensam följde han muttrande med. Jag tog en av husets civilbilar, cykeln fick bli kvar på stationen.

"Behöver inte gravida kvinnor mycket sömn?" frågade Koivu när vi återigen satt i bilen på Åboleden.

"Var det en fingervisning? Jag kan inte sova om bilen inte genomsöks. Och uppriktigt sagt är jag inte säker på att det var helt klokt att anhålla Janne."

"Han gjorde i alla fall sitt yttersta för att verka skyldig. Hur lyckades du hålla dig så lugn, jag var nära att explodera flera gånger när grabben bara satt och glodde i golvet!"

"Det är ett av graviditetens under. Jag kommer att bli så lugn och moderlig att du inte kan ana."

"Är du skraj?" frågade Koivu, som hittills undvikit hela "att få barn"-ämnet. "Smärtorna vid födseln och allt annat?"

"Jag är inte så rädd för att föda, utan för det som kommer sen. Att vara mamma. Andra har ju klarat av det, men... Jag är definitivt en av de kvinnor som inte kan bärga sig tills de får återgå till jobbet efter mammaledigheten."

Två fältharar höll vakt på gräsmattan till Skeppslaboratoriet, stack sedan iväg för att agera hare åt en förbipasserande joggare. Jannes Nissan stod fortfarande snedparkerad på gården till Otnäsvägen sex, och någon indignerad person hade redan satt en uppmaning om att räta till den under vindrutetorkaren.

Vi hade tagit med oss en teknikerväska. På med handskarna och fram med ficklampan, det hade som tur var

81

klarnat upp mot kvällen så att man såg utan belysning på gården.

Jag vet inte vad jag hade väntat mig när jag öppnade bakluckan, kanske en blodpöl. Men det fanns egentligen ingenting i bagageutrymmet, inte ens ett reservdäck eller en skyddsmatta. Endast en varningstriangel och en flaska motorolja låg slängda på den svarta metallen.

Det var väldigt välstädat också inuti bilen, som om bilen dammsugits senast i dag. Och just det verkade illavarslande sett ur hans perspektiv.

"Använd skyddsöverdrag till i morgonbitti. Jag ska försöka prata med Kati Järvenperä, och med Nooras föräldrar, men vi får höras."

"Jag kör Nissan till stationen med en gång", meddelade Koivu och tog fram en plastsäck ur teknikerväskan och bredde över förarsätet.

"Ser verkligen proffsigt ut", skojade jag, trots att jag inte var road. Klockan var över nio, ärtsoppan hade jag förbrukat för länge sedan och blodsockret var i botten. Som tur var hittade jag i ryggsäcken en nöd-chokladkaka som Antti köpt till mig. Jag hade visat en enorm självdisciplin för det var för två veckor sedan och det fanns fortfarande choklad kvar. Jag tryckte in tre bitar i munnen innan jag körde hemåt.

Vi hade bott i Lill-Hemtans i ett förfallet trähus, som vi hyrt av Anttis arbetskompis föräldrar, i snart två år. Från de östra fönstren hade vi utsikt över sädesfälten där de första skotten precis kommit upp. Vi bodde i Finlands näst största stad och ändå nästan som på landet, med krångliga bussförbindelser och långt från affärerna. Vi hade fäst oss vid huset och dess blomstrande gårdsplan alldeles för mycket, för även om kontraktet var på fem år skulle vårt lugn snart störas av Ringväg II som skulle byggas på andra sidan fältet, vilket i synnerhet Antti bekymrade sig mycket över.

Antti satt och läste i vardagsrummet på undervåningen, vår katt Einstein låg och slöade i soffan och orkade bara med möda lyfta på ena ögonlocket till hälsning. Han hade uppenbarligen redan fått sin kvällstonfisk. Jag tog bara av mig de obekväma pumpsen som mina fötter hade lidit av hela dagen, sedan kröp jag in i Anttis famn.

"En dålig dag?" frågade min man och kysste mig i nacken.

"Ganska. Din då?"

"Helt okej. Jag har mest rättat tentor, slutet på terminen är alltid hemskt." Antti var matteassistent på Helsingfors universitet, han hade oregelbundna och ofta alltför långa arbetsdagar precis som jag. Barnet skulle vända vår livsstil till en något mer traditionell, för det stod åtminstone i alla skötselanvisningar att barn behövde en regelbunden livsrytm.

"Lite nackmassage skulle göra gott, eller kanske hela ryggen", antydde jag.

"Hur mår Varelsen?" Antti hade hittat på ett arbetsnamn åt vårt barn.

"Där vrider den på sig igen, känn. Helt klart släkt med delfinerna."

Antti tryckte örat mot min mage och skrattade när babyns vickande på rumpan fick hörselbenen att skaka till.

"Har du ätit? Det finns färskt bröd i köket, jag tog ut det ur ugnen för en kvart sen."

"Härligt... Om jag skulle ta lite bröd först och massagen sen…" Jag lösgjorde mig ur Anttis långa armar, tog av mig jackan och gick ut i köket. Einstein susade efter mig, buffade av sig ett vitspräckligt hårtäcke på mig, men förgäves. Tonfiskburken var redan tom.

Antti fick massera mina axlar länge innan jag lugnade ner mig så pass att jag kunde somna. Men halvvägs in i sömnen tänkte jag fortfarande på Noora som låg i kylrummet på Rättsmedicinska, och på Janne som jag skickat till arresten över natten.

Följande morgon hann jag nätt och jämnt in på mitt arbetsrum förrän Taskinens korrekta knackning hördes på dörren.

"Kom in bara, Jyrki!"

Taskinen såg ett par nyanser bättre ut än morgonen innan, hyn hade återtagit sin normala vetebrödsbleka färg, det raka håret var kammat och skjortan fri från skrynklor. Men minen bådade inte gott.

"Du anhöll Janne Kivi i går", sade han utan att hälsa.

"Ja. Han betedde sig väldigt underligt", muttrade jag och började redogöra för gårdagens händelser. Taskinen nickade, men såg inte särskilt övertygad ut. Jag hade nog gjort bort mig ordentligt.

"Du kunde ha ringt mig först", avbröt han min beskrivning av hur vi till sist klädde på Janne.

"Klockan var mycket. Jag ville inte störa, eftersom det var lätt att få tag på stationsbefälet. Och jag var verkligen rädd för att Janne skulle skada sig själv."

"Säkert en helt motiverad rädsla. Men tror du verkligen att Janne är skyldig? Vi har ju inte ens kollat upp vad Teräsvuori hade för sig än!"

Jyrki var ovanligt nervös. Jag kom ihåg Koivus gissningar om att Silja och Janne var ett par och frågade rakt ut.

"Det är inget sånt mellan dem, fast Janne skulle väl inte ha nåt emot det. Silja är inte intresserad av grabben, som tur är! Det här är tillräckligt jobbigt redan som det är. Jag tillbringade en timme i telefon med Ulrika Weissenberg i går och övertalade henne att tills vidare låta bli att publicera nåt pressmeddelande."

Taskinens stränga tonfall hade blivit mjukare, men blicken var fortfarande bister. Han godkände tydligen inte mitt tillvägagångssätt.

"Har du pratat med Nooras föräldrar? Kan jag prata med dem i dag?" frågade jag hoppfullt.

"Nej, det har jag inte, men jag ska ringa snart. Ta hand om Janne först i alla fall. Jag tycker att det vore bäst att släppa honom, såvida han inte erkänner mordet. Satsa hellre på Vesku Teräsvuori. Du har väl läst papperen om trakasserierna?"

"Jadå. Kommer du inte ihåg att jag pratade med honom i går, han är ju för fasiken i Vasa. Jag tänker sätta en patrull att invänta honom i Gräsviken, de får ta hit honom så fort han dyker upp."

"Bra."

"Vill du följa med och förhöra Janne?" frågade jag vasst, och det fick Taskinen att titta roat på mig.

"Du kan nog sköta det utan mig. Jag tror att Pihko är tillgänglig."

"Kan du fråga Nooras föräldrar hur de berättade för Janne om Nooras död. Ring mig i förhörsrum två sen."

Vakthavande befäl för arresten berättade att natten varit lugn, även om Janne nog inte hade sovit något. Frukosten dög inte heller åt honom. Jag bad att få in kaffe, te och smörgåsar till förhörsrummet, jag ringde efter Pihko och ordnade med en patrull i närheten av Teräsvuoris bostad. Jag gick på toaletten också för säkerhets skull, för det kunde dra ut på tiden med Janne, och min nuvarande intervall mellan toalettbesöken var högst en timme. När det kom till arbetsuppgifterna var min graviditet i vissa avseenden utan tvekan till hinder.

Jag målade på ett nytt lager brun mascara, i morse hade rouget också varit välbehövligt. Mitt röda hår spretade lika nyckfullt som vanligt, luggen hade blivit för lång. Enligt min syster väntade jag en pojke, för min uppnäsa hade alltefter som graviditeten framskridit blivit bredare, den kalla våren hade ännu inte hunnit göra den fräknig. Ögonen som mötte mig i spegeln var grågröna. Läppstiftet var för orange, det fick underläppen att se ännu fylligare ut än vanligt. Jag torkade bort det mesta för att jag skulle se trovärdigare ut, sedan gick jag mot förhörsrummet.

Janne hade inte kommit än, men Pihko vräkte hungrigt i sig smörgåsar som om han missat frukosten.

"Har du hört?" frågade han ivrigt. "Vi hittade ett vittne i går som hade sett Nieminen och Kivi gå iväg mot Krokudden längs stigen bakom ishallen, ungefär kvart över sju i förrgår kväll. Mannen var ute med sin rottweiler som inte ville gå in från ösregnet."

Nu såg Jannes situation verkligen illa ut. Men jag frågade ändå om vittnet var trovärdigt och hur han hade känt igen Noora och Janne. Mannen var tydligen något slags sportfåne, som inte ens förringade konståknings grenarna.

86

Innan jag hann fundera närmare skuffades Janne in. Han hade tydligen stretat emot, för han hade handfängsel på sig.

"God morgon, Janne", sade jag så vänligt jag kunde. Kanske var det dags att göra bruk av den moderliga ömheten som jag presenterat för Koivu. Jag blev inte direkt överraskad av att Janne förblev tyst. "Varför handklovar?" frågade jag vakten som följt med.

"Det gick för helvete inte att få fart på honom annars!" Det fanns förstås olika sorters vakter, och jag råkade veta att mannen som följt Janne var en av de hårdhäntaste i huset.

"Vi tar bort handfängslet, det är bekvämare för Kivi att sitta då. Sen kan du gå", sade jag till vakten. Det glimtade till av överraskning i Jannes ögon, och när han blivit av med handklovarna tittade han ett tag på sina handleder som om han förväntat sig att de skulle ha förändrats på något sätt.

"Sitt ner, Janne. Det finns smörgåsar, te och kaffe. Ta om du vill ha."

Han satte sig i hörnet av förhörsrummet vid samma bord som jag, men det var också allt. Jag hällde upp te åt mig själv, det skulle inte orsaka lika mycket sura uppstötningar som kaffe. Smörgåsarna såg goda ut, men med munnen full skulle det vara svårt att uppnå förhörsauktoritet.

"Vi har hittat ett vittne som såg dig gå iväg tillsammans med Noora mot Krokudden från ishallen. Berätta vad som egentligen hände i förrgår."

"Det finns inget att berätta."

En hel mening åtminstone, det här gick ju bra. Jag bestämde mig trots allt för att ta en skiva rågbröd med ost och sallad på, jag räckte över fatet mot Janne också. Ingen reaktion. Han lutade huvudet mot väggen, slöt ögonen. Ansiktsmusklerna spändes, han gnisslade med tänderna. Utan att öppna ögonen sade han:

"Du var på vår uppvisning av Snövit, eller hur?"

Jag svalde fort brödbiten.

"Ja, det var en fin show."

"Skicka iväg den där andra polisen, så berättar jag vad som egentligen hände."

Jag nickade åt Pihko att gå ut, men signalerade åt honom att lämna bandspelaren på. När dörren hade stängts hällde Janne upp kaffe åt sig. Händerna lydde honom inte riktigt, utan kaffet svämmade ut över brickan, och han stirrade villrådigt på den utan att veta vad han skulle göra. Jag slängde en servett över den värsta röran. Janne drack ett par klunkar, slöt sedan ögonen igen som för att hämta kraft. Jag kände hur magmusklerna drog ihop sig och hur pulsen steg. Var det nu jag skulle höra Nooras mördare erkänna?

"Rami berättade säkert för dig om den sista träningen. Vad var det du hette nu igen?"

"Maria Kallio. Ja, Luoti berättade att det var allmänt slagsmål."

"Noora var helt omöjlig. Hon gick inte med på den fåniga reklamen, hon förstod inte Ramis sätt att förklara rörelsebanor, jag höll henne fel i handen och så vidare. Till slut hade jag fått nog. Jag bestämde mig för att säga till Noora att vår paråkning slutade här. Vilken idiot jag var..."

Janne lät huvudet sjunka ner i händerna igen, jag tittade i smyg på nackens fina linje och det tjocka älgörtsljusa håret. Och väntade på vad han skulle säga härnäst. "Jag väntade i korridoren på att Noora skulle komma ur duschen. När hon till sist kom erbjöd jag mig att köra henne hem eftersom det regnade så kraftigt. Jag sa att vi måste prata också. Noora skrek att hon inte tänkte åka med en sån skitstövel som jag och började gå i regnet i en väldig fart med den stora väskan på axeln. Jag sprang efter, jag ropade att hon skulle vänta. Men hon gick bara vidare. Då skrek jag att jag tänker sluta åka skridsko. Det fick henne åtminstone att stanna, fastän regnet vräkte ner över oss. Gissa vad hon sa?"

För första gången på hela morgonen tittade Janne på mig, de gröna ögonen lyste som på en katt som skadat sin tass.

"Vadå?"

"*Gör det bara. Det håller väl i två dagar.* Och sen började hon gå i en rasande fart igen. Det värsta var att jag visste att hon hade rätt. Jag kan inget annat än åka skridsko, men jag skulle inte klara mig själv. Och man hittar inte en ny partner bara sådär. Nu är allt förbi, när Noora är död!"

Känslorna som Janne tidigare bara vågat visa när han åkte skridsko syntes återigen i hans ansikte. Jag var säker på att han skulle börja gråta, men fastän ansiktet förvreds kom det inga tårar.

Sedan ringde min idiotiska mobiltelefon, det var Taskinen.

"Jag fick tag på Nooras föräldrar, åtminstone Kauko, pappan, går med på att prata med dig i dag."

"Hur var det med det som jag frågade om?"

"Kauko sa att han inte berättat mer än att Noora var död, eftersom jag bett dem att inte avslöja detaljerna."

Jag stängde av mobilen, det kändes som om samtalet förstört den sköra tillit som uppstått mellan Janne och mig. Han hade återigen fått kontroll över sig själv, ansiktet som han lutade mot höger arm var uttryckslöst.

"Sen då?" frågade jag när han inte längre fortsatte.

"Inget. Eller mycket, men Noora såg jag inte mer. Jag var så in i helvete förbannad. Jag hoppade in bakom ratten, körde hem bilen, tömde det sista ur en whiskyflaska där och stack sen till Täffä för att supa mig apfull. Enligt bankkortskvittona åtminstone sju öl, jag minns inte riktigt. Det var därför jag inte var på balettlektionen på morgonen, men jag skulle väl inte ha gått annars heller. Telefonen var ur jacket åtminstone till fyra. Sen stack jag ut för att köra lite – fast jag var inte ens säker på om jag var i form. Jag funderade på om jag skulle gå på träningen och bestämde mig sen för att gå. Det var där jag fick veta det, när jag ringde hem till Noora och undrade varför ingen var vid ishallen."

Jannes berättelse lät ganska trovärdig. Fast å andra sidan är den bästa lögnen en sådan som ligger så nära sanningen som möjligt. Janne kanske bara lät bli att berätta att han tog livet av Noora innan han stack ut för att supa.

"Hur förklarar du då det faktum att din bil sågs vid Mattby köpcentrums parkeringsgarage kvart i sju?"

"Det kan jag inte, jag var inte där!"

"Din bil genomsöks just nu i alla fall. Vi skulle behöva dina fingeravtryck också, så att vi kan utesluta dem."

"Är det ett bevis mot mig om ni hittar Nooras fingeravtryck i Nissan? Var inte korkade, hon åkte ofta med mig!"

Jag nickade. Men vi letade inte bara efter fingeravtryck. Jag frågade Janne om han hade några vittnen för kvällen, och han bad mig trotsigt att fråga grannarna och bartendern på Täffä.

"Varför berättade du inte allt det här i går?" frågade jag och hällde upp en ny kopp te åt mig själv. Magmusklerna hade återgått till det normala igen, jag kände mig underligt tillplattad.

"Du tänker förstås att jag hunnit fundera klart under natten", smålog Janne glädjelöst. "Jag visste att ni ändå inte skulle tro på mig. Fast jag vet ju inte ens vad jag är anklagad för. Hur...dog egentligen Noora?" Det var svårt för honom att uttala ordet.

"Jag kan egentligen inte berätta det."

"Nej, det är klart. Polisen svarar ju inte, frågar bara."

"Så är det nog. Nu skulle jag vilja be dig att inför ett vittne berätta om när du åkte från ishallen och om ditt samtal med Noora, så att vi får ett officiellt förhörsprotokoll. Sen kan du gå."

"Gå? Tillbaka till cellen eller?"

"Hem, eller vart du nu vill, bara du inte försvinner för långt bort. Kan jag kalla in assistent Pihko?"

Janne blev så paff att han snällt gick med på det. Nu fattades all känsla i berättelsen, rösten var utmattad och dämpad. Det tog bara några minuter att ta ett uttalande. Sedan följde jag honom till stationsbefälet för att kvittera ut hans få ägodelar, skärpet och nycklarna.

"Din plånbok kom nog inte med i går. Hur tar du dig hem, vill du att jag ska be en polisbil köra dig? Det kommer nog tyvärr att dröja några dagar innan du får tillbaka din egen."

"Jag är alltså fortfarande misstänkt." Jannes leende var tunt och bittert. "Jag vill inte ha nån polisbil, hellre går jag hem. Hoppas vi inte ses igen."

Det kändes inte bra att släppa iväg Janne ensam. Jag var helt säker på att han inte berättat allt. Men i hemlighet var jag nöjd över att anhållandet hade fått honom att prata. Kanske hade jag ändå inte gjort bort mig så totalt som Taskinen först inbillat sig.

5

Familjen Nieminen bodde längst ut mot stranden på Krokuddsvägen, det ojämna vita teglet imiterade på ett lite klumpigt sätt husen vid Medelhavsstränderna. En väldig röd lastbil med namnet KaukoTransport AB i guldbokstäver bröt av den noggrant planerade elegansen i trädgården. Jag mindes att jag läst i någon intervju med Noora att hennes far ägde ett transportföretag, som efter att gränsen till Ryssland öppnats hade vuxit från en liten verkstad med två chaufförer till ett företag som sysselsatte ett tiotal människor. Noora hade en bror, Sami, som spelade ishockey. Föräldrarna hade inte förlorat sitt enda barn, även om ett eget barns våldsamma död ändå var förkrossande. Rent instinktivt klappade jag mig på magen och Pihko kastade en förundrad blick på mig.

Namnskylten på dörren var smidd i koppar och stilig. Dörrklockan pinglade en glad melodi. En tjock man med glänsande flint och yvig mustasch öppnade dörren, det var han som hade hämtat Noora efter uppvisningen i ishallen. Han pratade samtidigt hetsigt i en mobiltelefon.

"Vad är det för jävla strul med tullen i Vartius? Det är klart att visumen är i ordning, det borde inte vara några problem med dem! Förbannade ryssar, försöker tjäna pengar, men vi betalar inte. Försök ta hand om det, jag kan inte komma till jobbet i dag heller. Polisen kom precis."

Kauko Nieminen lyssnade en stund, svor en gång till och lade på.

"Ursäkta, jobbet hänger över en", sade han och torkade pannan på en randig näsduk han hittade i fickan. Han hade svarta kostymbyxor och en trång vit skjorta på sig, en hårig mage skymtade mellan springorna i knäppningen. Det var lätt att se att Noora ärvt den lätt trutande munnen och ansiktets runda form av sin far. Men ögonen var inte desamma, Kauko Nieminens ögon var små och blekblå, medan Nooras ögon hade varit runda och mörkt blågrå.

"Kauko Nieminen." Han sträckte fram handen för att hälsa, jag presenterade oss och sade att vi först ville prata om Nooras vanliga promenadväg till ishallen. Kauko Nieminen visade oss in i vardagsrummet, vars inredning var alldeles för blomkråsig för min smak. Ett vitt piano fanns där också, på locket mellan två brinnande ljus log Noora. Hennes skridskotroféer stod framme i bokhyllan i bortre änden av rummet. I hyllan hade man dessutom noggrant placerat en älgstudsare som såg ut att fungera, den verkade inte alls vara på sin rätta plats i det annars så romantiskt präglade rummet. På soffbordet stod en väldig bukett vita och rosa nejlikor, instucken i buketten fanns ett sorgkantat kort.

"Sätt er. Jag går och säger till min fru att ni är här. Hanna är fortfarande ganska upprörd, men hon lovade att försöka prata med er." Nieminen kastade en blick på min mage, som när jag satt ner putade ut en aning. Det var som om han tänkt säga något, men sedan försvann han för att hämta sin fru.

Hanna Nieminen var yngre än jag trott, hon kunde inte ha varit mer än tjugo när hon fick Noora. Kauko Nieminen verkade vara ungefär ett tiotal år äldre, men det var kanske övervikten som vilseledde. Hanna Nieminen var också rundlagd, men på ett trevligt kvinnligt sätt, Noora hade uppenbarligen ärvt sin bredhöftade kroppsbyggnad och formen på ögonen av henne. Hannas ansikte var svullet av gråt, den osäkert markerade munnen och den blå mascaran framhävde bara ansiktets rödflammighet. Den svarta klänningen såg ut att vara ett par nummer för liten, modellen med axelvaddar hade varit modern någon gång på åttiotalet. Sherlock Maria drog slutsatsen att den förmodligen köpts till en begravning.

"Jag är väldigt ledsen för er dotters död. Om ni bara orkar svara på våra frågor, kan er hjälp vara till nytta för polisutredningen", började jag försiktigt.

Hanna Nieminen sneglade också på min mage, där Varelsen återigen börjat sitt dagliga rumsterande.

"Är det ditt första barn?" frågade hon. Rösten var lite grötig, hon hade uppenbarligen stoppat i sig ganska mycket lugnande för att hålla sig någotsånär i schack.

"Ja", svarade jag. Tvärtemot vad Janne påstått så klarade man inte alltid polisarbetet bara genom att ställa frågor. Att svara var ofta nyckeln till tillit.

"Då vet du inte alls hur det känns för oss! Och jag förstår inte varför polisen överhuvudtaget frågar nåt. Det är ju självklart vem som mördade Noora!"

Hanna Nieminen snyftade till, Kauko som hade satt

sig bredvid sin fru klappade henne på knäet. Gesten som var tänkt att vara tröstande verkade underligt nog som tafsande.

"Min fru syftar förstås på Vesku Teräsvuori. Han har ju varit till besvär för vår familj länge, och nu satte han till sist sin hotelse i verket. Har ni gripit honom ännu?"

"Vi har inte fått tag på honom än, men polisen väntar utanför bostaden. Vi ska ta in honom för förhör så fort vi får fatt i honom", lugnade jag.

"Nog finns det skäl till det! Ni känner väl till bakgrunden, hotelserna, förföljandet och det andra?" frågade Kauko Nieminen uppfordrande.

"Jag har läst förundersökningsprotokollen, men det skulle vara till hjälp om ni kunde berätta huvuddragen."

"Det var helt ofattbart att Teräsvuori klarade sig undan med löjligt låga böter! Polisen har hela tiden bara skakat oförstående på huvudet. Som om störande samtal på nätterna och att skugga våra barn inte vore tillräckligt allvarligt! Och nu gick det som det gick! Jag har god lust att stämma både rättsväsendet och Esbopolisen!"

Jag förstod Kauko Nieminens ilska. Fallen med hot och trakasserier var besvärliga, eftersom lagen ännu inte kände till besöksförbud. Kopiorna på Vesku Teräsvuoris brev som var bifogade rapporten tyckte jag hade varit av det slaget att man kunnat utfärda ett förbud redan utifrån dem. Vesku hade ju främst hotat Hanna, därför var jag fortfarande inte beredd att utan utredning se honom som Nooras mördare. Men det kunde hända att den uppmärksamhet Noora fick efter mästerskapen i Edmonton förändrat Veskus avsikter. Kanske hade Vesku tänkt att det bästa sättet att hämnas på Hanna var att mörda hennes dotter som utnämnts till blivande världsmästare.

"Trakasserierna började alltså efter att fru Nieminen flyttat hem igen." Min intuition sade mig att det var bäst att förbigå Hannas och Veskus förhållande snabbt.

"Precis. Teräsvuori ville inte inse att min fru inte ville ha nåt mer med honom att göra. I början kom det brev och blomförsändelser, nattliga telefonsamtal och sånt där. Sen började breven bli hotfulla och blommorna begravningskransar. Och Teräsvuori tycktes vara överallt. När vi åkte till jobbet på Kauko Transport stod Teräsvuori och väntade vid Krokuddsvägen. Han kunde komma in på firman för att ställa nån påhittad fråga om transport av karaokeutrustning till Ryssland eller Tyskland. Som om han skulle ha behövt långtradare till sina usla skivor! Han väntade vid Mattbyhallen när Hanna körde Noora till träningen. Den där jävla klåparen var överallt!"

Kauko Nieminen torkade sig återigen i pannan och på den rödflammiga flinten med näsduken. Hanna satt tyst i soffan, en ensam tår började rinna längs kinden och förde med sig en strimma av den blå mascaran. Hannas hår hade färgats ljust, de mörka hårrötterna syntes. Håret hade fästs i en likadan stram knut som Ulrika Weissenbergs.

"Teräsvuori hade alltså för vana att vänta på Noora vid ishallen?"

"Då och då. För ett par veckor sen, på Mors dag, hade Esbo Konståkare uppvisning, Noora hade huvudrollen. Där dök han också upp för att kasta blommor."

"Jag var också där. Noora åkte jättebra", sade jag, men valde ofrivilligt helt fel replik, för Hanna Nieminen började stortjuta. På ett ögonblick hade hennes kinder färgats blå och Kauko Nieminen tryckte ängsligt en näsduk i sin frus hand.

"Ursäkta, det är såhär", muttrade Nieminen, och visste uppenbarligen inte vad han borde göra för att lugna hustrun.

"Ni behöver inte be om ursäkt. Skulle det vara bättre om er fru gick och vilade?"

I detsamma ringde ännu en gång mobilen som putade ut vid Nieminens midja. Han var uppenbart nöjd över att få ett skäl att göra ett avbrott.

"Vad i helvete! Det kan ju inte stämma! Vänta lite, jag går in i det andra rummet och pratar, polisen är här."

Nieminen parkerade samtalet och viskade till oss att det var viktigt och gällde jobbet. Han försvann iväg och lämnade oss ensamma med Hanna Nieminen som även färgat näsduken blå.

Efter att hennes man gått började Hanna oväntat prata:

"Kauko beskyller förstås mig för Nooras död", sade hon snabbt, som om hon haft bråttom att säga det innan Nieminen kom tillbaka. "Det var hans eget fel att jag började umgås med Vesku. Jag var bara nitton när jag gifte mig och Noora föddes nästan genast. Jag hann inte uppleva nån ungdom. Kauko har ju inte tänkt på nåt annat under de senaste åren än att få transportföretaget att expandera."

"Hur träffade ni Vesku Teräsvuori?"

"På en karaokekväll förstås! Jag och tjejerna var på Garden, jag måste ju också komma ut ibland, och efter ett par glas vin fick jag lust att gå upp och sjunga. Jag sjöng Solstrålen och trollet, och Vesku blev ju alldeles för-

98

tjust i det. Sa att jag hade en vacker röst och att jag var vacker i övrigt också. Kauko hade inte sagt nåt sånt på åratal", viskade Hanna Nieminen, som om hon var rädd för att hennes man skulle höra.

Till och med mellan de tätt skrivna raderna i polisrapporten hade man kunnat utläsa vad som sedan följde. Först ett kort, passionerat och hemligt förhållande, sedan bestämde Hanna sig för att lämna sin familj. Efter att de bott tillsammans i ett par månader hade hon märkt att Vesku trots allt inte var hennes drömprins och återvänt till sin familj.

"Jag ville förstås inte krossa Veskus hjärta", fortsatte Hanna, men tystnade genast när Kauko Nieminen kom in i rummet igen.

"Jobbet hänger över en, fan, de där tjejerna kan inte sköta nånting utan mig! I morgon måste jag nog åka in. Kom med du också, Hanna, så får du nåt annat att tänka på."

"Jobbar ni båda inom familjeföretaget?" stack jag emellan.

"Ja. Det var vi två som startade upp det, vi hade bara två bilar, och kontor i vår tvåa i Bredviken. Nu har vi femtio bilar och omsättningen är tiotals miljoner", sade Kauko Nieminen stolt. Jag mindes Silja Taskinens kommentar om att Nooras skridskoåkande inte hängde på pengar. KaukoTransport AB tycktes ge bra avkastning.

Jag började ställa frågor om Nooras sätt att ta sig hem från träningarna. Enligt Janne hade hon ju börjat gå mot gångstigen som leder till Krokudden. Föräldrarna berättade att hon använt sig av den de få gånger hon slutade träningen under dagtid. På vintern, när ishockeyspelarna förfogade över ishallen, tränade konståkarna antingen klockan sex på morgonen eller efter klockan tio på kvällen. Ibland skjutsade Hanna Nieminen, ibland hämtade Janne Noora och körde hem henne igen, ibland Elena Grigorieva eller hennes man Tomi.

"Ni hade inte bestämt nåt om hämtning på onsdagskvällen? Det regnade ju nästan hela dagen då."

"Nej. Klockan var inte så mycket och det var ju ingen lång sträcka. Vi hade väl börjat underskatta faran med Teräsvuori", sade Kauko Nieminen argt. "Jag jobbade fortfarande då, det har varit strul med transporterna till Ryssland hela våren…"

"Jag borde förstås ha hämtat Noora", Hanna Nieminen snyftade till. "Om jag bara hade vetat så…"

"Hur skulle du ha kunnat veta att den galningen bestämt sig för att slå till just den kvällen!" röt Kauko Nieminen. "Det är onödigt att tänka så nu, du skulle ha tänkt efter innan du började hänga efter honom!"

Hanna Nieminen ryckte till som om hon fått ett slag, sedan började gråten igen. Jag skrek ljudlöst åt mig själv att det inte angick mig även om Kauko Nieminens prat gjorde mig förbannad. Det var förstås vanligt att man letade efter en syndabock i sådana här situationer, hustruns snedsteg hade garanterat påverkat Nieminens självkänsla – men jag hade ändå lust att börja skrika tillbaka åt honom. I stället marscherade jag fram till Hanna Nieminen, grävde fram en skrynklig bit hushållspapper ur fickan och sträckte fram den till henne. Det gräts i alla fall över Noora Nieminens död. Den enda av dem jag förhört som inte varit helt förstörd av sorg var Ulrika Weissenberg.

100

Kauko Nieminen hade efter sitt utbrott gått bort till fönstret för att stirra ut på gården som om han velat kontrollera att lastbilen stod kvar. Jag funderade på hur jag skulle fortsätta, kanske var det bäst att ge sig av. Teräsvuori skulle väl också vara tillbaka i stan snart. Kauko Nieminens mobil ringde igen.

"Nieminen... Hej, Ulrika. Tack för blommorna."

Sedan sade Ulrika Weissenberg tydligen något väldigt underligt, för rödfärgen som hunnit försvinna från Nieminens ansikte återvände snabbt. Han försökte sticka in frågor mellan pratet som strömmade ut ur luren, men lyckades först efter någon minut.

"Polisen som utreder fallet är här just nu, men hon har inte sagt nåt om att Janne anhållits! Vad i helvete är det här egentligen!" Nu skrek Nieminen rakt mot mig.

"Vi släppte Janne Kivi i morse."

"Vadå? Teräsvuori har inte gripits, det försöker de väl inte ens med! Den mannen har förmodligen specialbeskydd av polisen!" vrålade Nieminen i luren.

Jag suckade och satte mig bredvid Hanna i soffan. Hon hade slutat gråta efter att hon hört att Janne gripits. Utan att bry sig om sin man frågade hon mig:

"Var det inte Vesku, utan Janne?"

"Vi vet inte än. Inte nödvändigtvis nån utav dem. Hör ni, ni var alltså hemma i förrgår när Noora gick från träningen. Hände det nåt särskilt här? Tog Vesku Teräsvuori kontakt med er?"

Hanna försökte tänka efter, Nieminen hade ställt sig i bortre änden av rummet med telefonen i näven, nu verkade samtalet handla om begravningen.

"Nej, Vesku ringde inte... Jag har faktiskt inte hört nåt

101

från honom efter isshowen. Jag tänkte att han äntligen bestämt sig för att ge upp och lämna oss i fred." Hanna torkade kinderna. Nu fanns det ingenting kvar på ögonfransarna av den blå mascaran, pudret och underlagskrämen hade lagt sig som små kokor i hyns stora porer. "Men Ulrika ringde och berättade att hon var helt vansinnig på Noora. De hade grälat för att Noora inte ville vara med i reklamen som Ulrika förhandlat fram. Hon sa att hon skulle komma över senare för att prata förstånd med Noora, men sen syntes hon inte till. Och strax innan sju ringde Tomi, Elena Grigorievas man. Han sa att han precis hittat Nooras halsband på gymmet, där hon förmodligen tappat det ett par dagar tidigare."

Det här började ju låta intressant. Ulrika Weissenberg hade sagt att hon skulle titta förbi, men sen inte gjort det. Och Tomi Liikanen hade ringt – var det helt säkert från gymmet? Jag frågade Hanna och hon var säker på att Tomi varit just på gymmet. Men Grigorieva hade ju påstått att hon åkt direkt hem med sin man. Vad hade hon för skäl att ljuga om en sådan sak?

"Men er man var kvar på jobbet. Vilken tid kom han hem?"

"Jag ringde honom på jobbet vid nio, jag undrade över att Noora inte hade kommit hem. Han kom ganska snart och stannade till vid ishallen på vägen för att se efter om hon blivit kvar där. Först var jag inte särskilt orolig för Noora, jag tänkte att hon ville vara för sig själv en stund efter att ha grälat med Ulrika. Hon har traskat omkring i regnet i timtal förut."

Kauko Nieminen hade avslutat sitt samtal med Ulrika, men precis när han skulle fortsätta diskussionen ringde mobilen igen. Han var tydligen en av de personer som inte kunde använda avstängningsknappen. Han lyssnade en stund och sade sedan vresigt:

"Jag är ledsen men nu måste jag verkligen åka bort till faxen på firman. De kan inte göra nåt därborta utan mig. Och jag tror inte att polisen behöver mig heller. Anhåll Teräsvuori, det är mitt råd. Hanna, är min kavaj i sovrummet eller ute i hallen?"

"I hallen."

Utan att ta avsked vaggade Kauko Nieminen ut genom dörren, efter en stund hördes ljudet av en bil som startade utanför. Jag tittade nyfiket ut genom fönstret. En Ford Scorpio, mörkblå. Jag hade inte heller väntat mig att Nieminen skulle köra en Nissan Micra eller en Renault Clio.

"Skulle jag kunna få se Nooras rum?"

"Självklart, om det är till hjälp för utredningen."

Efter att Kauko gått verkade Hanna mer avslappnad. Jag undrade om han genast efter att ha fått höra om dotterns död börjat beskylla sin fru, eller om det var första gången han pratade om det alldeles nyss. Jag måste prata med Kauko Nieminen igen, kanske skulle jag göra ett överraskande besök på hans firma någon dag. Någon dag? Varför antog jag hela tiden att den skyldiga ändå inte var Vesku Teräsvuori, utan försökte krångla till fallet?

Nooras rum var ljust och rymligt, säkert lika stort som Janne Kivis etta. Förutom sängen fanns det plats för ett skrivbord, en soffa, en bokhylla med en komplett hi-fi-stereo, en TV och en video. I soffhörnan stod dessutom en motionscykel. Det var tydligt att det här rummet tillhörde en konståkare. Ovanför soffan hängde ett par små skridskor, säkert Nooras första. Ett tiotal foton och affischer föreställde såväl världens toppåkare som Noora och Janne. Ovanför sängen fanns en inramad förstoring av fotot jag hade sett sönderslaget hemma hos Janne.

Nooras val av böcker var intressant. *Anne på Grönkulla*-serien, *Vägen till Avonlea* och *Unga kvinnor* i god ordning, sedan Jane Austen och Virginia Woolf. Mellan dem ett par engelska konståkningsguider, dikter av Riina Katajavuori och Heidi Liehu, Rahkamos och Kokkos biografi. Bakom glaset fanns dessutom ett tjugotal svarta böcker med lås på, säkert dagböcker. Skulle det kanske vara till hjälp att läsa dem?

"Det är ju ganska stökigt här, men jag har inte hunnit tänka på att städa än", sade Hanna Nieminen bakom min rygg.

"Stökigt?" undrade jag, för allt var i princip i ordning i Nooras rum. Ett par böcker låg på bordet, en flaska hårspray hade ramlat omkull bredvid dem, på stereon låg ett öppet skivfodral, *Instrumental Versions of the Greatest Opera Arias.* Hade hon letat efter musik till deras nya program? På soffan fanns ett par svarta strumpbyxor och en mörklila ylletröja. En svart- och orangefärgad västklänning låg tillskrynklad på soffbordet, där det också fanns en bunt noter för solosång. Noora hade tydligen hunnit hem mellan skolan och träningen. Skolväskan hade hon sparkat in bakom skrivbordsstolen. Den var fullproppad med böcker, franska och matte överst.

"Och jag vet inte om jag ens vill röra det här rummet. Såhär är det som om Noora fortfarande levde..." fortsatte Hanna, jag tittade oroligt på henne, men nu fanns det ingen hysteri i rösten. Pihko hade inte kommit in i rummet, utan väntade i hallen.

"Skridskoåkandet var Nooras liv. Ändå klarade hon sig bra i skolan och tog dessutom sånglektioner. Rami har alltid sagt att en konståkare måste vara ganska pedantisk, och det var Noora också. Titta bara på det där."

Hanna pekade på ett papper som satt fasttejpat ovanför skrivbordet där det stod Matsedel. Det var en matsedel för två veckor, förståndigt och hälsosamt sammansatt och mångsidig, men bara 1 200 kalorier per dag. Det kändes ganska ohyggligt för en sextonårig flicka som idrottade på elitnivå.

"Noora försökte få bort några kilon. Stackaren ärvde min och Kaukos kroppsbyggnad, det är väldigt lätt att lägga på sig kilon. Det räcker att jag sneglar på en bakelse så går jag upp ett halvt kilo. Janne hade väl klagat på att han inte orkar lyfta Noora längre, och Elena satte henne på diet."

100 gram grillat kycklingbröst och en tomat. 1 dl naturell yoghurt och fullkornsknäckebröd utan smör. Jag hoppades att Noora inte hade tillbringat sina sista levnadsdagar alldeles hungrig.

"Är det där Nooras dagböcker?" frågade jag och pekade mot böckerna med lås.

Hanna nickade. När jag frågade om jag fick läsa dem blev hon mycket tveksam.

"Hon lät ingen så mycket som röra vid dem... Jag vet inte ens var nycklarna finns."

"Jag kan få upp dem utan att ha sönder låset. Det kan mycket väl finnas nåt viktigt i dem, till exempel anteckningar om underliga typer som följde efter henne eller nåt liknande som man inte berättar för tränaren eller föräldrarna."

105

"Ta dem då, men kom tillbaka med dem sen! Den senaste står inte i hyllan, hon brukade ha den med sig."

Då skulle den finnas i träningsbagen som förhoppningsvis förts till bevisförrådet från labbet, det måste jag också kontrollera. Jag bad Pihko att skriva upp det och också att jag skulle ta kontakt med Tomi Liikanen så snart som möjligt. Under tiden kom Hanna med en plastpåse som jag packade ner dagböckerna i. Likadana svarta böcker med lås på, på pärmen hade numret skrivits med guldfärgat tusch. Det högsta var XV, i träningsbagen fanns säkert den sextonde. Jag kikade för säkerhets skull i skolväskan, men dagboken låg inte där.

Jag hade inte skrivit dagbok sedan tonårstiden, mina sista anteckningar var väl från tiden i polisskolan. Antti, som regelbundet skrev dagbok, hade gjort en gemensam graviditetsdagbok åt oss, där jag numera antecknade mina intryck och världens gång nästan dagligen. Kanske skulle Varelsen tycka att det var roligt att läsa den någon gång om tjugo år.

Hanna verkade lugn nu, jag tänkte utnyttja situationen och ställa ytterligare frågor, men jag upptäckte att displayen på min mobil blinkade. Klockan var 12.23, min mage hade också meddelat att det var lunchdags. Precis som jag väntat mig var det Mononen från ordningspolisen som ringde, han meddelade att han satt i Vesku Teräsvuoris bostad.

"Ta in honom till stationen, skulle du kunna boka ett förhörsrum, prova med tvåan." Det var det av rummen på stationen som var minst trångt, väggen som utfrågaren såg pryddes av en tavla med ett läckert sjömotiv i blåa toner.

"Vi har fått tag på Vesku Teräsvuori", meddelade jag Hanna.

"Har han erkänt?" Det fanns smärta i hennes blick, skuldkänslan tycktes ändå vara ohållbar. Jag hoppades att hon hade en bra terapeut. Eller en terapeut överhuvudtaget, en bra vän gick också bra.

"Jag ska precis iväg och prata med honom", sade jag, i detsamma sparkade babyn så hårt i magen att det kändes som om njurarna hoppade till. Jag måste snabbt hitta närmsta toalett, jag frågade Hanna som efter att ha fött två barn förstod mitt dilemma.

Pihko startade bilen utanför. Vi hade av misstag tagit skräck-Saaben som hade för vana att isa igen på de mest överraskande ställen. Efter en stunds lirkande gick den snällt i gång.

"Kör via McDonalds i Ängskulla. Jag orkar inte med en mördarkandidat utan en Big Mac", stönade jag till Pihko medan jag klämde in mig i bilen. Skräck-Saabens säten var på något sätt lägre än vanligt och säkerhetsbältet stramade mot halsen. Jag lämnade ett meddelande på Koivus svarare och bad honom ringa upp, och det gjorde han medan jag satte i mig pommes frites på Björk-Mankansvägen.

"Hur går det med ditt vittne från parkeringsgaraget?"

"Du kommer inte att gilla det här... Han var en sån där jävla savolaxare!"

"Jag har inget emot savolaxare, jag är själv fjärdedels-savolaxare."

"Jo, men han var av den typen som inte kan säga nånting om nåt. Micran som han såg skulle kunna vara just Jannes bil, men det kan också inte vara det. Alltså ingenting. Jag lämnade över bilen till labbet."

"Bra." Jag skulle precis lägga på när Koivu fortsatte:

"Jo... Jag blev klar med förhörsprotokollet för Silja Taskinen. Jag skulle kunna hämta underskriften i dag. Vi fick beröm, Maria. Jyrki berättade att Silja sagt att hon inte kunnat tänka sig trevligare poliser till att förhöra henne."

Det hördes på Koivus röst att han rodnade.

"Silja sa väl också att stationens snyggaste polis förhörde henne?" grimaserade jag i luren. Koivu var urhärlig när han var kär. Förtjusningen i Silja verkade ju hopplös, men jag var den sista som skulle säga det till Koivu.

Snabbmaten piggade upp så pass att jag kände mig i stridsform när jag kom till stationen. Vesku Teräsvuori väntade redan i tvåan. Jag hade ett par timmar på mig att förhöra honom innan Kati Järvenperä, som hittat kroppen, skulle komma. Och Teräsvuori kunde alltid vänta. Min inställning till honom var redan negativ, vilket inte utlovade något lätt förhör.

Pihko, som samtidigt försökt köra och äta sallad och kyckling-nuggets, följde efter mig in i förhörsrummet. Teräsvuori satt där med Mononen och såg ut som om han ägde stället. När han såg mig reste han sig upp och närmade sig med handen utsträckt, med ett vänligt uttryck i ansiktet.

"God dag, Vesku Teräsvuori. Har jag äran att tala med polisen som är ansvarig för utredningen?"

"Ja. Jag är inspektör Maria Kallio, vi talades vid i telefon i går. Varsågod och sitt ner. Lite kaffe?"

"Tack, det skulle smaka bra. Får jag fråga varför man släpat mig direkt till polisstationen efter en ansträngande resa?"

108

Jag kunde mycket väl föreställa mig att somliga tyckte att Vesku Teräsvuori var stilig. Den bredaxlade kroppen var som hämtad ur någon gammal finsk film, hårets ljusa slingor hade varit radikala någon gång på åttiotalet. Han hade lätt för att le, den tunna, svarta mustaschen ramade in överläppen. Han hade en hes tenorröst, fast alla låtar lät likadana när han sjöng dem.

"Noora Nieminen är död. Det förvånar er väl inte att vi vill prata med er?"

"Jo, det förvånar mig. Varför i all världen?" Olika uttryck drog över hans ansikte, jag visste inte om han letade efter en lämplig reaktion eller om det var en verklig kamp mellan känslorna. "Noora död, Hannas dotter! Hur orkar Hanna med det här?"

"Var befann ni er i förrgår kväll?"

"Hördu, Maria, kan jag ringa? Jag måste skicka blommor till Hanna. Det här är ju hemskt!"

"Så fort ni kommer härifrån. Vi går över till frågorna nu."

"Maria, Maria, Maria! Dua mig bara, du ljuvliga fruktbara kvinna!" Pihko började hosta i hörnet, han kunde inte med att skratta högt. Jag var samtidigt road och äcklad av Teräsvuoris teatraliska posering. Till råga på allt började han sjunga "Maria" ur *West Side Story*.

"Tyst!", sade jag som till en hund. "Jag är inte musikalisk. Du har trakasserat familjen Nieminen under det senaste halvåret. Jag känner till fallet, jag har läst dina hotbrev. Du har gripits som huvudmisstänkt för mordet på Noora Nieminen."

Vesku Teräsvuori slog ut med händerna som en operadiva.

"Varför skulle jag ta livet av Noora, en sån härlig flicka? En otroligt talangfull skridskoåkare, såg du nånsin henne åka, Maria? När..."

"Var befann ni er i förrgår kväll, i onsdags alltså?" frågade jag kallt. Jag var verkligen utled på honom. För en gångs skull hade jag velat ha Pertti Ström som förhörspartner, för Pertsa skulle sannerligen ha fått ordning på den här typen.

"I onsdags? Var det då lilla Noora mördades? Ett ögonblick... I onsdags spelade jag skivor och höll i karaoken på restaurang Fishmaid i Gäddvik. Giget började klockan sex och höll på till ett. Det var där jag var hela kvällen."

Isbitar regnade ner i nacken på mig, under ett ögonblick fick jag inte ur mig ett ord. Självklart. Vesku Teräsvuori hade ett jävligt bra alibi vid tidpunkten för brottet. Ändå bad jag Pihko att kontrollera det, Teräsvuori kunde ju helt kallt ljuga.

"Var det detta jag släpades hit för?" fortsatte Teräsvuori, rösten lät självsäker och belåten.

"Vi får se vad kontrollen av ert alibi säger."

"Tror du inte på mitt ord, flicka lilla?"

"När det gäller våldsbrott har vi för vana att kolla upp saker. Och jag råder er att lämna familjen Nieminen i fred. De har nog med bekymmer även utan er. Det att ni en gång fått böter för trakasserier betyder inte att fallet inte kan tas upp på nytt."

"Trakasserier? Man får väl skicka brev och blommor till kvinnan i sitt liv! Jag förstår inte hur Hanna kunde gå tillbaka till det där ohyfsade fläskberget. Hanna som är så ömsint och kvinnlig, hon vissnar ju i en sån omgivning!

110

Stinkande långtradare och ishockey på TV."

Jag var tvungen att ställa mig upp och vända mig bort från Teräsvuori, för jag blev så full i skratt. Kanske hade Hanna verkligen letat efter näring åt sin ömhetstörstande själ i Vesku Teräsvuoris ballader. Han kunde ju i alla fall prata smörja, det hade kanske bitit på Hanna.

Pihko kom tillbaka, drog ut mig bakom dörren.

"Restaurangen hade precis öppnat, jag fick tag på bartendern som jobbade i onsdags. Han bekräftade Teräsvuoris alibi."

"Du får åka och prata med honom sen i alla fall, det tar ju knappt tio minuter att köra från Gäddvik till Krokudden", sade jag hoppfullt. "Vi är väl tvungna att släppa honom."

Något som framför allt Kauko Nieminen inte skulle bli glad över.

Men förhöret var inte över än. Vesku Teräsvuori hade följt familjen Nieminens liv noggrant under det senaste året. Visste han kanske något sådant om Noora som kunde vara till nytta under utredningen?

Teräsvuori pratade gärna om familjen Nieminen.

"Noora var en spinkig trettonåring när jag träffade Hanna. Hon hade åkt skridsko nåt år med den där Janne, och de hade väl vunnit några juniormästerskap. Just vid den tiden när Hanna flyttade hem till mig började Noora förvandlas till kvinna. På några månader fick hon bröst och bredare höfter. Hanna trodde att hon tröstät för att hennes mamma stuckit, men för sjutton, hon utvecklades bara normalt. Men de där skridskoåkarna ska vara så himla smala. Jag bryr mig inte om såna där plankor, det gör ingen normal man. En gravid kvinna som du är så vacker som en kvinna kan vara, rund och fruktbar…"

Teräsvuoris babblande irriterade mig, men jag lät honom pladdra på, stack bara in en fråga då och då.

"Ni hade för vana att vänta utanför ishallen ibland när Hanna kom för att hämta Noora efter träningen. Brukade Noora promenera hem ofta?"

Teräsvuori grimaserade, insåg uppenbarligen vad jag var ute efter.

"Jag var inte intresserad av Noora! Jag erbjöd mig att köra henne hem några gånger när vädret var dåligt och ingen var och hämtade henne. Men hon ville inte åka med mig. Kauko hade väl förbjudit henne."

"Hur reagerade Noora på att Hanna flyttade hem till er?"

"Hon tyckte förstås inte om det, inte Sami heller. Noora behövde egentligen inte en mor, utan nån som skötte hushållet och skjutsade henne hit och dit. Det sa åtminstone Hanna. Kauko ville bara ha henne som sekreterare och partner, gubben klarade ju inte ens av nåt i sängen. Nooras huvud var fullt av skridskoåkandet. Sami saknade Hanna emellanåt, men han var nöjd med sitt liv, för pappan hade köpt ett nytt spel åt honom. Och ändå återvände Hanna till dem och lämnade mig, fastän jag hade kunnat erbjuda henne nåt helt annat än de där självupptagna monstren!"

Insiderinformation om familjen Nieminen eller inte, jag orkade inte lyssna mer på Vesku Teräsvuoris skrävlanden. Jag släppte iväg honom, även om det retade mig lite grann. Jag bad Pihko att till klockan fyra samla ihop alla som slitit med Nooras fall, ett gemensamt möte före helgen var välbehövligt för att alla skulle veta hur långt ut-

112

redningen kommit och vad som borde göras.

Jag sprang på Taskinen i korridoren.

"Hur har det gått med Teräsvuori?"

"Vi fick tag i honom och släppte honom igen."

"Va?"

Taskinen såg fundersam ut när jag berättade för honom om Vesku Teräsvuoris onsdagskväll. Pihko hade redan åkt till restaurangen för att hitta luckor i Teräsvuoris alibi, men jag trodde inte längre att det skulle finnas några. Fallet gick på tomgång igen, jag började långsamt tro att det rörde sig om en tillfällig galning, som av någon anledning börjat misshandla Noora.

"Möte klockan fyra i konferensrummet, kan du komma? Vi samlar ihop det vi har hittills."

"Jag kommer, åtminstone ett litet tag. Jag ska gå på bio med Silja i kväll. Hon ska egentligen åka till Kanada om två veckor, men nu vet jag inte hur det går med resan. Vi har inte råd att på egen hand betala Ramis och Elenas arvoden. Hittills har det funkat någorlunda när vi delat kostnaderna mellan Silja, Janne och Noora. Och nu gick den utlovade reklamkampanjen också i stöpet. Men jag borde inte besvära dig med det här."

Jag övervägde om jag skulle berätta för Taskinen att jag fått motstridiga uppgifter om Elena Grigorievas och Tomi Liikanens förehavanden under mordkvällen, men jag bestämde att det fick vänta till mötet. Det retade mig att Jyrki uppenbarligen var missnöjd med hur utredningen framskred. Kanske visste han hur det låg till med befordran, visste att jag inte hade råd att klanta mig om jag ville vinna över Ström i striden om rotelchefsskapet.

Kati Järvenperä anlände klockan tre som vi kommit överens om. Hon var kortväxt, det rufsiga mörkbruna håret hade satts upp i vad som såg ut som en slarvig hästsvans, de svarta jeansen och den svarta jackan hängde på henne, förmodligen för att dölja några kilos övervikt. Jag började förhöret försiktigt, eftersom jag antog att Järvenperä fortfarande var upprörd över att ha hittat kroppen. Fastän hon tydligt fick kämpa för att hålla sig lugn var hon ett mycket observant vittne.

"Det fanns bara tre bilar förutom min egen i parkeringsgaraget när jag kom dit. En var en glänsande grå skåpbil och den andra en röd stationsvagn. Den tredje kommer jag inte ihåg, så den var säkert ganska liten. Vår gamla Merca är rätt trög i svängarna, så jag brukar alltid försöka parkera på ett lätt ställe. Eftersom det fanns gott om plats backade jag in mot väggen. Jag tänkte att det skulle vara lätt att köra iväg."

"Det fanns ingen precis intill då?"

"Nej. Skåpbilen stod ett par rutor bort, den röda stationsvagnen i andra änden av garaget."

Den röda stationsvagnen var säkert Volvon vars ägare hört av sig och berättat om Nissan Micran och Renault Clion. Jag frågade om Järvenperä kom ihåg vilket märke det var på de andra bilarna eller registreringsnumren, men hon skakade på huvudet.

"Jag är inte det minsta intresserad av bilar. I det ögonblicket, med två barn, tänkte jag bara på hur jag skulle klara mig ut ur affären."

"Och du öppnade bakluckan innan du gick in i affären?"

"Ja, jag tog ut en tom drickaback och Jussis sulky. Jag

114

kommer tydligt ihåg att jag lämnade bakluckan olåst. Det har aldrig försvunnit nåt därifrån."

"Hände det nåt särskilt i affären?"

"Nej. Vi köpte mjölk och kattmat, varsin chokladpudding och en påse tuggummin åt pojkarna, så att de skulle vara tysta på hemvägen."

"Sen då, när ni kom ut ur affären? Vad såg du då?"

Kati Järvenperä hade genast i början bett mig dua henne, hon sa att niande kändes som om hon anklagades för någonting.

"Jag var mest lättad över att vi snart skulle vara hemma. Jag tror att skåpbilen hade försvunnit, nån ny bil hade dykt upp, men ingen var i vägen för mig. Det brukar jag kolla allra först, Mercan är ju så besvärlig ... När vi kom ut i parkeringsgaraget öppnade jag först pojkarnas dörrar och spände fast dem i sätena. Sen..." Katis ansikte förvreds, men hon fortsatte tappert: "Sen öppnade jag bakluckan. Först förstod jag inte riktigt vad som hade hänt, vad flickan egentligen gjorde där. Nästa tanke var att pojkarna inte fick veta nåt. Jag smällde igen luckan och låste."

Järvenperä hade sagt till pojkarna att bilen gått sönder och gått för att ringa polisen. Enligt henne fanns det ingen annan i parkeringsgaraget då. Hon hade varit tvungen att gå till köpcentrets telefonautomat.

"Jag tror att jag var i nåt slags chock, och jag kommer inte ihåg nånting av händelserna efter att jag hittat kroppen. Men jag har grubblat mycket på nåt som Jussi brukar säga. Han är ju nästan fem, en smart kille, men med ganska livlig fantasi. I går frågade han mig om det var den dumma farbrorn som haft sönder vår bil i parkeringsgaraget. I vår familj är den dumma farbrorn han som sandar pulkabackarna på vintern och slänger skräp i naturen. Då kom jag på att fråga Jussi om han sett den dumma farbrorn i parkeringsgaraget. Jussi sa att det gjorde han. Han letade tydligen efter ha-sönder-verktyg i sitt bagageutrymme."

6

På kvällen kunde jag inte somna för att Varelsen sparkade, och en våldsam vind rasade i trädtopparna, så att jag var rädd att någon av de gamla tallarna som växte invid husväggen skulle braka ner över oss. Jag tänkte på den dumma farbrorn som den snart femårige Jussi Järvenperä sett och mötet vi haft sent på eftermiddagen som varit ganska nedslående. I Krokudden hade man knackat dörr, på Mattby köpcentrum hade man pratat med hundratals människor, men resultatet var bara lösryckt information, vaga tips och endast ett par tillförlitliga vittnesiakttagelser, som båda pekade på Janne Kivi. Pihko hade inte ens lyckats hitta ett hål i knappnålsstorlek i Vesku Teräsvuoris alibi.

Hela roteln hade varit samlad i konferensrummet, likaså de få polisassistenter som lånats in från grannrotlarna, och som hade utfört förhören i Krokudden. Taskinen hade låtit mig sköta snacket. Han hade uppenbarligen velat visa hurdana mötena skulle vara om jag skulle bli rotelchef. Men hans egen befordran var långt ifrån säker – polischefen hade tydligen hittat någon kandidat i Åbo som hade bättre bakgrund än Taskinen. Det betydde väl

117

medlemskap i frimurarorden och i chefens parti.

Pertti Ström hade suttit och slöat i mitten av rummet som för att göra sin närvaro så tydlig som möjligt. Jag undrade om han skulle bli kvar på roteln om jag blev hans chef. Eller skulle det vara för mycket för honom om en kvinna bossade över honom, en kurskamrat från polisskolan?

"Jag tycker att vi borde fortsätta gå runt och intervjua folk", sade Ström genast när jag gick in på utredningens fortsättning. "Det finns alla möjliga galningar i Mattby, och fastän du inte är övertygad så tror jag att det är fråga om samma person som har förgripit sig på småflickor."

"Men Noora Nieminen hade inte utsatts för sexuellt våld."

"Han kanske tvingade henne att suga av honom", föreslog Ström och någon av poliserna flabbade till, men tystnade genast.

"Rättsläkaren har inte hittar sperma eller förändringar i luftstrupen", svarade jag kallt. "Koivu, har vi några resultat från Janne Kivis bil?"

"Det dröjer över helgen. Vi hittade en massa fingeravtryck i Järvenperäs Merca, som vi kör i registret just nu. Familjen har inte uteslutits än, men det kommer vi förmodligen kunna göra på måndag."

Jag hade kommit överens med Kati Järvenperä om att hon skulle försöka fråga Jussi om den dumma farbrorn. En fyraårings ord skulle knappast ha något värde i en rättegång, men om han kunde komma med en beskrivning skulle det kunna ge några idéer. Jussi hade pratat om en stor väska, kanske var det verkligen Nooras träningsbag, som jag inte hunnit se ännu.

118

Fastän jag på mötet försökt uppföra mig som en effektiv inspektör som hade allt under fullständig kontroll, hade ingen kunnat undgå att märka att utredningen i själva verket var helt vidöppen. När jag till sist somnade sov jag ryckigt och oroligt, Nooras ögon trängde in bland strömmen av bilder. Telefonen väckte mig halv nio och morgonen började dystert, för det var Ströms trötta röst som hest väste i luren:

"Jag har en grej åt dig. Vi behöver din berömda kvinnliga empati."

"Jaha. Vadå för nåt och var?"

"Ett dött barn på Sockkärrsvägen. Pihko och Puupponen är där, men behöver förstärkning."

"Ett dött barn? Kan du berätta nåt mer? Plötslig spädbarnsdöd?" frågade jag, för jag hade precis läst om det i barnskötselboken.

"Grabbarna sa inte så mycket. Jag har varit uppe hela natten och är fortfarande fast med en knivskärning, så stick dit nu!"

Ström gav mig adressen, jag började motvilligt klä på mig. Antti hade redan hunnit ner på undervåningen för att koka kaffe. Kvällen innan hade vi planerat in en promenad i Noux på förmiddagen, men det fick vara nu.

Jag skyfflade i mig en hyfsad frukost och åkte iväg. Morgonen var grå och ylletröjan och jeansjackan verkligen välbehövliga. Sädesärlorna flög över bilen, Hemtans fält låg öde. Jag försökte låta bli att tänka på den lilla kroppen som väntade på mig, men det skavde ändå vemodigt inom mig. Jag hade som tur var bara kommit i kontakt med ett par döda barn under min poliskarriär. Det första, plötslig spädbarnsdöd, hade inträffat nästan direkt efter

119

att jag slutat polisskolan. Jag hade varit med patrullen som kallats dit. Jag mindes fortfarande föräldrarnas tröstlösa snyftande, det hade varit deras första barn.

Det andra fallet hade ägt rum förra sommaren. En sexårig pojke hade ramlat ner i havet från en stugklippa, slagit i huvudet och drunknat. Vi hade övervägt åtal för allmänfarlig vårdslöshet, eftersom föräldrarna lämnat barnet utan tillsyn, men åklagaren ansåg att föräldrarna redan fått sitt straff. Det fanns ett par yngre barn i familjen, som knappast skulle ha varit hjälpta av att föräldrarna tvingades genomgå en rättsprocess.

Jag brukade inte älta dödsfall ur det förflutna, men alla minnen kunde inte förträngas. I takt med graviditeten hade många saker som rörde barn och även min egen barndom stigit upp till ytan. Ett barns död var det allra svåraste även för oss som sysslade med döden, såsom polis, läkare och sjuksköterskor. Det var helt naturligt att jag var nervös. Ström hade åtminstone kunnat berätta vad jag hade att vänta på Sockkärrsvägen.

Ett par polisbilar och en ambulans stod parkerade framför det åtta våningar höga huset. Grannarna stod och stirrade ute på gården och i trappuppgången, jag fick vänta länge på hissen som tog mig upp till sjätte våningen. Det stod Markkanen på dörren.

"Maria?" Pihko öppnade förvånat. "Skulle inte Ström komma?"

"Han hade ett annat fall. Vad har egentligen hänt här?" frågade jag och klev in i tvåan som var full av folk.

"Jaana Markkanen är i vardagsrummet. Barnet, nio månader gamla Minni, hittades i morse död i sin säng."

"Vem var det som hittade henne?"

120

"Markkanen själv, strax efter sju. Ringde ambulansen direkt, men det var redan för sent. Ambulanskillarna tillkallade oss."

"Varför det?"

"Kom och titta på ungen", sade Pihko besvärat.

Jag gjorde det. Sovrummet var trångt och sparsamt möblerat, bara en meterbred madrass på golvet, vid andra väggen en avflagnad vit spjälsäng som det döda barnet låg i. Hennes mun var öppen, ögonen var utvidgade, den lilla kroppen hade krampaktigt dragit ihop sig i ett ljudlöst skrik.

"Kvävts", sade den ena av ambulansmännen.

"I sin kudde i sömnen?" frågade jag, det var det första alternativet jag kom att tänka på.

"Man använder inte kudde till barn i den åldern", sade ambulansmannen. "Och vi såg inte till nån kudde. Ser du de där blåmärkena? Det är en vuxen människa som har kvävt henne."

Det var varmt i tvåan, lukterna av rakvatten, gammalt vin och spyor blandades. Barnets pyjamas med nallemotiv var trasig vid knäet, det fanns vällingfläckar på det urtvättade plagget. Det växte glesa ljusa lockar på flickans huvud, fingrarna var knubbiga, den ena handen stack ut genom spjälorna i sängen. Sängen började gunga framför mig som en gunghäst, som reds av skrattande barn på bilderna. Jag var tvungen att stödja mig mot väggen och blunda ett ögonblick.

Dörrklockan ringde igen, det var fotografen. Hans ankomst fick mig att inse att jag var här i tjänsten.

"Så barnets mamma tillkallade ambulansen. Vad sa hon?"

"Enligt larmcentralen skrek hon hysteriskt att hennes barn inte andades längre. Det tog ett tag innan hon fick ur sig namn och adress. När vi kom hit var det alldeles för sent. Barnet hade redan varit dött i några timmar."

"Fanns det nån annan här än mamman?"

"Nej", svarade Pihko. "Hon bor ensam. Hon har en hemsk bakfylla, eller hon kanske fortfarande är full, jag vet inte. Hon är åtminstone inte klar i huvudet."

För andra gången på två dagar var jag tvungen att möta en mamma som sörjde sitt barn. Jag steg in i det lilla vardagsrummet från sovrummet, det var också torftigt möblerat. Den enda anslående prylen var en tjugoåtta tums TV som ståtade framför fönstret.

Jaana Markkanen var en ung kvinna, egentligen fortfarande en flicka. Kroppen var väldigt smal, de tunna låren stack fram under det korta färggranna nattlinnet, och på vänstra vristens utstickande fotknöl glänste en draktatuering. Jaana grät, ryckigt och ljudlöst, hon snorade och tårarna rann längs kinderna. Jag upptäckte en brunaktig pöl vid balkongdörren, som om hon tänkt rusa ut för att kräkas, men inte hunnit i tid.

"Jaana?" frågade jag försiktigt, jag satte mig bredvid henne på den grumligt gröna plyschsoffan, den sorten som såldes på loppmarknad för en femtiolapp.

"Mitt barn har dött", viskade Jaana. "Minni…"

"Skaffa hit en läkare", sade jag till Puupponen, som stirrade på Jaana bortifrån TV:n. "Och städa upp spyan, man står inte ut i den här lukten."

"Hon försökte gå ut på balkongen, sa att hon tänkte hoppa, och när jag inte lät henne göra det kräktes hon nästan på mig", sade Puupponen olyckligt.

Jaana tog tag i min axel, förde sitt ansikte nära mitt. De russinfärgade ögonen blinkade, såg först in i mina ögon och sedan ner på min mage.

"Du väntar barn?"

"Ja."

"När föds det? Ge det till mig, mitt barn har dött!"

En ny ljudlös gråtattack, Jaana lyfte på nattlinnet och torkade ansiktet. Hon hade inga underkläder, ett violett arr efter ett kejsarsnitt korsade nedre delen av buken.

"Det var inte meningen", lyckades jag uppfatta mellan hickandena. "Jag stod bara inte ut med att hon skrek och jag var så jävla packad och ville bara sova. Du tror mig väl? Du har ju själv ett barn i magen! Jag ville inte döda Minni. Jag bara tryckte och sen slutade hon skrika."

Fotografen hade upphört med sina bestyr, Puupponens finger avstannat på telefonknappen. Jaana Markkanen föll ihop i min famn och skrek, jag strök över det svartfärgade håret och mumlade meningslösa ord. Puupponen började städa upp spyan som om han var tacksam över att ha något att göra. Jag skulle ha velat täppa till öronen, men lyssnade på hur Jaana Markkanen i sin avtagande fylla upprepade om och om igen att hon inte hade tänkt döda, bara få lite ro att sova. Ambulansmannen erbjöd henne lite Diapam, med gemensamma krafter fick vi henne att svälja den, fastän hon misstänkte att vi försökte ge henne gift.

"Hoppas jag dör av det här!" tjöt hon. "Då kommer jag till Minni i himlen."

Dörrklockan ringde igen, det var någon granne som med gäll röst frågade vad som hade hänt.

"Har Jaana skadat sig? Hon var så fruktansvärt beru-

123

sad när hon kom hem i natt. Jag var här och passade Minni, jag tycker ju så mycket om småttingar…"

"Var fröken Markkanen ute och festade på kvällen?" hörde jag Pihko fråga.

"Festade – ute och söp var hon, och på jakt efter karlar! Hade lovat att komma klockan ett, men hon var nästan två när hon behagade komma hem. Jag tittade genom fönstret, det var ett under att hon ens lyckades ta sig ur taxin. Vad har hänt med Jaana? Jag kan ta hand om Minni, hon känner mig bättre än sin egen mormor…"

Jag hörde inte vad Pihko svarade, för ambulansmännen bar in ett lakan som Minni skulle täckas över med nu när fotona hade tagits och dödsorsaken fastställts. Den nyfikna grannen insåg väl att offret var lilla Minni och började skrika. Jaana lyfte på huvudet just när Minni bars bort.

"Ta inte mitt barn!" skrek hon och slet sig lös. Ambulansmannen som hade Minni i famnen stirrade frågande på mig. Puupponen hade rusat fram för att hjälpa mig att hålla fast Jaana, som bad att man inte skulle föra bort hennes barn.

"Låt henne hålla barnet åtminstone en liten stund", sade jag tyst och släppte Jaana. Jag stod inte ut med att se på när ambulansmannen lite tvekande lade ner det lilla byltet i mammans famn. Jaana började nynna på något som påminde om en vaggvisa.

Jaana ville inte alls lämna över barnets kropp till ambulansmannen. Till slut övertalade jag henne att klä på sig, jag lovade att hon skulle få åka med Minni i ambulansen. Läkaren kom lägligt och gav henne en injektion Diapam.

124

"Vart tänker du ta Markkanen?" viskade Pihko till mig när Jaana långsamt drog på sig skorna.

"Om hon inte lugnar sig så först till Bolarskog. Om jag har tur somnar hon i bilen. Sen blir jag ju tvungen att anhålla henne, det är ju ett solklart fall. Var snäll och ring Antti, be honom att hämta vår Fiat här. Jag tar Markkanen till arresten sen."

Som jag hade hoppats slocknade Jaana redan under ambulansfärden. Jag önskade att jag hade kunnat åka hem, dra i mig samma mängd lugnande medel som Jaana, eller en rejäl fylla. I stället ledde jag tillsammans med läkaren Jaana till polisstationens sjukcell. Varelsen for omkring som en skottspole i magen, den förstod säkert att världen utanför min mage inte alls var så trygg.

"Vi låter flickan vara i fred i dag, så kommer jag och förhör henne i morgon", sade jag till avdelningens vakthavande befäl, som den här gången lyckligtvis var av den trevligare sorten. " Om hon ber om en läkare eller nåt så ta det på allvar. Jag säger åt Ström att komma hit med häktningsordern."

Jag började gå mot vår rotel, men Ström råkade komma emot mig med två assistenter halvvägs in i entrén.

"Tjena Pertsa. Bra att jag sprang på dig. Gå och bekräfta häktningsordern. Barndråpet på Sockkärrsvägen.

"Ett klart fall, eller? Fick du ingen användning av din kvinnliga medkänsla?"

Man hade låtit Ström förstå att hans brister i mänsklig kommunikation var hans största hinder för att bli rotelchef. Jag ansågs bättre när det gällde det, fastän själva polismästaren klagat över att jag inte respekterade mina överordnade tillräckligt.

"Mamman erkände. Ambulansmännen hade tydligen redan misstänkt det. Du skämmer verkligen bort mig med såna här lätta fall."

"Jag tog ju bara hänsyn till ditt tillstånd", grimaserade Pertsa med låtsad älskvärdhet.

"Det gjorde du verkligen", sade jag och fortsatte korridoren bort tillbaka till mitt rum. Under gårdagskvällen hade både Ulrika Weissenberg och Kauko Nieminen ringt och sökt mig. Jag fingrade på post-it-lapparna och konstaterade att jag inte skulle orka just nu. De fick vänta till i morgon eller måndag. Eller – kunde de ha något viktigt att berätta?

Först valde jag i alla fall hemnumret.

"Men hej!" pustade Antti i telefonen. "Jag har precis varit och hämtat bilen. Vad var det egentligen som hade hänt där på Sockkärrsvägen? På gården pratade man om nåt mord på ett barn. Maria, mår du bra?"

Jag hade inte vågat ringa Antti själv, för jag hade varit rädd att hans röst skulle släppa loss tårarna. Jag hade haft rätt, jag började tjuta i luren så att Antti blev alldeles orolig. Som tur var gick anfallet fort över, redan efter ett par minuter kunde jag berätta om morgonen.

"Jag ska klappa till den där Ström när jag ser honom nästa gång!" fräste Antti.

"Låt det vara. Jag kan ta hand om mig själv. Och Pertsa har på sätt och vis rätt. Om jag vill klara av det här jobbet kan jag inte tacka nej till några arbetsuppgifter."

Jag bestämde mig ändå för att snart prata med Eva Jensen, psykologfrun till en av Anttis arbetskamrater. Jag ville inte förvandlas till en sådan polis som inte känner någonting alls längre.

"Kom och hämta mig, så åker vi och äter på nåt trevligt ställe. Det känns som om det är dags för den där varannan-vecka-drinken."

Antti lovade komma på en gång, jag fingrade på telefonmeddelandena. Kauko Nieminen... Jag hade inte bekymrat mig om att kontrollera föräldrarnas alibi, föräldrar tog väl ändå inte livet av sina barn. Men vem skulle Noora annars så tillitsfullt ha åkt iväg med än sina egna föräldrar? Hade kanske Hanna åkt för att möta henne vid ishallen i regnet, eller hade Kauko varit på väg hem från jobbet och mött sin dotter på vägen?

Nog kunde föräldrars utbrott gå för långt ibland. Min egen mamma hade haft för vana att få hemska raseriutbrott när jag var liten. Några gånger hade hon nästan ryckt av mig håret. Jag och mina systrar hade sett det som helt normalt, många av våra kompisar fick också väldigt mycket stryk. Det var först som vuxen jag insett att mammas vredesutbrott för det mesta varit rejält överdrivna.

Och självklart var jag rädd att hitta samma anlag hos mig själv. Under min tid på polisskolan hade jag nästan krossat armbågsbenet på en jävlig kursare, en gång hade jag råkat i bråk med en dubbelmördare och försökt ta kål på denne med en bronsstaty. Liknande vredesutbrott fick jag var och varannan dag. Om babyn grät dag och natt som min syster Helenas förstfödda, skulle jag då kunna låta bli att kasta den i väggen? I handböckerna pratades det om hormoner och modersinstinkter, som fick modern att bete sig kärleksfullt mot sina barn i alla situationer. Men jag hade sett många exempel på hur hormonerna svek en.

Det skulle nog vara bäst att trots allt kontrollera paret Nieminens alibin.

Antti väntade i Fiaten på parkeringsplatsen. I himlens gråa tak syntes en spricka, där glimtade blått fram och ovanför syntes stackmoln som drev förbi i en hiskelig fart. Nästan som om man kikat in i en annan verklighet. Men vinden piskade sand i ögonen. Jag räddade mig in i bilen som var alldeles för varm och slank in i Anttis famn.

"Vart ska vi åka?" frågade han till slut, när jag en stund försökt krypa in i hans gamla skinnjacka.

"Bort. Nånstans där man kan lugna ner sig."

Antti körde till caféet på Ekuddsvägen. Jag åt en stor lökpaj och var nära att spricka. Varelsen däremot tystnade, belåten över maten. Ett glas vitt vin kändes härligt syndigt, jag var helt säker på att de övriga i restaurangen stirrade ogillande på mig.

"När är era befordringsturer egentligen färdiga?" frågade Antti med munnen full av hallonkräm.

"Den som det visste. Först ska en ny polismästare väljas. Våldets nuvarande chef är den starkaste kandidaten. Sen väljs våldets nya chef. Om de väljer nån annan än Taskinen så har vi ju inga befordringsturer. Det blir ändå inte klart före min mammaledighet."

"Och om du blir rotelchef?"

"Kriminalkommissarie Maria Kallio… Det skulle allt låta bra. Då skulle jobbet förstås bli ännu värre än hittills. Förflyttningen skulle förmodligen ske vid årsskiftet. Jag skulle vara tvungen att antingen skaffa en vikarie till en början eller låta bli att ta ut föräldraledigheten."

"Jag kan ju ta ut den, eller hur?" Antti såg nästan ivrig ut. På hans arbete på institutionen för matematik på Helsingfors universitet hade man för en månad sedan valt en ny biträdande professor som var känd som en besvärlig typ, nästan hela institutionen hade motsatt sig hans utnämnande. Stämningen där var ännu mer spänd än på vår rotel, och Antti som slitit som en hund under de fem år jag känt honom började längta bort från institutionen. Ett par år tidigare hade han varit i Chicago som stipendiat, och nu hade vi också funderat lite på att åka utomlands under mammaledigheten, den här gången till England. Men jag hade svårt att se mig själv sitta och kura ensam med babyn i Oxford.

"Det skulle vara en bra lösning", sade jag glatt. Vi hade inte planerat att jag skulle bli gravid än, det var spiralen som hade svikit mig. Antti hade genast varit entusiastisk över babyn, jag hade stretat emot i ett par veckor. Men jag hade ju inte ens tänkt att jag någonsin skulle gifta mig innan jag träffade Antti. Livet tycktes kasta mig från en situation till en annan, men man kunde åtminstone inte klaga över att det var långtråkigt.

Efter maten flanerade vi mot Fölisön, vi förundrades över trädens halvt utslagna löv och ekorrarna som var tydligt besvikna över att vi inte hade några nötter åt dem. När vi gick tillbaka mot bilen gjorde jag misstaget att titta på mobilens display. Jag hade fått ett meddelande från Ulrika Weissenberg.

"God dag, det här är Ulrika Weissenberg." Rösten var lika kylig som en skridsko som just lyfts från isen. "Skulle ni kunna ringa mig så snart som möjligt, inspektör Kallio."

"Jag är ledig nu", muttrade jag till telefonen, men knappade ändå in Weissenbergs nummer. Ulrika lät inte det minsta glad över att jag ringde tillbaka.

"Nooras föräldrar berättade att Teräsvuori har släppts", sade hon rakt på sak.

"Hur kunde de veta det?"

"Teräsvuori kom dit för att överräcka en blomsterbukett och för att beklaga Nooras död. Kan polisen inte göra nåt åt honom! Kan han bara mörda en av landets elitskridskoåkare och sen dessutom komma och vara skadeglad?"

"Jag är ledsen, fru Weissenberg, men Teräsvuori har ett vattentätt alibi för tidpunkten för Nooras död."

"Vem ska jag egentligen behöva ringa för att mannen ska gripas, länspolismästaren, eller räcker det med Esbo polischef?"

Ett ögonblick lekte jag med tanken att hetsa Weissenberg och chefen mot varandra, det skulle vara rätt åt dem båda. Men jag handlade som en ansvarsfull, vuxen människa och frågade om Weissenberg hade pratat med Jyrki Taskinen.

"Ja, det har jag, men han sa att ni ansvarar för utredningen. Som far till Silja kan han inte vara alltför delaktig i den."

Telefonlinjen knastrade hotfullt när vi passerade Otnäs. Jag kom att tänka på Janne Kivi. Undrar hur han egentligen mådde? Som svar på mina tankar började Weissenberg skälla på mig för Jannes gripande.

"Är ni hemma nu?" frågade jag till slut, trött på gormandet. "Skulle jag kunna komma och prata med er, helt inofficiellt? Så kan vi reda ut det här."

Antti kastade en förbryllad blick på mig, Weissenberg var tyst en stund men gick sedan med på det. "Kör till

130

Nöykis", bad jag min man, som först tänkte säga något men sedan ändrade sig.

"Du vill tydligen lösa det här före ledigheten", konstaterade han när vi väntade på grönt ljus i korsningen vid Finnovägen. Jag nickade till svar och gav Antti telefonen, han sade att han skulle sätta sig och läsa i Bolomarens koloniträdgård, om man nu hade lust att vara ute i det begynnande duggregnet.

Jag förundrades återigen över det frodiga lugnet i trädgårdarna på Tallvägen. Hit hade jag inte behövt åka tidigare. Efter att Bandidos flyttat sitt högkvarter till västra Nöykis hade vi tvingats hålla till i området ganska mycket, men det låg ett par kilometer bort. Esbo var fullt av stillsamma avkrokar, små skogsdungar och husklungor där man inte bara råkade ha vägarna förbi.

Ulrika Weissenberg hade väl väntat bakom dörren, så snabbt öppnades den efter att jag ringt på. Dagens dräkt var purpurviolett, parfymen Chanel N:o 5 – det var ungefär den enda parfymdoft jag kunde identifiera. Jag kände mig återigen svettig och sjaskig bredvid Weissenbergs obrutna elegans. Tydligen sminkade och klädde hon sig noggrant även när hon var hemma.

Jag blev visad in i arbetsrummet. Utanför skällde en pudel i en kort lina åt en svart katt som smög omkring i buskarna.

"Nu är grannens otäcka kräk inne på vår tomt igen! Kan inte polisen göra nåt åt det, ordningsstadgan förbjuder ju att katter springer lösa."

"Ni har rätt att ta fast katten och låta avliva den", sade jag avvisande. Vår Einstein bröt också ständigt mot den paragrafen i ordningsstadgan. Det gick bara inte att få

131

katter att hålla sig på sin egen tomt.

"Polisen kan väl inte göra nåt åt katter när de inte ens kan lösa mord. Ni hade tydligen gripit Janne Kivi. Varför i hela friden?"

"Har ni träffat Janne Kivi efter gripandet?" Jag undvek frågan.

"Han åt middag hos mig på kvällen. Stackars pojke, han fick knappt ner en bit. Hur kan ni ens inbilla er att han skulle ha tagit livet av Noora? De hade ju ett gemensamt stort mål, att bli världsmästare."

Jag funderade över hur gammal Ulrika Weissenberg egentligen kunde vara. I ansiktet hade hon bara karaktärsrynkor, sminket gjorde hennes hy mycket klarare än min egen. Den svarta hårfärgen hade helt klart intensifierats, den rakryggade kroppen tillhörde en före detta gymnast eller skridskoåkare. Endast händerna förrådde att Ulrika redan firat sin femtioårsdag. Jag undrade hur hon kunde göra något med så långa naglar. Eller hon kanske inte ens behövde utföra något hushållsarbete? Det var onekligen väldigt svårt att föreställa sig Ulrika Weissenberg skura toaletten.

"Vilket humör var Janne på?"

Weissenbergs ögon blev ännu mörkare, hon förväntade sig tydligen inte att polisen skulle fråga något sådant.

"Janne? Trött och väldigt sorgsen. Jag erbjöd honom att sova över, men han sa att han skulle åka hem i alla fall. Jag har varit som en fostermamma för honom i många år, hans egna föräldrar är skilda och mamman bor i Paris med sin nya familj. Och Jannes far bryr sig inte om konståkning. Han tycker att det är omanligt."

"Vem är det som bekostar Jannes skridskoåkning då?"

132

"Hans föräldrar har hjälpt honom, och förbundet har förstås varit så tillmötesgående som möjligt, men nog har pojkstackaren haft det svårt. Förra året jobbade han lite som fotomodell, trots att han inte tyckte om det."

I jämförelse med vilket tonfall Weissenberg hade använt om Noora var tillgivenheten för Janne mer än uppenbar. Och Janne hade inte alls för mycket pengar... För honom skulle inställandet av reklamkampanjen på grund av Nooras trilskande varit ett bakslag.

"Kvällen då Noora dog ringde ni hennes föräldrar och sa att ni skulle komma över för att försöka övertala Noora att gå med på reklamkampanjen. Men ni hann inte ända fram. Ni träffade Noora på hemvägen, eller hur?"

"Vad menar ni egentligen?" Weissenbergs kalla och lugna blick besegrade man inte bara sådär. "Varför trakasserar ni oskyldiga människor men låter den verkliga mördaren gå fri? Vad är det för alibi som Teräsvuori skulle ha? Är ni säker på att han inte har köpt ett gäng likadana äckel som han själv för att täcka upp för honom?"

"Då har han fått betala en hel restaurang full av människor för sitt alibi. Vi pratar om vad ni gjorde, fru Weissenberg. Nekar ni till att ni skulle ha åkt ut igen för att träffa Noora i onsdags kväll?"

"Jag åkte ingenstans hemifrån!"

"Men er bil sågs i Mattby strax innan halv sju. En guldfärgad BMW", ljög jag obehindrat.

"Vem skulle ha sett den? Omöjligt! Om jag säger att jag inte var i Mattby, så var jag inte där utan här hemma! Vem tror ni egentligen att ni är när ni kommer och anklagar oskyldiga människor? Är ni alls kapabel att sköta den här utredningen?" Weissenberg såg tvivlande på min runda mage och skjortan som blivit skrynklig under dagen.

"Ni har ju känt familjen Nieminen länge. Vad tyckte Noora om att hennes mamma flyttade hem till Vesku Teräsvuori?"

Frågan överrumplade Weissenberg som alldeles tydligt fick tänka efter för att hitta orden.

"Det var rent allmänt en märklig episod", sade hon slutligen. "Innan dess var Hanna en väldigt bra mamma till en skridskoåkare, tog hand om allt och var beredd att offra mycket för Nooras karriär. Det kom verkligen som en blixt från en klar himmel när hon helt plötsligt föll pladask för en främmande karl. Fast man kan ju inte se Kauko Nieminen som särskilt romantisk, han är ju tämligen okultiverad…"

Ordet var som hämtat ur en av Anni Swans romaner, jag tyckte det var lustigt. Men Weissenberg var förvånansvärt väl insatt i Nieminens familjeliv.

Hannas huvudlösa förälskelse i karaokekungen hade kommit som en chock för både Kauko och barnen. Sami hade först dragit sig undan i tystnad, och Noora hade å sin sida gett utlopp för sin ilska och förvirring över att mamman försvunnit genom att träna frenetiskt.

"Nog behövdes min hjälp också för att hålla Noora i schack under tiden som mamman var borta. Konståkning kräver stora uppoffringar, skridskoåkarens hemförhållanden måste vara i ordning. Jag tyckte att Hanna var mycket ansvarslös när hon försvann sådär. Det sa jag till henne också."

Weissenberg verkade ha blandat sig i familjen Nieminens angelägenheter ganska rejält. Hon hade skickat sin

134

egen städerska att sköta huset medan Hanna var borta, och hon påstod att det var hon som övertalat Hanna att lämna Vesku Teräsvuori och flytta tillbaka till Krokudden.

"Det var förstås en jobbig tid för Kauko. Transportföretagets omsättning tredubblades i och med att gränsen till Ryssland öppnades. Det skulle ha varit orimligt att kräva att han skulle skjutsa Noora till träningarna. Och Kauko förstår sig heller inte på skridskoåkning direkt, han har snarare varit ett finansiellt än psykologiskt stöd."

Ulrika Weissenberg pratade gärna om hur stort inflytande hon hade över andra människors angelägenheter. Jag lät henne babbla på, jag lyssnade på hur hon kritiserade Elena Grigorieva som person, men uppenbarligen uppskattade henne som tränare. Rami Luoto däremot kunde handskas med unga människor, men han var helt enkelt inte kapabel att göra världsmästare av skridskoåkare på Nooras, Jannes och Siljas nivå. Weissenberg verkade ha bestämt att det var dags för Rami att gå över till att bara träna juniorer.

Men när jag försökte återgå till var Weissenberg hade varit kvällen då Noora Nieminen dog var resultatet knapphändigt. Hon förnekade bestämt att hon skulle ha åkt hemifrån igen.

"Jag tänkte att det var bättre att prata med Noora först nästa dag när hon hade lugnat ner sig", fnös Weissenberg.

Det var det. Ingen hade ju egentligen sett en guldfärgad BMW i närheten av platsen där Noora mördades.

Jag lånade telefonen och gick till Esso-macken i Finnå för att vänta på Antti. Vinden bet i brösten genom jackan, på kvällen skulle jag definitivt bada bastu så att jag för en gångs skull blev varm. Jag hade föreställt mig att jag alltid skulle vara varm när kroppen svällde upp, men i själva verket hade jag frusit mycket under nästan hela graviditeten.

Jag bad Antti att köra till industriområdet i Finnå. Jag ville testa hur lång tid det skulle ta att köra sträckan mellan KaukoTransport och Krokudden. Det var lätt att hitta transportföretaget, de skrytsamma guldbokstäverna lyste långväga från taket till långtradargaraget. Jag tyckte att det var intressant hur Ulrika Weissenberg kallade Kauko Nieminen för okultiverad och samtidigt beundrade honom. Trevlighet korrelerade tydligen med inkomst i Weissenbergs värld.

Även om man från Finnå var tvungen att slingra sig tillbaka till Kvisbackavägen och sedan under Västerleden till Fiskar- och Notuddsvägen tog färden inte ens tio minuter. Och hade det funnits några fler än Kauko Nieminen på KaukoTransports kontor den kvällen, vem var det egentligen som gick i god för hans alibi?

Antti frågade inte varför jag ville köra just den här vägen. Men när jag bad honom stanna på parkeringsplatsen vid Krokuddsvägen rynkade han pannan:

"Tänker du använda mig som chaufför resten av dagen?"

"Sorry. Jag grubblade bara på hur man skulle kunna få en livlös kropp från dungen till bilen utan att nån märker det."

"Vilka trevliga saker du tänker på", fnös Antti. Han var inte så intresserad av mitt jobb, bara hur det påverkade mig och vårt förhållande. Vi hade båda godtagit att det fanns perioder då det inte gick att tävla med den andras

136

jobb. Men Antti var inte Koivu eller någon annan av mina kollegor, det var fel av mig att begära att han skulle delta i brottsutredningen.

Efter bastun sjönk jag ner i TV-soffan, det var Sporten på TV. Jag orkade inte intressera mig för rallyrapporterna och skulle precis byta över till polisserien på andra kanalen när nyhetsuppläsaren tog på sig en allvarlig min och sade:

"Konståkerskan Noora Nieminen avled i onsdags. Polisen utreder fallet som ett våldsbrott. Noora Nieminen och hennes partner Janne Kivi tog en tionde plats i Europamästerskapen och en nionde plats i Världsmästerskapen i år. Som avslutning och till minne av Noora ska vi titta på ett utdrag ur deras program."

Nooras ansikte dök upp på skärmen. Blicken före dubbel lutzen var bestämd, ögonen koncentrerade. Ett leende glimtade till i Jannes ansikte när de höll sig upprätt under hoppet, men Nooras min förändrades inte, för på det stället i programmet var musiken allvarlig. Sedan förändrades stämningen till *Hair*-sångens spexande och Noora började stråla. Framträdandet skulle ha varit till heder även för en professionell skådespelare. Stillbilden fastnade på Nooras ansikte igen, på de djupa runda ögonen som skrattade när Janne lyfte henne högt upp. Jag betraktade ögonen på skärmen och svor på att jag skulle ta reda på vem som släckt dem.

7

På söndagsmorgonen öppnade jag motvilligt dörren till min arbetsplats. Att förhöra Jaana Markkanen inspirerade mig inte, men jag ville få det gjort så snart som möjligt. Minni hade hemsökt mina drömmar i natt: jag hade drömt att jag skulle föda och att en flicka som inte andades hade pressats fram mellan mina ben. I drömmen visste jag att barnet var Minni, som någon misshandlat till döds med ett par skridskor. Antti hade vaknat av mitt skrik och väckt mig också, och det hade dröjt länge innan jag kunnat somna om igen.

Koivu skulle förhöra Jaana Markkanen tillsammans med mig. Puupponen och Pihko var inte i tjänst. Dessutom tänkte jag tillbringa eftermiddagen i ishallen, där Rami och Elena tränade med Silja, och Koivu ville säkert följa med. Jag kände mig som en hemsk gammal tant, som inte hade något bättre för sig än att gifta bort dem som var yngre. När vi lärt känna varandra fyra år tidigare hade Koivu försökt stöta på mig, och sedan förälskat sig i en bossig sjuksköterska som till slut lämnat honom för en nynazist från Joensuu. Efter det hade ett par redan från början dömda förhållanden följt, först en nästan fyrtio-

138

årig kvinna som hade använt Koivu för att hämnas sin mans snedsteg, därefter en ekonom som klättrade på karriärstegen och som försvunnit till Bryssel för en månad sedan. Jag hade iakttagit händelserna både roat och oroligt, och hållit fingrarna i kors ända upp till armbågarna i hopp om att den lillebror jag adopterat någon gång skulle hitta en ordentlig kvinna.

Jag var inställd på ett jobbigt förhör, men det var ännu sämre ställt med Jaana Markkanen än jag trott. När hon vaknat ur sin bläcka någon gång på småtimmarna hade hon enligt vakthavande bara ylat, men vägrat ta något sömnmedel eller lugnande. Nu satt hon mittemot mig i förhörsrummet. Ögonen stirrade som om hon hade ett tiotal sömnlösa nätter bakom sig.

Markkanen var egentligen ganska lätt att förhöra, för hon erkände att hon kvävt sitt barn även om hon inte mindes händelseförloppet så noga. Hon hade tillbringat kvällen på Fishmaid, samma restaurang där Vesku Teräsvuori höll i karaoken. Under kvällen hade hon stjälpt i sig åtminstone sju salmiak-Koskenkorva och några long drinks. Jaana kom inte riktigt ihåg hur hon hade kommit hem, och minnesbilden av hur hon kvävde barnet var inte heller särskilt tydlig. Hennes inre klocka hade väckt henne på morgonen i väntan på att Minni skulle kräva sin morgonmjölk. Men flickan hade bara legat där, och när Jaana böjt sig ner för att lyssna på andningen hade hon insett att barnet dött.

"Hon var alldeles blålila och andades inte, jag visste inte vad jag skulle göra. Som tur var fanns det ett klistermärke på telefonen, ett ett två", hulkade Jaana. "Fattar ni att jag gjort det värsta man nånsin kan göra, dödat mitt eget barn? Jag vill dö! Varför lät ni mig inte hoppa från balkongen?"

Jaana Markkanen hade ett väldigt behov av att prata, förklara både för polisen och för sig själv varför hon hade tagit livet av sin egen dotter. Hon var bara tjugo år. Minnis pappa hade varit ett one-night-stand, men Jaana hade ändå velat föda barnet. Hon hade fått en bostad från stadens bostadsförmedling eftersom hon var gravid, sluppit betala den dyra hyran för ettan i Alberga. Men moderskapet hade inte bara varit behaglig symbios.

"De första månaderna var hon fast vid bröstet hela tiden, man hade tur om man ens hann gå på toa innan hon ville ha mer. Men hon var jättesöt när hon sov. Precis som en liten ängel. Och när jag avvänjde henne vid fem månaders ålder kunde jag gå ut ibland också. Jag kunde ju inte gräva ner mig därute i Södriks bunkrar även om jag hade ett barn. Och granntanten passade henne gärna."

Jag och Koivu satt mest tysta och lyssnade. Det var ett solklart fall, vi behövde bara få Jaana att skriva under förundersökningsprotokollet och be om en häktningsorder från domstolen. Eftersom vi säkert skulle få den nästa dag skulle Jaana skickas till kvinnofängelset i Tavastehus för att invänta rättegången. Förhoppningsvis skulle Jaana få en duktig kommunal advokat, som skulle kunna vädja till de avslöjande detaljerna i det ymniga ordsvallet, barndomen i en alkoholistfamilj, arbetslösheten, bristen på utbildning, förlossningsdepressionen som man inte gjort något åt. Jaanas berättelse var sorgligt välbekant, där fanns alla kännetecken på elände. Och jag kunde inte göra något för att förhindra att det blev ännu värre. Jaana

140

hade druckit ganska rejält ända sedan tonåren; i fängelset skulle säkerligen olika sorters knark och piller komma in i bilden. Jag önskade nästan att någon religiös grupp skulle hinna före.

"Vad händer med mig nu?" frågade Jaana när jag började runda av förhöret. Jag berättade och rådde henne att skaffa sig en advokat. När hon slutligen insåg att hon skulle bli inspärrad i fängelse en lång tid framöver började hon tjuta igen. Jag hade helst inte skickat tillbaka henne till cellen, men vad annat kunde jag göra? Jag var ju bara en förhörande polis, ingen socialtjänsteman.

"Vill du prata med en psykolog?" frågade jag klumpigt.

"Tycker du att jag är tokig? Var det därför jag dödade Minni?" skrek Jaana, den smala kroppen kröktes som i smärta. Jag försökte råda henne att skaffa hjälp, men Jaana orkade inte längre lyssna. Hon hade tagit livet av sitt barn och skulle hamna i fängelse, fastän hon hellre ville dö. Det upprepade hon fortfarande när de förde henne tillbaka till arresten.

"Stackars flicka", suckade Koivu som för sig själv när Jaanas gråt inte längre ekade in i förhörsrummen från korridoren utanför. "Hur kan det bli så där... Man gör nåt dumt i två minuter och sen är hela livet förstört. Nåt sånt där kan man väl inte hämta sig från, att ta livet av sitt eget barn?"

"Det vore väl tillräckligt svårt om barnet skulle dö i cancer eller nån olycka... Jag tänker också ibland att tänk om mitt barn dör vid förlossningen, eller är så invalidiserat att det inte är livsdugligt. Redan tanken gör ont fastän det inte ens är fött."

Varelsen hade blivit verklig när den börjat sparka. Första gången hade det känts underligt, jag hade inte varit säker på om jag inbillat mig. Som om en liten fisk försiktigt viftat på sin stjärt i en bassäng, vars existens inom mig jag inte ens vetat om. Jag hade långsamt lärt känna rörelserna, så småningom hade de blivit kraftigare och nu väntade jag på dem, jag blev orolig om Varelsen slumrade för länge.

"Isträningen är klockan två", sade jag snabbt till Koivu för att slippa tänka på mina egna bekymmer. "Innan dess kollar vi rapporterna om bilar som setts i Krokudden i onsdags kväll. Vi kanske hittar den guldfärgade BMW:n."

Men förhoppningen var förgäves, jag hade fortfarande inga bevis för att Ulrika Weissenberg skulle ha åkt tillbaka till Mattby för att få tag på Noora. Ändå var det någon underlig intuition som sade mig att det var just så. Jag tänkte på Mattby, på höghuslådorna av rött tegel i centrum, mellan vilka träden oförtrutet växte och gjorde det ursprungligen karga landskapet frodigare. Nog skulle man ha lagt märke till en guldfärgad BMW där. Kanske borde jag prata med småkillarna som sparkade boll på gårdarna.

Innan vi åkte till ishallen släpade Koivu med mig till Kotipizza i Mattby för att äta. Jag låtsades vara hälsosam och beställde en vegetarisk pizza, medan Koivu beställde en med ansjovis och salami, som han sedan ändå inte tycktes få ner.

"Är det inte lite dumt att åka och avbryta en träning?" sade han nervöst till slut. "Det kanske är jätteviktigt för Silja, hon är ju elitidrottare…"

"Det är inte störa jag vill, men jag tycker att det är

bättre att förhöra Rami och Elena i en bekant omgivning som ishallen och inte på polisstationen. De är ju egentligen inte ens misstänkta."

Koivu muttrade någonting, han ville uppenbarligen inte att Silja skulle tycka att han var en idiot.

"Ät upp din pizza, så går vi", sade jag storasysteraktigt. Men Koivu petade bara i ansjovisbitarna med gaffeln och fick knappt ner sin mjölk. Av min egen pizza var det bara kanterna kvar och jag kände mig också på motsvarande vis, mätt och svettig. Jag hittade som tur var tuggummi i fickan, det jagade bort det mesta av flottsmaken i munnen.

När jag parkerade utanför ishallen upptäckte jag att det var något tumult vid ytterdörren. Småflickor strömmade ut ur ishallen och föräldrarna väntade i sina bilar, men det verkade som om vaktmästaren försökte köra ut någon. Jag och Koivu joggade bort mot dörren som tränade hundar. När vi kom närmare såg jag att männen som försökte komma in i hallen hade med sig mikrofoner och kameror. Journalister.

Sportnyheternas offentliggörande av att polisen utredde Nooras död som ett våldsbrott hade uppenbarligen fått fart på kvällstidningarna och en radiostation. Hittills hade man inte offentliggjort namnet på flickan som hittats i Mattby, men nu hade journalisterna lagt ihop två och två. Skridskoåkarnas föräldrar verkade uppskrämda av intermezzot, och redan på långt håll hörde jag två vrålande röster som försökte avvärja journalisternas frågor.

Det var svårt att avgöra vem av dem som var mest rasande, Elena eller Janne.

"Ni kan inte bara komma rusande och störa träningen sådär!" vrålade Elena. "Vi vet inget mer om Nooras död än att hon dog efter att hon lämnat ishallen! Försvinn!"

"Det känns säkert hemskt för dig, Janne", sade en journalist med spelad medkänsla. "Men du är vid ishallen i alla fall, så du tänker fortsätta åka skridsko?"

"Dra åt helvete!" Det fanns inget förställt i Jannes ilska, ett ögonblick trodde jag att han skulle hoppa på journalisten. Sedan upptäckte han mig och Koivu. "Där kommer poliserna som utreder Nooras död. Trakassera dem som omväxling!"

Det var för sent att fly. Janne flinade illvilligt när strömmen av frågor vändes mot oss, jag hade god lust att räcka ut tungan åt honom.

Var det sant att man hittat Noora Nieminens kropp i bagageutrymmet precis som den berömda knarkbrottslingen Jack Moore? Vems bil var det, misstänkte man ägaren? Jaså inte? Vem misstänkte man då?

Jag hade ju inte ens befogenhet att lämna ut information till pressen, men jag ville inte börja ringa Taskinen mitt på en söndag. En del av föräldrarna hade vänt tillbaka när de hörde ordet polis, de samlades omkring mig som en krävande mur.

Jag berättade att man verkligen hade hittat Noora Nieminen i bagageutrymmet på en bil i ett parkeringshus i Mattby, och att polisen utredde fallet som ett våldsbrott. Jag ville inte berätta några detaljer, det var lätt att hänvisa till utredningsskäl. Jag avslöjade inte heller Kati Järvenperäs identitet. Hon var som tur var inte typen som ville ha billig publicitet för att ha hittat liket. Jag utnyttjade situationen till att vädja till alla som varit i Mattby under

144

kvällen för dådet, och särskilt till dem som varit i köpcentrets parkeringshus:

"Ta kontakt med Esbopolisen om ni minns nåt misstänkt. Varje ledtråd är viktig."

Någon av de små skridskoåkarna hade börjat gråta, Noora hade varit en viktig förebild för dem.

"Men polisen vill även förhöra Nooras tränare och partner?" frågade en journalist från närradion, och tyckte sig säkert vara listig.

"Noora Nieminen dog när hon gick hem från ishallen. Vi vill bara bekanta oss med omständigheterna", sade jag så tålmodigt jag kunde. "Mer kan polisen inte berätta nu."

Det var så lätt att säga vi eller polisen, som om man inte själv tog något ansvar för händelserna eller utredningen. Journalisterna gick undan förvånansvärt lydigt när jag marscherade iväg mot ishallen med Koivu i hasorna. Tioåriga flickor strömmade fortfarande ut därifrån, de hade tydligen haft gruppträning. Elena Grigorieva sade någonting till en av flickorna, men när hon såg mig lämnade hon henne och klev ilsket fram mot mig.

"Lyckades ni köra iväg journalisterna? Bra! Tänk att komma hit mitt under nybörjarnas gruppträning! Och Ulrika är förstås inte här, fast man för en gångs skull hade behövt henne!"

Jag hade redan vid första förhöret förundrat mig över hur bra Elena kunde finska. Hon hittade orden utan att leta efter dem, de böjdes nästan felfritt, och fastän l:en sjöng och s:en susade gjorde accenten det inte på något sätt svårt att förstå vad hon sade. Hon hade ändå inte bott mer än två år i landet, så hon måste vara språkbegåvad.

"Och vad har polisen för ärende här?" frågade hon. "Är det er tur att besvära oss nu? Träningen pågår fortfarande."

"Jag vet. Men era förehavanden i onsdags kväll..." Jag blev avbruten av en fågelspäd flicka som rusade in i Elenas famn.

"Mama, mamotska! Gde Tomi? Ja hazu..."

"Irina, prata finska! Vi är inte i Ryssland nu!"

"Mama, var är Tomi? Jag vill hem, det kommer en film på TV..."

"Tomi hinner inte hämta dig nu, han är upptagen. Du får vänta här tills vi är färdiga med Silja."

"Mama!"

"Gnäll inte! Ta din läxbok och gå in i omklädningsrummet!"

Irina muttrade något, men försvann sedan bort i korridoren ilsket vickande på den obefintliga bakdelen. I flickans rörelser fanns en graciös självmedvetenhet, något som var underligt hos ett barn. Rami kom emot Irina i korridoren, flickan sade något till honom och bredde dramatiskt ut de små armarna, och Rami klappade henne lugnande på axeln. Irina Grigorieva var säkert dömd till ett liv som elitkonståkerska, kanske skulle hon kamma hem världsmästerskap om fem år. Till dess hade Grigorievas säkert fått finskt medborgarskap.

Rami Luoto såg pressad ut. Det var som om polisongerna fått mer grått i sig bara på några dagar.

"Försvann journalisterna? Vad bra. Jag var rädd att Janne skulle hoppa på dem. Efter gripandet har han varit som en annan människa", sade Luoto skarpt till mig. "Vad gjorde ni egentligen med honom på polisstationen?"

146

"Vi förhörde honom bara, inget märkvärdigare än så."
"Ni har tydligen Jannes bil också. Misstänker ni verkligen honom?" fortsatte Rami.
"Vi misstänker alla", högg Koivu av.

De preliminära resultaten från Jannes bil var utlovade till i morgon, då skulle jag också vara tvungen att gå och titta på Nooras kropp och undersöka träningsbagen som laboratoriet lämnat tillbaka. Det var fortfarande fyra veckor kvar till midsommar och början på min ledighet, fastän man inte kunde tro det med tanke på vädret. Det gick inte att tala om vårens ljusa nätter, för himlen var insvept i fuktiga gråa trasor, bakom vilka solen inte alls kunde tränga sig fram. Undrar om självmordssiffrorna hade stigit till ännu mer deprimerande nivåer när våren inte hade hållit sitt löfte den här gången heller?

Utan någon egentlig överenskommelse hade vi på något sätt kommit in i ishallen, Rami och Elena före, vi poliser tätt efter som om vi visste vad vi egentligen gjorde där. Janne och Silja satt i ett spelarbås, Janne pratade ivrigt, Silja hade sin hand på hans axel och minen var förvånansvärt lik den kriminalkommissarie Taskinen hade när han lyssnade på någon underordnads bekymmer. Även om Janne och Silja inte var tillsammans, så var de uppenbarligen goda vänner. Jag kände hur Koivu rörde på sig bredvid mig, jag hade god lust att dunka honom kamratligt i ryggen, men det gjorde jag förstås inte. Strunt i skridskoåkarna förresten, det var ju Elena Grigorieva jag ville prata med.

"Janne, om du ska ut på isen så sätt fart", befallde Grigorievas stränga röst. "Och Silja, värm upp. Vi har inte så mycket tid på oss före Kanada."

147

"Jag vill nog inte åka i dag", sade Janne undvikande och drog med fingrarna håret ur pannan. Den lilla guldringen tycktes för liten i hans stora vackert formade högra öra.

"Inte det? Ett uppehåll och självömkan hjälper dig åtminstone inte framåt. Upp med dig och in i omklädningsrummet, tänker du kasta bort många års arbete bara så där? Du vet mycket väl att ditt skridskoåkande inte behöver ta slut i och med Nooras död. Nå, sätt fart nu!"

Elena pratade så fort att ekot i ishallen grötade till befallningarna. Men de hade ändå effekt på Janne som reste sig upp, kastade den meterlånga väskan över axeln och gick bort mot omklädningsrummen. Rami Luoto bläddrade frenetiskt bland kassettbanden, han letade uppenbarligen efter passande uppvärmningsmusik åt Silja.

"Hej, Maria." Silja kom emot oss med skridskorna på. Skydden gjorde rörelserna klumpiga. "Hej, Pekka. Har ni fått fram nåt?"

"Egentligen inte. Vi kom för att känna efter från vilket håll vinden blåser", sade Koivu och försökte låta bli att glo på Silja.

"Grep ni Janne för att jag berättade att han sagt att han skulle kunna döda Noora?"

"Verkligen inte", lugnade jag. "Har du kommit på nåt mer? Hur var det i skolan? Hade Noora nån särskild ovän där?"

"I skolan? Vi gick ju i olika klasser, jag vet inte riktigt. Noora hade väl inte så många kompisar. Hon åkte skridsko större delen av tiden. Hon var den enda jag kände som inte klagade i en kylskåpskall ishall klockan sex en vintermorgon. Hon var så fanatisk. Hon tyckte väl att

148

hon var lite bättre än andra, kunde jämt allt. Det var ett ganska irriterande drag."

Silja stretchade medan hon pratade. Hon lyfte upp det högra benet på sargkanten och böjde ner överkroppen. Jag har aldrig varit särskilt vig, det var alldeles lönlöst att drömma om att gå ner i spagat ens när jag inte var gravid, men Silja tycktes kunna böja sig åt alla möjliga håll. Jag hade för mig att hon gjorde en Biellmanpiruett i friprogrammet.

"Hur skulle Noora ha reagerat om en helt främmande människa hade attackerat henne? Skulle hon ha försvarat sig eller flytt därifrån?"

"Jaha, du tänker att Noora själv skulle ha ryckt upp skridskorna ur väskan och drämt till angriparen med dem?" fyllde Silja i mitt tankemönster. "Hon skulle nog ha kunnat göra det."

"Silja, ut på isen!" skrek Elena Grigorievas röst från norra änden av ishallen. Den hemska instrumentalversionen av Queen som redan böljat i bakgrunden ett tag tilltog i styrka. Silja ryckte på axlarna, tog av skridskoskydden och klev ut på isen, hon böjde sig ett ögonblick mot oss och sade:

"Elena har inget förbarmande. Skridskoåkandet fortsätter även om himlen skulle ramla ner."

Sedan gled hon iväg längs isen, först åkte hon bara för att värma upp och för att få känning på isen. Skärombyten, cirklanden, treor, Silja fick även enkla grundrörelser att se graciösa ut. Jag sneglade på Koivu intill mig, hans ögon jagade gestalten i ljus hårknut, gråa trikåer och collegetröja, blicken var längtansfull. Stackars Koivus hjärta var verkligen illa ute igen.

149

"Vackert, eller hur?" sade jag lätt.

"Storslaget. Men jag dödar dig om du säger nåt till nån på stationen", väste Koivu.

Jag dödar dig. Så lätt orden slank ut, och de betydde inget mer än att var snäll och håll tyst. Janne hade sagt att han skulle kunnat döda Noora, men de orden hade knappast haft någon större betydelse.

Det var nog bäst att gå bort och prata med Grigorieva medan Silja värmde upp. Janne dök också upp på isen, började glida framåt lite trevande, han hade säkert inte åkt sedan i torsdags. Undrar vad han egentligen hade tänkt, skulle han försöka som soloåkare? Eller höll man på att leta efter en ny partner åt honom?

Koivu och jag makade oss närmare Grigorieva som stod lutad mot sargen. Den tjocka, bruna ulstern behövdes verkligen i ishallens kyla, där rådde evig vinter. Sentimental stråkmusik ackompanjerade skridskornas susande på isen, en bromsning fick snökristallerna att skvätta.

"Fru Grigorieva, vi skulle vilja prata med er om onsdagskvällen…"

"Försvinn! Ser ni inte att jag arbetar!"

"Det gör vi också. Ni sa att ni åkte till affären och sen hem med er man i onsdags kväll. Men enligt ett vittnesmål var er man på gymmet strax innan sju i onsdags."

Elena som hittills tittat mot isen vände sig häftigt mot oss.

"När skulle jag ha sagt det?"

"I torsdags, då när jag kom för att träffa er tillsammans med konstapel Pihko."

"I torsdags! Det var ju då ni kom för att berätta att Noora var död. Det gjorde mig alldeles förvirrad ett tag.

150

Då kan jag ha sagt vad som helst."

"Medger ni att ni inte talade sanning senast?"

"Jag ljög väl inte med flit heller! Jag kan inte hållas till svars för det jag sa då. Tänk efter själv. Tyckte ni att jag var i balans?"

Jag mindes gråtattackerna, de ivägslungade vaserna och den enträgna uppfattningen att Noora skulle ha blivit överkörd. Så hade hon också sagt till Rami Luoto, som om hon inte skulle ha förstått vad polisen berättat för henne. Men var allt bara en välplanerad bluff?

Rami var också ute på isen, han gjorde likadana uppvärmningsmönster som Silja och Janne. Han rörde sig fortfarande smidigt som en yngling, och det var på något sätt roligt att se en redan gråhårig man på isen, eftersom skridskoåkarna vanligtvis var i tjugoårsåldern. Alla tre fick upp en väldig fart på sina skridskor, de verkade fylla upp rinken bättre än två hela ishockeylag. Den smöriga versionen av *Radio Ga Ga* kanske inspirerade dem. Jag skulle hellre ha lyssnat på den bortgångne Freddie än skälvande fioler.

"Janne! Häng inte med huvudet!" ropade Grigorieva åt Janne som susade förbi. Rätt huvudhållning var nog viktig i konståkning, den styrde inte bara det allmänna intrycket, utan också om hoppen och piruetterna skulle lyckas. Silja stannade vid sargen för att stretcha, värmde upp axlarna och överkroppen, vred på fingrarna som en pianist. Musiken i Siljas friprogram hade i år varit ett potpurri av gamla blueslåtar. Förhoppningsvis skulle nästa vinters ledmotiv vara lika lyckat, man hade förstört många program genom fel musik. Fastän Silja utåt såg ut som en sval blondin som var född att glida fram till takterna av klassisk musik fanns det temperament i hennes åkning, vilket snarare krävde rock.

"Vad hände egentligen i onsdags?" frågade jag Elena, som alldeles tycktes ha glömt bort oss och helt koncentrerade sig på skridskoåkarna.

"Tomi körde hem mig och Irina via affären. Han tittade väl in på gymmet däremellan, men han var inte där länge. En halvtimme, timme. När han kom tillbaka var fiskseljankan färdig."

Elenas ögon följde Silja, likaså Koivus, han hörde knappt vad jag och Grigorieva pratade om.

"Tog er man bilen till gymmet?" Grigorieva nickade bara. Hon tyckte tydligen att hon hade pratat tillräckligt med oss, för hon började raskt gå bortåt. Och vad mer skulle hon ha haft att säga? Elena Grigorieva hade varit hemma och lagat fiskseljanka när Noora mördades. Tomi Liikanens förehavanden skulle jag bli tvungen att fråga honom själv om.

Elena stängde av Queen. Ett tag hördes under takkupolen bara väsandet av skridskorna som skar över isen, sedan ekade nya tongångar. Tjajkovskijs pianokonsert i b-moll. De skulle väl inte ha Silja att åka ackompanjerad av ett så uttjatat stycke?

Men det var fortfarande fråga om uppvärmning genom att öva bågar. Janne hade också fått upp farten. När han åkte ensam framhävdes emellanåt hur kantiga rörelserna var och han såg för storvuxen ut för konståkningsisen. Intrycket förstärktes bara när han stannade bredvid Rami för att fråga något. Om Rami såg ut som en före detta balettdansör var Janne som en sprinterlöpare bredvid honom. När han åkte tillsammans med Noora hade klumpigheten inte synts, för den smidiga och temperamentsfulla Noora hade varit den part som otvivelaktigt drog åt sig blickarna, även om det hos Janne fanns nog med ögongodis åt dem som beundrade vackra män. Ensam skulle Janne knappast bli mer än en del av den osynliga massa som i de viktiga tävlingarna inte ens kvalade in till kortprogrammet.

Nu cirklade Rami fram till oss vid sargen, för Elena hade klivit ut på isen och pratade med Silja. Janne följde motvilligt efter. Vilken tur att jag inte var tjugo längre, då hade det varit omöjligt för mig att motstå charmen hos vackra och trumpna pojkar som Janne. Nu kunde jag bara beundra, utan att hjärtat direkt hoppade till.

"Har ni nåt mer att fråga mig och Janne?" Rami Luoto ville uppenbarligen bete sig vänligt mot polisen. Kanske tyckte han att vi gjorde vårt bästa för att få fast Nooras mördare. Eller åtminstone hoppades jag att han tänkte så. Förutom Silja verkade Rami vara den förnuftigaste i skridskogänget. Han skulle kunna vara till nytta i vår profil av Noora Nieminen, fast det gällde att komma ihåg att han var en av de misstänkta.

"Du får förmodligen tillbaka din bil i morgon", sade jag till Janne.

"Ni har alltså inte hittat nåt i den som skulle kunna få mig dömd för mordet på Noora", sade Janne tvärt.

"Det är alldeles för tidigt att avgöra. Jubla inte än." Koivus röst var väldigt brysk, jag fick lust att skratta. Vilket objektivt polispar vi var: den ena var svartsjuk på en av de misstänkta, den andra klassade dem efter trevliga och otrevliga utan andra skäl än sina egna intryck.

"Vi vill inte störa er träning alltför mycket. För min del

kan du återvända till isen, Janne. Vi tar kontakt när din bil är färdigundersökt."

Janne satte iväg över isen igen som om han var lättad. Silja hade precis börjat öva en hoppkombination. Först i tur var lutzen: Silja gled bakåt i en vid båge, böjde sedan i höger knä och drog det vänstra benet och armen bakåt. Vänstra skridskons tagg satte i isen och hoppet lyfte.

"Ner med vänster axel", hann Rami säga innan Silja snurrade de knappa tre varven i luften och sedan satte sig pladask på isen. Hon gled långt på baken innan hon reste sig.

"Det där måste ha gjort ont", stönade Koivu till bredvid mig. Jag kände några människor som inte vågade titta på konståkning eller backhoppning, för att de var rädda för att någon skulle ramla. Jag ansåg att tjusningen i skridskoåkning låg just i att minsta lilla fel kunde förstöra hela hoppet; fel hållning på handen, ett huvud som hängde, dålig inpassning i hoppet. Tittarna tyckte att det såg ut som om en del av de manliga skridskoåkarna utan besvär skuttade trippel axlar, men varje hopp hade föregåtts av åratals intensiv träning.

Silja reste sig upp, skakade på benen, åkte omkring en stund och började om. Hon förberedde sig igen: tyngden på ytterskäret av skridskon, det fria benet bakåt och så upp i luften! Nu gick hoppet iväg på ett helt annat sätt än nyss, hon flög högt och långt, och efteråt lekte Silja fram en dubbel toeloop också.

"Den trippla kommer nog också snart", sade Rami för sig själv, upptäckte sedan Koivus blick och fortsatte: "Visst är hon duktig? Bra teknik och snygga figurer. Bara hon lär sig att ta ut allt i uttrycken också så når vi medal-

154

jerna, i alla fall på Europanivå. Fast Silja saknar lite av Nooras dramatik. Noora höll inte inne med känslorna, man fick snarare lägga band på dem."

Enligt Bilregistret ägde inte Rami Luoto något motorfordon. Jag hade glömt att kontrollera om han hade något körkort. Kanske hade han rusat efter Noora och Janne ut i regnet, låtit dem gräla färdigt och sedan gått för att lugna ner Noora men i stället haft ihjäl henne? Men hur skulle han i så fall ha fått Nooras kropp till parkeringshuset? Det hade jag inte en aning om.

Rami hade hört att vi släppt Teräsvuori och undrade om karaokekungen trots allt inte var skyldig.

"Om Noora avskydde nån så var det den mannen. Jag skulle mycket väl kunna föreställa mig Noora hoppa på Teräsvuori och att han försvarade sig en aning för hårt. Att Hanna flyttade var tufft för Noora, även om hon inte försökte låtsas om det. Där fick man verkligen ge sitt yttersta för att Noora skulle sköta skridskoåkningen och skolan. Och vilken tjej som helst skulle inte ha klarat det, men Noora – Noora var en kämpe!"

Jag hade inget mer att fråga Rami, hans redogörelse för hur han lämnade ishallen och åkte hem till Lisasgränden hade varit väldigt klar. Jag försökte knuffa på Koivu som ett tecken på att vi skulle åka, men han bara gottade sig åt Siljas hopp. Rami grimaserade plötsligt i samförstånd med mig, han tycktes ha insett vad Koivus plötsliga intresse för finesserna i trippel lutz och trippel toeloop-kombinationerna egentligen handlade om. Han mätte Koivu nyfiket och bedömande med blicken, registrerade de breda axlarna, skrattgroparna i kinderna och det ljuspälsade nallebjörnsaktiga utseendet. Koivu hade varit en av dem som klädde i den mörkblå polisuniformen, men han såg inte så dum ut i jeans heller.

"Snubben ser trevlig ut", sade Rami halvhögt till mig.

"Han är trevlig också", svarade jag. Typiskt mig att glömma rollerna som misstänkt och polis och bete mig som en kompis i stället. Det var något med Rami Luoto som lockade en att anförtro sig. Det var väl därför han kom överens med ungdomar, man fick intrycket att han inte försökte malla sig i onödan.

Till slut lyckades jag slita Koivu från ishallen, vi körde till stationen och jag tog med mig Nooras dagböcker hem. Det kanske skulle finnas åtminstone en antydan till vad som egentligen hänt kvällen när hon dog. Koivu körde hem mig och när han svängde av Kockbyvägen in på Lillhemtsvägen frågade han blygt:

"Maria, tror du att jag skulle kunna bjuda ut Silja när det här fallet är i hamn?"

"Kul att vi är två som vill lösa det här snabbt", skrattade jag. "Men hon är ändå bara sjutton, fyller arton nån gång i juli om jag inte minns fel."

"Så jag skulle vara lastgammal i hennes ögon, eller?"

"Kanske inte lastgammal... Vad man blir förtjust i hos nån är rena rama mystiken, det är ingen idé att försöka förutspå sånt", sade jag med min allra mest inkännande röst. Koivu rodnade rörande igen och satt tyst under resten av färden.

På kvällen läste jag i Nooras dagböcker. De första sex var en lågstadieflickas minnesanteckningar om skolan och träningarna, där fanns inget annat anmärkningsvärt än Nooras brådmogna precisa handstil. Hon hade noggrant skrivit upp betygen på proven, likaså träningarna och poängen från de första skridskotävlingarna. Tonen i dagböckerna avslöjade också att Noora inte hade haft alltför många vänner. På sidorna hade hon även tecknat ner några svartsjukedramer småflickor emellan. Nooras hjärta hade varit nära att brista när någon som hette Tinja inte hade velat vara hennes bästa vän längre. Tinja tyckte att Noora tänkte för mycket på skridskoåkning och för lite på ridlektionerna.

Egentligen tycker jag att hästar är dumma, jag fattar inte vad Tinja och de andra ser i dem. Sitta på ryggen på nån hästkrake som en mjölsäck vecka ut och vecka in. Hoppa får man göra först om nåt år. Jag hoppar redan dubbelhopp på skridsko.

De två följande dagböckerna var helt tillägnade skridsko-åkningen och några skolförälskelser som Noora hade tagit väldigt passionerat. Men en elvaårings häftiga förälskelse i grannens Jesse som med sina långa ögonfransar såg precis ut som Donnie i New Kids on the Block var väl inget att skratta åt. Jag mindes att jag själv som elva-åring varit våldsamt nere i Mick Jagger och tapetserat väggarna med bilder på honom. Nu pryddes väggen i mitt arbetsrum av en läckerbitssamling som jag fått i mö-hippepresent, en av läckerbitarna var den evigt unge Mick Jagger.

I den nionde dagboken fyllde Noora tolv år, och hennes skriverier fick en mer eftertänksam och ifrågasättande ton. Noora funderade på varför hon gick i skolan, varför hon åkte skridsko, varför hon var förälskad igen, den här gången i pojken som gick en årskurs över henne.

Rami hade kommit tillbaka från Kanada och gått över till att träna Noora, Noora tyckte att hon hade lärt sig mer av honom på en månad än av alla de tränare hon sammanlagt haft dittills. Även andra bekanta dök upp på dagbokssidorna:

Jag tycker att Ulrika Weissenberg är motbjudande. Hon ska alltid mala på och kommendera skridskoåkarna, fastän hon själv säkert aldrig haft ett par skridskor på fötterna. Mamma tycker att Ulrika är jättefin och vacker, men jag tycker att hon ser ut som en gammal häxa med för mycket smink. Precis som styvmodern i Snövit.

Pubertetens våndor förvärrades, Noora började kritisera sina föräldrar allt våldsammare. Det var som om jag tittat i min egen dagbok igen, där mina föräldrar på tonårens sidor nästan framstod som monster. Måste det alltid vara så? Skulle Varelsen, som just ivrigt gick en fotbollsmatch på insidan av min runda mage, hata mig och Antti om drygt tio år, tycka att vi var åderförkalkade diktatorer som det inte var någon idé att förklara någonting för, eftersom inget ändå skulle nå fram?

Morsan och farsan hade några typer här på firmafest. Morsan hade oroat sig i minst tre dagar och putsat och fejat, bakat och lagat mat och själv försökt banta för att få ner arslet i nån gammal klänning. Farsan bryr sig inte om sina kilon, han ligger bara på soffan och häver i sig öl och potatischips och kollar på rally. Han lägger för det mesta inte ens märke till morsan eller vad hon har på sig, fast ibland tafsar han henne på baken och på brösten, till och med vid matbordet,

158

som om hon var nåt köttstycke. Jag tycker att det är vidrigt.

På kvällen var farsan full som en tomte och morsan skrek att han hade sabbat hela festen. Jag vet inte vad som hände, jag var på mitt rum hela kvällen och tittade på skridskotävlingarna i Albertville på video. Viktor Petrenko är underbar. Nancy Kerrigan ser ut som ett monster när hon ler. Susanna och Petri var väldigt bra, sjätte plats var helt okej, men de hade förtjänat bättre. Det är bara ett år till tävlingarna i Lillehammer. Om fem år är de olympiska spelen i Nagano i Japan. Jag tänker vara med där.

Jag stängde igen Nooras tionde dagbok, förutom sömnen var det något mer som tryckte över ögonen. Varelsen fortsatte med sin fotbollsmatch, mina blygdben skakade när babyn övade sig på att nicka bollen med huvudet. Undrar om Nooras föräldrar hade läst hennes dagböcker, eller hade de kunnat lämna dem i fred? Jag kom ihåg mina egna försök att gömma det jag klottrat ner för två nyfikna småsystrar. På högstadiet utvecklade jag en väldigt oläslig handstil som skyddsåtgärd. Nooras bokstäver var tydliga, raderna flöt jämnt. M:ets första båge var mycket högre än den andra, jag hade läst att det tydde på självupptagenhet. Tätheten i handstilen varierade, redan inom några dagböcker syntes förändringen från en liten flickas runda skrivstilsbokstäver till en tonårings kraftigt dragna streck.

Ändå var det något som fortfarande besvärade mig. Hur hade Noora reagerat på att man föreslog att hon skulle bli paråkare? Kanske visste den elfte dagboken, en tjock bok med svarta pärmar, svaret på det. Jag bläddrade febrilt, snart hittade jag en sida som daterats i november för två och ett halvt år sedan där t:ens tvärstreck vette tvärt nedåt:

I dag sa Rami att jag inte kan hoppa. Eller så sa han inte, utan att jag kan bli en ännu bättre paråkare än soloåkare. Min uttrycksförmåga och smidighet kommer bäst till sin rätt när jag åker tillsammans med en pojke, och jag behöver inte stressa över trippelhoppen, i paråkning behövs bara toeloop och salchow.

Han sa att han redan tittat på en lämplig partner åt mig och frågade vad jag tycker om Janne Kivi. Den där överlägsna surkarten som inbillar sig att han ser bra ut! Jag vet väl att tjejerna är helt nere i hans gröna ögon, men åka skridsko det kan han inte.

Men ilskan var kortvarig, för redan i januari 1994 hade Noora ändrat sig när det gällde Janne.

Janne är alldeles underbar, att vi började åka tillsammans är det bästa som nånsin hänt mig. Kanske ville Rami också gottgöra mig på nåt sätt. Flickorna är väldigt avundsjuka för att jag får åka skridsko tillsammans med Janne och för att vi har egna träningar och program. Tajmingen är förstås problematisk, och Janne är väldigt långsam ibland, men väldigt stark. Jag var jätterädd första gången han lyfte mig, jag väger ju alldeles för mycket numera, redan fyrtiofem kilo. Jag borde väl banta, så att inte Janne tycker att jag är en fläskig gris.

Efter det handlade anteckningarna alltmer om Janne och allt mindre om annat. Janne och skridskoåkandet knöts ihop, lyft och korsgrepp blev också beröringar, kramarna efter den första lyckade tävlingen tolkade Noora som något annat än följdriktiga gester. En åldersskillnad på fem år tycktes hon inte alls bry sig om, men vem hade väl varit kär i sina klasskompisar i fjortonårsåldern. Jag tänkte på min första kärlek, den snygge gitarristen Johnny, och kände att jag fullständigt kunde identifiera mig med Nooras huvudlösa förälskelse.

Janne var också viktig när Hanna meddelade att hon skulle flytta ifrån familjen.

Jag kan inte fatta det! Morsan säger att hon hittat en ny gubbe, hon tänker ta ut skilsmässa och flytta hem till honom. Hon har tydligen tröttnat på att agera obetald arbetskraft i farsans firma och min och Samis betjänt. Gubben är visst nån karaokesångare, vad ser han egentligen i morsan som är urgammal, tjock och trist?

Janne skjutsade hem mig, han undrade varför jag varit så nedstämd på träningarna och jag berättade. Han sa att han kände igen situationen, hans föräldrar skilde sig när han var tolv, båda är omgifta nu. Ingen förstår mig som Janne. Rami försökte också säga nåt, men han ska inte komma och försöka förklara nåt för mig.

"Vad läser du egentligen?" Antti dök upp i sovrummet med Einstein i famnen. "Är det dags för Varelsens kvällsbestyr? Jag tänkte att katten kanske vill lyssna."

Antti satte försiktigt ner katten på min mage där Varelsen fortfarande höll på med sitt bollspel. Nu hade den väl gått över till basket, för rörelserna var studsande och pressande, som om den försökte tränga bollen igenom bukväggen. Einstein förundrade sig över skvalpandena ett tag, men fann det sedan bättre att förflytta sig till fotändan. Han visste av erfarenhet att det var lugnare där. Jag kröp ihop i Anttis famn och kände på ett märkvärdigt sätt en samtidig närvaro av tre varelser, en man, en katt och ett barn som så småningom lugnade ner sig, och somnade också själv in i en drömlös, djup sömn.

8

Nästa morgon körde jag allra först till Brånakärrsvägen för att titta på Nooras kropp och för att prata med rätts-läkaren som obducerat den. Han var en gammal bekant till mig, en ungdomlig man som hette Kervinen och som bytte rakvatten minst en gång i månaden. Kanske var det ett knep att hålla borta lukten av död som trots kylan härskade i kylrummet.

Jag hade aldrig tyckt särskilt mycket om att titta på lik, men jag hade vant mig vid det. För det mesta kände jag ju inte våldsoffren sedan tidigare och att åtminstone få se dem när de var döda gjorde dem verkligare på något sätt. Lik kunde visserligen inte prata, men de berättade ändå en hel del om hur de här människorna hade dött. Det ideala var att få komma till brottsplatsen, där fanns ofta tecken på vad som hade hänt. I Nooras fall visste polisen emellertid inte var brottsplatsen faktiskt låg.

"Rapporten är klar, jag faxade just över den till er", sade Kervinen obekymrat, när jag mötte honom i korri-doren. Dagens rakvatten flödade av sandelträ och skinn, för att vara en konstgjord doft var den helt klart behaglig. Kervinen försökte gärna spekulera kring brottens tillvä-

163

gagångssätt, fastän hans rapporter var väldigt sparsamma och sakliga. En gång hade jag varit i rätten när han utförligt hade vittnat om hur skrapmärkena på ryggen och märkena på vristerna tydde på att det medvetslösa brottsoffret släpats genom skogen. När föredraget tagit femton minuter hade domaren förlorat tålamodet. Men till slut hade ändå domen avkunnats just utifrån Kervinens vittnesmål.

"Noora Nieminen är här. Jag har aldrig hört att nån skulle ha blivit misshandlad till döds med sina skridskor tidigare, fast de är väl rätt vassa. Var det inte det som hände i en hockeymatch att en spelare fick en skridsko i halsen, halspulsådern gick av och han höll på att förblöda. Hockey är en idiotisk sport, jag tittar hellre på golf."

"Det här var konståkningsskridskor."

"Ja, de har ju taggar också. De lämnar verkligen snygga märken efter sig, kom och kolla."

Nooras kropp låg naken på ett stålbord. Den var full av blåmärken och snitt, som härrörde både från skridskoskären och från rättsläkarens kniv. Hon hade bland annat fått ett slag med skridskon i ögonvrån så att den vänstra ögongloben delvis hade lossnat. Det fanns dessutom otäcka jack i halsen och på handlederna. Brösten och låren hade delvis skyddats av kläderna, men taggarna på skridskorna hade uppenbarligen rivit sönder en del av dem, för hon hade skärsår även vid brösten. Noora såg väldigt ung och bräcklig ut när hon låg där på undersökningsbordet, jag fick nästan lust att lägga över ett täcke för att värma henne.

"Hon har blött ganska rejält ur de där skärsåren, men de i sig räckte inte för att orsaka hennes död. Slaget mot

164

bakhuvudet har varit ödesdigert. Jag skulle tro att hon först fått ett slag mot hjässan och att man sen ursinnigt slagit henne mot nåt hårt, troligtvis en sten, och då har skallen krossats."

"Var hon vid medvetande fram till dess?"

"Förmodligen, om inte slaget i ögonvrån och tinningen gjort henne medvetslös ett tag."

"Kan man säga nåt om förövaren utifrån slagen?"

"Bara det att denna var längre än flickan, men det säger inte så mycket, hon var ju bara en och femtiofyra. En stark liten figur, väldigt välutvecklad muskulatur för en sextonåring. Var hon nån elitskridskoåkare, jag följer ju bara golf och fotboll... Ska inte de försöka hålla sig smala? Det skulle förklara spåren av fentermin som jag hittade i urinen, hon hade ju ingen direkt övervikt."

"Vad är fentermin?"

"Ett medel som kontrollerar aptiten, och som till exempel finns i ett sånt bantningsmedel som Mirapront. Det är nära besläktat med amfetaminet. Att döma av fenterminhalten i urinen har hon intagit det max ett dygn före sin död."

"På dopningslistan?"

"Det måste jag kolla. Vänta lite." Kervinen plockade fram en riktig tegelsten ur hyllan och bläddrade ett tag. "Ja."

Jag tittade på Noora, musklerna som blivit slappa efter döden, magen var lätt rundlagd men inte fläskig, de runda fasta brösten som nog skulle ha hängt tunga på någon som inte idrottade, men som den hårda träningen tagit bort allt överflödigt fett ur. Ingen läkare hade väl kunnat ordinera bantningsmedel åt en sextonårig tjej av normalvikt? Och varför i hela friden hade Noora riskerat sin karriär genom att äta dopningspreparat? Eller visste hon inte vad man gav henne? Var det tränarna som gett henne fenterminet?

"Nåt annat underligt?"

"Egentligen inte. Hon var inte oskuld, men det vet man ju med dagens sextonåringar…" Kervinen rodnade plötsligt, jag hade även tidigare märkt att allt som rörde sexualiteten var främmande för honom på något sätt. Det kändes konstigt, eftersom han jobbade med att undersöka kroppar.

"Det visste du säkert redan, att det inte fanns några tecken på sexuellt våld på kroppen. Den enda tydliga fingervisningen om förövaren som vi hittade var den där nagelbiten som fastnat i håret, och det tyder ju på en kvinna."

Jag blev med ens alldeles torr i munnen, jag sökte efter rösten en stund innan jag fick ur mig något.

"En nagel? Vad i all världen? Det har jag inte hört nåt om."

"Det stod med i rapporten. Men du har ju inte läst den än. I flickans hår, i vänstra sidans hårtoppar om jag minns rätt, fanns en bit av en purpurröd nagel. Färgen var som torkat blod, därför upptäcktes den inte genast. Nageln är på labbet", fortsatte Kervinen, han såg antagligen på mitt ansiktsuttryck att jag identifierat nagelns ursprung.

Ulrika Weissenberg hade en del att förklara.

"Flickans egna naglar var tyvärr väldigt korta, det gick inte att få loss så mycket under dem", beklagade sig Kervinen. "Som om hon inte hunnit försvara sig ordentligt.

166

Men man går väl automatiskt till motattack om nån börjar puckla på en."

Jag tänkte på ursinnet som låg bakom slagen som riktades mot Noora, och ilskan blossade upp inom mig också. Vilken rätt hade förövaren att krossa Nooras och så många andras drömmar? Tårarna steg upp i ögonen i rena ilskan, Kervinen märkte det och sade besvärat:

"Det här är ingen trevlig syn. Du är ju ganska känslig för närvarande."

"Graviditeten är ett bra svepskäl att för en gångs skull bete sig mänskligt", fräste jag. "Annars får ju polisen inte lov att gråta."

"Det skulle inte bli så mycket av det här jobbet om man började lipa vid varje kadaver."

"Måste du kalla dem kadaver för att orka med ditt jobb? Var fan i mig försiktig så du inte blir lika död inombords som dina kadaver, trots att du lever!" skrek jag och det var först Kervinens beklämda min som fick mig att inse att jag tog ut något på honom som jag inte ens själv kunde ge uttryck för. Det var väl bäst att gå därifrån.

Jag såg på Noora en gång till, hyn som hade färgen av vetebrödsdeg, och som korsades av de igentorkade såren, det hela ogat, baksidan av låren där det växte en kort mörk stubb. Jag snuddade försiktigt vid fötterna, som ett farväl, sedan gick jag utan att säga något mer.

På något sätt lyckades jag ta mig tillbaka till stationen. Kervinen hade förstås rätt, ingen skulle stå ut halva livet i en likkällare om man blev sentimental i onödan. Jag hade också utvecklat skyddsmekanismer under åren, med hjälp av dem klarade jag av mitt jobb, smärtan som hörde ihop med det och våldet. För det mesta jobbade jag bara på utan att stanna upp och tänka efter vad det var jag gjorde. I vintras hade en förrymd fånge tillfångatagit min arbetskamrat Palo och båda hade dött under inbrytningen i huset. Jag hade också kunnat bli tillfångatagen, för Palo och jag hade tillsammans skickat mannen i fängelse. Händelsen hade fått mig att ett tag tänka på förutsättningarna att klara sig i mitt jobb. Eftersom jag även hade en jur. kand. kunde jag mycket väl söka andra jobb där jag fick leta i lagboken och skyffla papper. Men det var inget för mig. Mammaledigheten skulle vara ett lagom avbrott från polisjobbet, men jag var säker på att jag efter några månader skulle längta tillbaka till jobbet. Jag var väl till och med lite rädd för avbrottet. På sätt och vis var det bra att jag inte hade någon erfarenhet av småbarn. Jag skulle ryckas med i en helt ny värld, där det förhoppningsvis inte skulle finnas för mycket tid till att fundera över gamla mord.

Solen tittade till hälften fram genom en molnspringa, men blev rädd för det den såg och gömde sig bakom molnet igen. Jag ringde till bevisförrådet på nedre plan, Nooras väska och kläder hade kommit från labbet, likaså Jannes bil. Jag gick för att titta på väskan och skridskorna, som man tydligen hade hittat fem olika fingeravtryck på. Någon borde köra tillbaka Jannes bil också, jag funderade på om jag skulle orka göra det själv.

Ström kom emot mig utanför bevisförrådet, det acneärrade ansiktet var rödflammigare än vanligt, jag tippade att han tillbringat hela föregående kväll framför ett glas. Alkoholen var vad jag förstod inget problem för Ström, han söp sig apfull cirka en gång i månaden, annars nöjde han sig med en öl då och då. Hade det hänt någonting under helgens jourpass som jag inte kände till än? Jag frågade, Ström suckade ett tag innan han svarade:

"Ännu en liten flicka som blivit utsatt för övergrepp, i Kaitans den här gången. Han hade försökt få henne att suga av honom, men en förbipasserande hade kommit till undsättning. Men snubben kom undan, igen. I kvällstidningen finns en stor rubrik om polisens ineffektivitet."

"Värst vad aktiv han blivit. Några signalement?"

"Vi ska teckna en bild efter den förbipasserandes beskrivning i eftermiddag. Flickan var så chockad att hon inte kommer ihåg nåt. Skitstöveln tappade ju en handske en gång, jag gick för att kolla på den men den säger inget."

Pertsa var uppenbarligen förbannad. Antastaren hade blivit en tvångstanke hos honom, kanske inbillade han sig att han skulle vara garanterad platsen som rotelchef om han fick fast typen. Jag låtsades vara storsint och sade:

"Om vi får fram en bra bild kan vi ju sätta in den i lokaltidningarna och kanske visa upp den i *Efterlyst*. Snubben har varit ganska flitig på sistone, han kanske har blivit för självsäker. Var tillvägagångssättet samma som tidigare?"

Mannen hade för vana att fråga småflickor om de hade sett en bortsprungen hundvalp och sedan detaljerat beskriva hunden, ibland till och med visa en bild av en söt liten skotsk vallhund. När flickan blev intresserad av hunden högg mannen tag i henne.

"Vi har inte kunnat förhöra flickan än. Koivu får ta hand om det, han kan ta Sinikka om det behövs en kvinna där, och vi måste få hit nån socialtant igen. Jag orkar inte med de där tjutande småflickorna längre", sade Pertsa grinigt. Han hade en tioårig dotter, Jenna, som bodde hos sin mamma. Paret hade skilt sig för några år sedan. Jag var helt säker på att Ström tänkte på sin egen dotter när han förhörde antastarens offer. Men jag sade det inte högt, för Ström skulle ändå ha förnekat det. Enligt honom var det bäst att en polis inte hade några känslor alls, och om man någon gång kände något i hjärtat var det bäst att hålla det för sig själv.

Jag var glad när Pertsa försvann och slutade snoka runt. Fastän han alltid klagade över att han var så stressad tycktes han ha förvånansvärt mycket tid till att lägga sig i mina fall eller att bara komma och slänga käft vid min dörr, som svepskäl hade han ofta att höra efter hur den blivande modern mådde. För det mesta lyckades jag bli av med honom genom att börja prata om hur jobbigt det var att vara gravid eftersom man var tvungen att gå på toaletten var tionde minut, vilket inte ens stämde.

"Kan jag ta med de här upp, det är lättare att göra anteckningar då", sade jag till assistenten som vaktade bevisförrådet, han var så försjunken i sin tipstidning att han knappt lade märke till att jag kom in. När jag inte hörde några protester tog jag klädpåsen och den stora säcken som innehöll Nooras väska och det som funnits i den, och försvann upp till mig. Jag ville vara ensam med Nooras tillhörigheter, så jag knäppte på det röda lyset på min dörr, grimaserade åt Hugh Grant som log sött på väggen, han var en av dem som prydde collaget jag fått av mina kompisar i möhippepresent, och började undersöka Nooras kläder.

Underkläderna var av gråmelerad bomull. Byxorna var hela men smutsiga, behån söndertrasad och blodig. Slaget som träffat mellan brösten hade uppenbarligen varit

170

kraftigt. Noora hade haft på sig en stickad, lila bomullströja och en orange anorak, som båda nu var i trasor. Men jag tyckte ändå att det var underligt att det inte fanns några revor vid armbågarna eller axlarna. Om Noora hade lyft upp armarna för att skydda sig själv skulle slagen ha träffat just där.

Anoraken var av den sorten som nästan var tredje hade nuförtiden. Jag hade själv en olivgrön version som jag inte använt den här våren, eftersom det var krångligt att få ner den över magen. Den orangefärgade jackan hade blivit solkig av jorden och var stel av blod. Blodet hade spridit sig även till de urblekta lila jeansen och kängorna med tjocka sulor. Noora hade klätt sig typiskt för en sextonåring. Runt halsen hade hon haft ett silversmycke från Kalevala Koru.

Innehållet i träningsbagen luktade fortfarande av blod och intorkad svett. Jag tog fram rapporten som skrivits av polisen som undersökt den. De blodiga skridskorna hade legat överst, under dem hade det funnits en fuktig handduk som också varit blodfläckad. Man hade också hittat Nooras hårstrån, som om gärningsmannen försökt torka bort blodet från hennes huvud.

Dessutom fanns Nooras träningsgrejer i väskan: en collegetröja, tjocka trikåer, tunna bomullssockor och träningsunderkläder, alla prydligt hopvikta, färdiga för tvättmaskinen. I sminkväskan hade det funnits en duschgel och en fuktkräm, båda var naturkosmetika som inte var testat på djur. Jag kom ihåg Pertsas prat om mannen som lockat till sig barn genom att visa bilder på hundvalpar. Fastän Noora på många sätt hade haft samma kontroll över sitt liv som en vuxen skulle hon ändå ha kunnat

171

falla för hundvalpstricket. Jag borde kanske inte utesluta antastarteorin helt och hållet.

I Nooras plånbok fanns ett bankomatkort, sextio mark, ett sjukförsäkringskort med ett foto som var taget för ett par år sedan och som föreställde en version av Noora med väldigt smalt ansikte och dystra ögon, ett lånekort, en bussbiljett och blandade foton. De enda jag kände igen på fotona var Silja och Janne. Hade det inte varit fråga om bevismaterial skulle jag ha snott fotot på Silja och gett det till Koivu. Det var taget i halvprofil, de rena dragen och det strålande leendet var som på en filmstjärna. Janne tittade rakt in i kameran som på ett passfoto, minen var allvarlig. På det skrynkliga tidningsurklippet som stoppats in i ett plastfodral log Janne däremot ett leende som jag aldrig sett honom le ens efter en lyckad skridsko-prestation. Undrar vem det leendet var riktat till? Han tittade någonstans åt sidan, förbi kameran. Janne var den enda som Noora hade två foton av i sin plånbok. Sina föräldrar hade hon inte där.

I väskan fanns också en kalender, ett par skolböcker och underst låg det som jag allra mest letat efter. Nooras sextonde dagbok, pärmarna var av blått tyg med kinesiska mönster. Jag öppnade den på måfå och fick upp tomma sidor, Noora hade bara hunnit fylla halva boken. Jag bläddrade mot början, tills några stora bokstäver rusade fram på en sida.

JAG STÅR INTE UT MED ATT DET INTE FINNS NÅN SOM ÄLSKAR MIG!

Jag läste texten som skrivits med mindre bokstäver, Nooras smärta över att Janne trots allt inte såg henne som något annat än en skridskopartner. Hon kände sig ensam

172

överallt förutom när hon åkte skridsko med Janne. Skridskoåkningen höll henne vid liv, det och Janne var meningen med livet. Men även skridskoåkningen var Noora beredd att offra, om bara Janne... Nej, kanske inte ändå. Men ändå ÄLSKADE NOORA JANNE, med stora bokstäver och många gånger.

Det var så lätt att tycka att ungdomen var patetisk och överdriven i sina känslor, det var lätt att ur en vuxens synvinkel inte ta bekymmer som kändes små på allvar: för låga betyg på proven, finnar i pannan, obesvarade förälskelser. De skulle gå över, sade man, skulle glömmas bort inom ett par veckor. Det hade dröjt länge innan jag lärt mig att inte ringakta mina egna ungdomskänslor, främlingskapet i familjen, i min kropp och på hemorten, den ensidiga första förälskelsen, ångesten över att jag inte passade in i den traditionella kvinnorollen. Nu klarade jag av att läsa mina gamla dagböcker utan att skämmas, och ibland fick jag lust att krama om den fjortonåring som klottrat ner raderna och försäkra henne att livet skulle komma att kännas bra en dag. Jag hade säkert skrivit som Noora någon gång, och nästan med samma ord.

Om det bara fanns nån som godkände mig precis som jag är. Lät mig gråta när jag känner för det, inte bedömde mig efter mina kläder eller hår som morsan och farsan, skulle inte tjata om ett par extra kilon som Rami, den där jävla skitstöveln. I skolan hör jag inte ens tjejernas prat, jag orkar inte bry mig om deras sminksnack, de kunde väl läsa en bok nån gång! Jag känner mig så ANNORLUNDA överallt, om det ändå fanns nån besläktad själ som jag kunde prata med om precis allt. När morsan och farsan skulle skiljas trodde jag att Jan-

ne var det, men jag hade fel. Han är otroligt snygg och väl-
digt trevlig när han vill det, men han bryr sig inte om mig.
OM NÅN ÄNDÅ KUNDE ÄLSKA MIG!

De tunna raderna som skrivits med svart filtpenna börja-
de skälva framför ögonen. De slingrade ihop sig, orden
blev oigenkännliga och gråten grumlade mina ögon. Det
var så jävla fel att Noora inte fick möjligheten att leva upp
till den där drömmen heller. Jag försökte inte ens låta bli
att böla, fastän det kändes som om jag inte gjort annat de
senaste dagarna. Jag var glad att jag gömt mig inne på
mitt rum bakom den röda lampan, för jag ville inte ha
några fler kommentarer om det känsliga tillstånd som
männen på stationen tyckte att jag befann mig i.

När jag hade tjutit färdigt tog jag upp påsen med
skridskorna. Skinnet bredvid skären var nedstänkt av
blod, jag kom att tänka på Snövits mor som gjorde illa sitt
finger när hon sydde vid fönstret. På skridskorna såg
man att de inte hunnit användas mycket, för skinnet vid
övre delen av skoskaften var fortfarande slätt och oslitet.
Skären var svarta av blod, fastän utredarna på kriminal-
tekniska laboratoriet skrapat bort de flesta fläckarna.

Enligt rapporten hade man förutom Nooras blod även
hittat hennes hårstrån, hud- och benbitar, jord och gräs
på skridskorna. Detta, precis som jord- och stenflisorna
som funnits på Nooras spräckta skalle, tydde på att brot-
tet hade skett någonstans utomhus. Jag fortsatte att läsa
rapporten. Man analyserade som bäst de fibrer och
dammpartiklar som dammsugits från kläderna, det skulle
dröja ytterligare några dagar innan resultaten var färdiga.
Men på ett av skosnörena hade man funnit en bit svart

174

plast, sådan som användes till sopsäckar. Om hon lindats in i plast under transporten kunde det bli svårt att spåra transportbilen. Men varför hade mördaren inte låtit Noora ligga kvar i säcken, utan gjort sig besvär med att riva bort den när han stuvade in Noora i bagageutrymmet på Kati Järvenperäs bil? Kunde det finnas något kännetecken på sopsäcken som skulle ha avslöjat mördarens identitet?

Och den purpurfärgade nageln... Jag ville ha Ulrika Weissenberg till stationen, och det snart. Nu skulle jag inte längre nöja mig med att göra oanmälda besök i huset på Tallvägen. Weissenberg skulle för en gångs skull få vara den anklagade.

"God dag, det här är inspektör Maria Kallio från Esbopolisen. Jag skulle vilja se er på stationen i Knektbro så snart som möjligt."

"Och varför det? Eller det handlar väl förstås om mordet på Noora Nieminen."

"Just precis. Passar det klockan två?"

Jag var i själva verket förvånad när Ulrika Weissenberg gick med på det. Jag funderade på nagelns betydelse. Det krävdes starka bevis för att be om ett nagelprov, men jag ville också ha Weissenbergs fingeravtryck. Jag hade i huvudet listat dem som skulle ha kunnat fingra på Nooras nya skridskor. Förutom skridskoförsäljaren och Janne var det de båda tränarna, Rami och Elena, Silja och Nooras familj, kanske även Ulrika. Jag måste ta fingeravtryck på alla. Pihko skulle kunna ta hand om det med tekniska laboratoriet, han skulle vara tillräckligt finkänslig. Fast Koivu skulle förstås vilja åka och ta fingeravtryck på Silja Taskinen.

Jag tänkte ringa Pihko, men telefonen hann ringa in-
nan dess.

"God dag, det här är Kauko Nieminen. Hur går det
med utredningen av min dotters död?"

"Det går framåt. Laboratoriet undersöker just nu stoff
som hittats vid Nooras lik", sade jag stelt. Det var svårt
att använda ordet lik, men vad annat hade jag kunnat sä-
ga. Den avlidna?

"Min fru var väldigt upprörd över att ni släppte Teräs-
vuori. Hon är rädd att han ska göra nåt mot Sami här-
näst."

"Teräsvuori råkade ha ett vattentätt alibi vid tidpunk-
ten för Nooras död."

"Ni känner inte den mannen! Han är en sån där slug
typ som kan få folk att säga vad som helst!"

Jag undrade vad Kauko Nieminen egentligen inom-
bords tänkte om Vesku Teräsvuori och sin frus förhållan-
de med honom? Skyllde han fortfarande på Hanna, tyck-
te han verkligen att Nooras död åtminstone indirekt var
hustruns fel?

"Har Teräsvuori tagit kontakt med er de senaste dagar-
na?"

"Han hade mage att skicka en bukett blommor, ett rik-
tigt tjusigt knippe nejlikor. Jag förstår inte hur han har
pengar till det, till Hanna skickade han också alla möjliga
dyra smycken. Så bra kan man väl inte tjäna på det där
karaokespektaklet."

"Vad stod det på kortet?"

"Det var ett sånt där sliskigt kondoleansbrev. *Till min
kära Hanna och hennes familj.*" Det låg äkta avsky i Niemi-
nens röst, den var förstås berättigad. Teräsvuori hade först

176

charmat hans fru och sedan förstört familjens husfrid. Kanske älskade Nieminen sin fru väldigt djupt, vad visste en utomstående om det. Kanske hade Hannas romans med Vesku Teräsvuori varit en riktig tragedi för Kauko.

"Så ni vet fortfarande inte vem som egentligen tog livet av vår Noora, om det nu inte kan vara Teräsvuori. Hur är det med hennes begravning? Ulrika skulle vilja boka Esbo gamla kyrka, vi måste bara veta när, eftersom sommarens bröllopssäsong börjar snart."

"Obduktionen är redan gjord, likaså de nödvändiga tekniska undersökningarna. Ni skulle kunna få kroppen redan nu. Jag har Nooras tillhörigheter här som hon hade med sig sista kvällen. Kläder, plånboken och sånt. Vill ni ha tillbaka dem? Skridskorna måste vi behålla ett tag till."

"Dem vill jag aldrig mer se!" snäste Kauko Nieminen, under självbehärskningen borrade sig sorgen fram så tydligt att den vibrerade längs hela telefonlinjen.

"Jag kan be nån komma över med sakerna", sade jag snabbt och förklarade varför jag behövde deras fingeravtryck också.

"Var det ni som förhörde Teräsvuori", frågade Nieminen när jag skulle avsluta samtalet. När jag bekräftade det sade han skarpt:

"Han är ganska bra på att charma kvinnor, den där Teräsvuori. Ni skulle kanske sätta en man på fallet."

Tydligare än så kunde Nieminen inte säga att han inte litade på min förmåga som polis. Början till medkänsla som jag känt en stund slocknade snabbt, jag kunde nätt och jämnt låta bli att dänga luren i örat på karln. Sörjande människor hävde ur sig allt möjligt. Självklart kunde det vara så att om polisen som utredde Nooras död inte hade varit en kvinna, så skulle Kauko Nieminen ha hittat något annat fel hos honom. Men det störde mig fortfarande, den förvånansvärt djupt ingrodda uppfattningen att kvinnor inte klarade av det här jobbet, i alla fall inte i annat än genom att ta hand om någon. Min egen umgängeskrets bestod i huvudsak av människor som inte såg könet som en på förhand bestämd definition av en människa, så jag orkade fortfarande förvånas över och reta mig på fördomar.

Vilket slags värld skulle Varelsen leva i när den uppnådde min ålder? Jag visste inte vilket kön det var på människan jag bar under mina bröst, jag ville heller inte veta. Jag hade själv varit en besvikelse för att jag varit en flicka, det hade man tjatat om under hela min barndom, och mina föräldrars besvikelse hade mångdubblats när de följande barnen också hade varit av fel kön. Min egen barndom hade på något sätt blivit verkligare i takt med graviditeten, den var inte längre bara en genomskinlig slöja av minnen, utan snarare som ett födelsemärke eller ett ärr som jag bar med mig genom livet. Och just det gjorde det skrämmande att få ett eget barn, vetskapen om att det var möjligt att göra tusentals fel när man uppfostrade det. Så att barnet om trettio år skulle ligga på en psykiatersoffa och skrika över det neurosknippe som jag åstadkommit eller supa det ur medvetandet på en kvarterskrog…

Jag skakade av mig de obehagliga tankarna och gick för att äta. Korvsoppan var smaklös bukfylla, jag kände för rågbröd också, men hade glömt tabletterna mot sura uppstötningar hemma. Som tur var råkade Pihko ta sin lunch samtidigt, jag lyckades delegera över fingeravtrycken på honom. Han skulle börja med Ulrika Weissenberg, som vi båda misstänkte skulle protestera.

"Säg till Kivi att hans bil är klar. Och kan du kolla upp sopsäckarna."

Pihko spärrade upp ögonen, men tuggade väluppfostrat ur munnen innan han frågade varför.

"Köpcentrets papperskorgar har säkert tömts för längesen, där hade man ju kunnat jaga efter en blodig sopsäck. Förresten... den där guldfärgade BMW:n behöver ju inte nödvändigtvis vara paret Weissenbergs enda bil. De kanske har en Renault Clio som andra bil. Kan du kolla det också?"

Fastän jag visste att det här bara var lösryckta idéer, var jag tvungen att försöka bredda utredningen ännu mer. I detsamma dök Puupponen upp, började fråga om något helt annat och ville dessutom att jag skulle följa med upp på hans rum för att bena upp det. Jag hade fullt sjå med att komma undan den pratglada savolaxpojken för att förhöra Ulrika Weissenberg klockan två. Pihko kunde berätta att familjen Weissenberg faktiskt hade en andra bil, en svart herrgårdsvagnaktig Volvo. Kanske skulle den försvinna i trafikmängden bättre än BMW:n. Pihko lovade att snabbt gå igenom rapporterna från Mattbyborna.

Nagelbiten jag bett om hade kommit upp från kriminaltekniska laboratoriet. Den var lång, kanske tre och en halv millimeter, nagelspetsen hade gått av ojämnt. Nagellacket såg ut att vara av samma färg som Ulrika Weissenbergs naglar, men man kunde ju inte grunda utredningen på enbart ungefärliga uppskattningar.

Weissenberg dök upp ett par minuter i förtid. Det

179

svarta håret var i dag ihopsamlat i eleganta lockar på hjässan, hon kom uppenbarligen direkt från frisören. Rouge och läppstift var purpurfärgat, passade bra ihop med dräktens och sidenblusens mörklila färg. Undrar hur lång tid det tog för henne att göra sig i ordning på morgonen. Jag kastade en blick på Ulrikas naglar, de var långa och oklanderligt målade med en röd färg som var som torkat blod. Inte en enda av dem var kortare än de andra, fastän jag helt säkert vid våra tidigare möten hade sett att en av naglarna var avbruten.

Pihko började med att ta fingeravtrycken. Weissenberg fann sig i det förvånansvärt beskedligt när vi berättade för henne vad det handlade om, men hon krävde att få besöka damrummet för att tvätta händerna efteråt. Jag visade henne till ena änden av korridoren och väntade utanför, det tog förvånansvärt lång tid att tvätta av sig. När hon kom ut från toaletten var kinderna ännu mer purpurfärgade och färgen hade spritt sig till de stora örsnibbarna också. En svepning till med rougeborsten och det skulle snarare ha sett ut som om hon fått på käften än var effektfullt sminkad.

"Ni ska tydligen ta hand om Noora Nieminens begravning", sade jag och försökte ge intrycket av småprat. Jag visste själv att jag inte lät naturlig.

"Det stämmer. Stackars Hanna orkar inte med det, och Kauko har alldeles för mycket att göra i firman. När överlämnas liket?"

Weissenberg hade avsevärt mycket lättare för att säga lik än jag. Hon skulle säkert ordna med en fantastisk begravning åt Noora, men jag hoppades att man åtminstone inte skulle pryda gången med skridskor. Jag försäkrade

180

Ulrika att vi kunde överlämna Noora med en gång.

"Ni råkade tydligen vara på plats just när journalisterna försökte tränga sig in och störa träningen", sade Weissenberg nästan vänligt när jag öppnade dörren till mitt rum för henne. Pihko hade gått iväg till nedre våningen med fingeravtrycksutrustningen, så jag fortsatte mina försök till småprat en stund.

"De hade lämnat hela skridskogänget i fred förvånansvärt bra. Nooras död är en tillräckligt jobbig upplevelse för Janne och också för Silja även utan intervjuutfrågningar. Men polisen behöver allmänhetens hjälp för att lösa det här fallet, och därför släppte vi ut informationen om att nån tagit livet av Noora. Hur mycket frågor har ni fått från pressen?"

"Väldigt mycket. Skulle man inte kunna skriva nån minnestext om Noora, eller har polisen nåt emot det?"

"Inte alls. Har ni kommit på nåt nytt som rör onsdagskvällen?" Jag gick över till förhörsdelen när Pihko återvände.

"Så det handlar om det? Att älta samma saker om igen?"

"Ni berättade ju att ni grälat med Noora Nieminen. Var i Ishallen ägde det här grälet rum?"

"I korridoren till omklädningsrummen."

"Var det några fler där?"

"Nej… Nej, det var det inte. Silja kom ut ur omklädningsrummet samtidigt som Noora, men hon stannade inte kvar för att lyssna på vårt samtal. Fast det hördes väl ganska långt."

"Hur hade Noora håret under samtalet? I en knut, tofs eller kanske nedsläppt?"

Förvåningen spred sig i Weissenbergs blick, det åtföljdes av en misstanke. Hon försökte uppenbarligen fundera ut vart jag ville komma med min fråga. När Noora hittats hade det rufsiga, axellånga håret varit utsläppt, men hon hade förmodligen satt upp det på något sätt medan hon åkte skridskor. Undrar hur lätt en nagel med flera lager nagellack egentligen gick av? Jag hade aldrig lärt mig att ha långa naglar, för de få gånger jag hade försökt hade de ständigt gått av.

"Vänta lite… Det var nog uppsatt i såna där roliga tofsar på båda sidor om huvudet, det är ju modernt bland unga flickor just nu."

Nagelbiten hade fastnat ungefär sju centimeter från topparna i Nooras hår på vänstra sidan av huvudet. Om hon hade haft håret i tofsar hade nageln kunnat fastna där redan vid ishallen. Kanske hade Nooras och Ulrikas gräl varit så hetsigt att de börjat slåss. Jag tittade på Ulrikas fingrar på högerhanden, pekfingernageln såg på något sätt smalare ut än de andra. Det fanns ju lösnaglar, kanske godkände inte Ulrika någon skavank i sitt utseende och hade ersatt nageln som gått av med en konstgjord. Jag grävde fram nagelbiten ur lådan igen, men på ett sådant sätt att inte Ulrika Weissenberg såg det. Färgen verkade vara densamma som på hennes naglar.

"Som jag nyss nämnde så har vi avslutat undersökningen av Noora Nieminens kropp. Vi hittade en nagelbit i hennes hår, tycker ni att färgen ser bekant ut?"

Jag tog fram den lilla plastpåsen som nageln låg i. Weissenberg stirrade ett tag, handen med de långa naglarna sträcktes plötsligt fram för att hugga tag i den som en krokig fot på en rovfågel. Det kom ett frasande ljud från Pihkos håll, han rusade upp som om han väntat sig att Ulrika Weissenberg skulle flyga på mig.

"Hur hamnade er nagel i Nooras hår?"

Weissenbergs ansikte hade förvridits av ursinne, men i djupet på de mörkbruna ögonen tycktes även rädslan kika fram.

"Jag tog inte livet av Noora!" fräste hon. "Noora använde bara ett så grovt språk att jag smällde till henne på kinden. Det var då nageln gick av, det kändes obehagligt."

"Hände det här vid ishallen – eller senare?"

"Vid ishallen förstås! Jag har ju sagt ett tiotal gånger att jag inte såg Noora nån mer gång på kvällen."

"Vad sa Noora till er, när ni blev så irriterad att ni slog henne?"

"Det angår inte er! Det har inget med hennes död att göra!"

"Det avgör nog jag", sade jag trött. Jag var utled på att skryta med min ställning och att förhålla mig bossigt, fastän det tydligen var den enda attityden som fick Ulrika Weissenberg att prata. Undrar vilket tomrum i livet hon fyllde ut som skridskochef? Fick man lön för förtroendeuppdrag, eller gjorde Weissenberg det bara för att få känna sig viktig?

"Hon sa att jag är en kommenderande gammal häxa", hävde Weissenberg plötsligt ur sig. "Och jag som hade lagt ner så mycket arbete för att få det där reklamkontraktet. Jag tycker att hennes uppförande var väldigt otacksamt. Är ni nöjd nu, inspektör Kallio?"

Den här gången blev titeln rätt, kanske var det taktik. Det viktigaste var ändå att Weissenberg trovärdigt kunnat förklara hur hennes nagelbit kunnat hamna i Noora Nieminens hår. Jag hade inget mer att fråga, jag bad henne bara att inte avslöja för pressen hur Noora hade dött.

När rummet blivit tomt tog jag tag i Nooras dagbok igen. Jag fick nästan genast syn på en anteckning daterad någon månad tillbaka:

Ulrika är SKRATTRETANDE. Hur kan hon fjäska så för Janne, som om hon var kär i honom fast hon kunde vara hans mamma. Eller det är hon också för gammal för, hon är ju redan över femtio. Alla vet ju vad det handlar om när hon försöker kladda på honom, låtsas rätta till frisyren och kläderna. Att hon inte klappar honom på kuken också.

Är Ulrika inte nöjd med sin egen man? Eller går det alltid så för alla, det räcker ju med att tänka på min morsa som förälskade sig i den där idiotiska bräkande Vesku Teräsvuori. Om jag inte får Janne, så vill jag inte gifta mig med nåt surrogat heller.

Men i dag överträffade Ulrika i alla fall sig själv. Hon lovade ju i Edmonton att hon skulle bjuda Silja, Janne och mig på en lyxmiddag. Vi åkte hem till henne, tydligen för att också vi minderåriga skulle kunna dricka vin där. Ulrika tycker att ett glas vin bara gör gott, men Elena skulle ha dödat oss om hon hade sett att Silja och jag drack två och Janne minst tre. Janne är sån där, alltid ska han försöka slippa undan. Skridskoåkningen är inte lika viktig för honom som för mig.

Ulrika hade köpt smycken åt oss alla, ganska snygga silverkors från Kalevala Koru åt Silja och mig, jag skulle älska det där smycket om det varit från nån annan än Ulrika. Hon hade kunnat köpa ett kors även åt Janne, killar använder dem ju också, men det tyckte inte Ulrika var passande. Hon

klagar alltid över Jannes för långa hår. I alla fall så hade hon
köpt en sån där slipsnål med diamanter och smaragder på åt
honom – Ulrika sa att smaragderna har samma färg som
Jannes ögon. Det smycket kostade säkert flera tusen! Hon
kramade oss alla när hon gav oss smyckena, fan vad hon
stank av nån parfym. Janne höll hon om länge och pussade
honom på kinden flera gånger, och när hennes man kom hem
satte hon på en skiva och ville dansa. Mannen dansade med
mig och Silja i tur och ordning. Vi hade verkligen ingen lust,
men Ulrika bara klistrade sig fast vid Janne. Till slut sa Silja
att vi måste gå nu eftersom det är skoldag i morgon. Ulrika
sa att Janne inte hade bråttom nånstans, men han räddade
sig med i samma taxi med oss. Han sa inget, men stoppade
direkt slipsnålen i fickan i bilen. Stackars Janne. Säkert
hemskt när en sån gammal harpa antastar en. Men JAG
ÄLSKAR JANNE!

Var det därför Ulrika Weissenberg hade slagit Noora,
funderade jag. För att Noora hade hånat hennes föräls-
kelse i Janne? Men hade Ulrika blivit tillräckligt förban-
nad för att åka tillbaka, för att slå Noora blodig med
skridskorna, för att till slut slå hennes huvud mot en sten
så att hon dog? Just nu ansåg jag det mycket möjligt.

9

Precis när jag skulle gå från jobbet öppnade Ström dörren.

"Två av de där skridskobögarna irrar omkring i korridoren och letar efter dig. Den äldre tog mig i hand, fy fan. Jag måste tvätta högerhanden."

"Skynda dig att göra ett aidstest. Lämnade du dem där i korridoren?"

"De sprang på Taskinen. Hur kan han låta sin dotter umgås med såna där! *Skulle ni kunna säga var jag kan hitta inspektör Kallio?*" läspade Ström homoklichéaktigt, på ett sätt som åtminstone inte jag märkt att vare sig Janne eller Rami Luoto pratade på. Undrar hur Ström hade fått för sig att Janne och Rami var homosexuella? Kanske hade konståkare ett sådant rykte, precis som balettdansörer. Konståkning var nästan den enda idrottsgrenen där en man förutom att vara stark också måste vara känslig. Jag hade inte direkt brytt mig om att fundera över Jannes eller Ramis sexuella läggning. Fast jag trodde nog att Noora skulle ha nämnt i sina dagböcker om Ströms inbillningar stämde.

Efter en stund steg mycket riktigt Rami, Janne och Taskinen in på mitt rum. Den sistnämnde höll i dörren som om han inte kunde bestämma sig för om han skulle komma in eller inte. Kanske visste han inte riktigt hur aktiv han borde vara i utredningen.

"God dag. Vi är här för att hämta Jannes bil, det gick tydligen bra nu", sade Rami Luoto.

"Så ni fick meddelandet. Vad bra. Vi skulle behöva dina fingeravtryck, Jannes avtryck tog vi väl då när du tillbringade en natt i arresten?"

"Vad ska ni med mina fingeravtryck?" sade Rami förvånat.

"Framför allt för att eliminera dem. Det är väl troligt att dina fingeravtryck finns både i Jannes bil och på Nooras skridskor."

Janne hade stått tyst i bakgrunden. Nu tändes en förfärad min i hans ansikte.

"Nooras skridskor? Vad har de med det här att göra?"

Jag hade själv en aning blandat ihop hur många av de misstänkta som kände till sanningen om hur Noora hade dött. I början hade jag försökt hålla det hemligt, bara berättat det för Silja och familjen Nieminen, men också Rami och Ulrika tycktes veta om det. Att döma av Jannes uttryck kände han tydligen inte till det. Men jag visste ju att han var en ganska duktig skådespelare, fastan Noora hade kallat honom surkart.

"Skridskorna användes till att misshandla Noora", sade jag så mjukt jag kunde. Janne sjönk ner på soffan och sade inget på ett tag. Rami och Taskinen sneglade på varandra, men jag kunde inte utläsa vad blicken egentligen betydde.

"Du inser väl att inte vem som helst skulle ha vetat att

187

det fanns ett par skridskor i Nooras väska", sade Janne till slut och såg för en gångs skull rakt på mig, med de gröna ögonen som kattaktiga strimmor.

"Ganska många ändå", lugnade Taskinen. "Janne, du tycks inte förstå hur kända du och Noora redan var."

"Vi tar fingeravtrycken så att vi kan ge oss iväg", föreslog Rami. Han hade under hela samtalet flyttat på fötterna och dinglat med armarna som om dagens motionsdos inte blivit tillräcklig.

Pihko hade redan stuckit hem, så jag förde Rami och Janne till fingeravtrycksrummet på nedre våningen.

"Man känner sig ju som en grov brottsling", försökte Rami skämta, fastän det uppenbarligen var motbjudande att blöta fingrarna i bläck och trycka dem mot pappret, händerna var inte riktigt stadiga.

"Det är ju jag som är den grova brottslingen som fick sitta i arresten", utbrast Janne som lutade sig mot väggen, han drog sedan fram en solkig näsduk ur fickan på sin slitna bruna skinnjacka och kastade den till Rami, för att denne skulle kunna torka av fingrarna. Men pappersbiten flög inte tillräckligt långt, utan föll ner vid mina fötter, och tillsammans med den klirrade något annat ner på golvet. Jag böjde mig ner för att plocka upp det, och fastän magen på ett underligt sätt krockade med låren var jag ändå snabbare än Janne. Våra huvuden kolliderade när jag skulle resa mig upp igen, så jag vacklade till, satte mig ner på golvet och svor friskt. Janne behöll balansen, men böjde sig ner mot mig som för att dra upp mig.

"Gjorde det ont?" sade Rami oroligt och knuffade upp mig i ryggen. Då brast jag i skratt. För dem var tydligen en kvinna i sjunde månaden en vaggande tankbil, som

188

inte ens kunde komma på fötter på egen hand.

"Nej, det gjorde det inte", sade jag överslätande, fast-än huvudet värkte och Varelsen som vaknat av smällen tumlade omkring smärtsamt vid bäckenet. Jag reste mig upp och öppnade handen där jag hade det föremål som Janne störtat ner efter.

Det var en tjock slipsnål i guld med en lite slingrande rad av glittrande stenar, diamanter och smaragder, om jag nu alls kunde avgöra det. Det måste vara just den slipsnålen som Noora beskrivit, den som Ulrika Weissen-berg gett till Janne. Jag är ingen juvelkännare, men jag skulle gissa på att smycket hade kostat ett femsiffrigt be-lopp. Och Janne gick bara omkring med det nonchalant i fickan.

Jag räckte honom nålen utan att fråga något om den, han stoppade ner den i fickan med en besvärad min. Se-dan förde jag dem till bilförvaringen.

"Kolla så att inget fattas och skriv sedan under här", visade jag Janne. Han tittade på sin bil som om han inte sett den förut, kikade in och började sedan öppna bagage-luckan. Hade jag fel eller kunde man utläsa rädsla i blick-en? Men i bagageutrymmet fanns inget annat än en buck-lig oljedunk.

"Den är okej", sade Janne utan att bry sig om dammet från fingeravtryckspulvret på instrumentbrädan. "Så jag kan ta med den?"

"Ja. Vi tar kontakt om resultaten kräver det. Åk inte för långt bort från Esbo under de närmaste dagarna utan att kontakta polisen."

"Får man åka till Helsingfors?" Jannes röst var road.

"Ja, men Sibbo är på gränsen", sade jag och lämnade

bensinstanken i garaget, den hade redan börjat ge mig huvudvärk. Jag bestämde mig för att lindra plågan genom att promenera hem från jobbet. Trafiken dånade fortfarande på norra sidan av Åboleden, men efter att ha korsat Stensbro och några fält nådde jag Storhemtsvägens skogar och lugnet började. Landskapet hade varit likadant i flera årtionden, nu dominerades det av vårens försenade grönska. En del av fältet var däremot nyplöjt och brunt och luktade hästgödsel. Säden som skulle sås i fårorna skulle växa i takt med mitt barn, och i slutet av augusti skulle de båda vara mogna. Tanken på förlossningen i skördetid var svindlande, jag hade överhuvudtaget känt mig mer som en del av naturen under våren än någonsin tidigare. Jag hade känt Varelsens första sparkar samtidigt som koltrasten flöjtade i björken i vår trädgård för första gången, vid tiden för de första tussilagona hade jag lärt mig urskilja åt vilket håll babyn slingrade sig i livmodern. I slutet av sommaren skulle jag mata den med jordgubbar och rovor, jag skulle bli lika rund som de av näringen. Och sedan, som ett moget vetekorn som faller från axet, skulle mitt barn börja sitt eget liv och berätta för sina föräldrar vem det egentligen var.

Men slutet av sommaren kändes långt borta, för ansatsen till vår stänkte nästan snöblandat regn på mina kinder när jag svängde in på vår gata. Det gulaktiga en och en halvvåningshuset stod tyst i backen, Einstein jamade på trappan för att få komma in från regnet. Jag öppnade dörren till kaoset i hallen. Antti letade tydligen efter något i överskåpen till garderoberna.

"Vad letar du efter?"

"Reservkedjan till cykeln. Jag stoppade in den här nån-

190

stans i höstas, gjorde jag inte?"

"Det kommer jag faktiskt inte ihåg. Släpp fram mig."

I stället tog han mig i sin famn, han hade cykelolja överallt i ansiktet och hela han stank av den. Varelsen fick för sig att sparka Antti genom magen och vi började skratta. Till slut hamnade vi mitt i kaoset av kläder för att älska med varandra, min runda mage tvingade oss att välja den traditionella ställningen.

"Vet du vad din systers man sa att han var rädd för när Eeva var gravid och de älskade?" sade Antti plötsligt med ett flin och hejdade våra gungande rörelser.

"Vadå?" undrade jag och ville fortsätta.

"Att babyn kikar", skrattade Antti.

"Det har den gjort hela tiden! Är det sånt du och Jarmo pratar om karlar emellan?" Sedan slöt sig Anttis skrattande mun över min egen, tungan for runt för att hitta en passande vrå, magen välvde sig mot min rundhet och tre blev ett för en lång stund.

Jag skulle inte alls ha velat lösgöra mig ur Anttis famn, men jag hade bestämt mig för att gå till Tommy's Gym. Samtidigt som jag motionerade kunde jag prata med Tomi Liikanen.

"Fick du inte nog med motion nyss?" frågade Antti som mekade med sin cykel som han vält omkull mitt i vardagsrummet.

"Jo, jo, du älskar mig utmattad som vi vet. Men genom att uppbåda mina sista krafter går jag i alla fall,", svarade jag. På grund av regnet gjorde jag vad jag själv tyckte var skrattretande, jag tog bilen till gymmet.

Tommy's Gym låg vid utkanten av nyare delen av Olars, i källaren på ett sexvåningshus. Entrén såg inte så inbjudande ut, dörren var ordentligt stängd. Jag grävde fram passerkortet ur väskan. Det var giltigt i en månad till. I princip var receptionen på Tommy's Gym bara öppen från elva till tre, fastän ägaren var där oftare. Gymmet var öppet från sex på morgonen till midnatt, därför passade det många olika tidsscheman. Ett par gånger hade jag till och med varit där ensam, dessutom var stället så labyrintiskt att man inte ens såg alla användare. Också nu var det bara några stycken där, till min belåtenhet också Tomi Liikanen. Han verkade helt koncentrerad på sin högra bicepsmuskel, som han stirrade på i spegeln samtidigt som han vevade en tjugokilos hantel upp och ner. Jag hälsade och gick bort till det asketiska omklädningsrummet som luktade rengöringsmedel. Jag höll just på att dra på mig träningströjan när jag hörde en bekant röst bakom mig:

"Hej, Maria. Vad gör du här?"

Silja Taskinen stod och drack vatten bakom mig. Jag hade inte lagt märke till henne ute i gymmet nyss, kanske hade hon stått i hörnet för bencurlen som inte syntes från dörren.

"Jag är här för att träna", sade jag lite generat, som om jag skulle ha gjort något förbjudet. "Jag brukar gå hit lite då och då, det är det som ligger närmast."

"Självklart. Esbo Konståkare använder det för att Tomi ger oss rejält med rabatt på säsongskortet. Jag är faktiskt lite förvånad över att jag inte sett till några andra här i dag. Åtminstone Rami och Janne skulle komma."

"De var och hämtade Jannes bil på stationen för ett par timmar sen. Hördu, Silja, du kommer säkert ihåg kvällen när ni skridskoåkare åt middag hos Weissenbergarna?"

192

frågade jag samtidigt som jag knöt skosnörena. Det var lite besvärligare än vanligt, för Varelsen hade lagt sig i en konstig ställning på tvären.

"Ja, det kommer jag ihåg. Jag tyckte att det var dumt att Ulrika inte hade bjudit Rami och Elena också. Tränarna är ju också väldigt viktiga i ett team."

"Och Ulrika hade köpt fina smycken till er alla..."

"Ja, det var urfänigt!"

Silja berättade att hon varit mer generad än smickrad över kvällen. Ulrika som varit klädd i en lång cyklamenröd festklänning hade bjudit dem på en fyrarätters middag med vin, räckt över smyckena efter ett högtidligt tal, och till slut velat dansa. Paul Weissenberg, Noora och Silja hade besvärat iakttagit hur Ulrika hade klistrat sig fast vid Janne.

Noora hade alltså inte överdrivit i sina dagböcker. Underligt vad misstänksam jag blivit mot såväl allt som sades som det som skrevs, jag trodde inte på ett uttalande utan var tvungen att ha ett andra som bekräftelse. Fast generellt tänkte man väl att en människa var som mest blottad och äkta i en dagbok, åtminstone i de tonårsflicksanteckningar som man skyddade med lås. Men det var också bara en människas sanning, smal och vinklad. Så jag frågade Silja:

"Tror du att Ulrika Weissenberg är förälskad i Janne?"

"Janne är en vacker pojke", sade Silja tantaktigt. "Och kärleken ser väl inte till åldern, fastän det känns lite knasigt. Ulrika är över femtio och gift, hennes barn är också äldre än Janne."

"Hur förhåller sig Janne till det här?"

"Han försöker väl undvika det på nåt sätt, vara vänlig

193

och oåtkomlig på samma gång, precis som med Noora. Ulrika vill man ju inte ha som fiende." Silja tog en klunk vatten till, jag bestämde mig för att lämna skvallret därhän och förflytta mig till gymmet, men Silja fortsatte prata.

"Man tog fingeravtryck på oss, pappa körde dit mig för det i dag. Om det är till nån hjälp så fingrade vi alla på Nooras nya skridskor, Ulrika också. Och Janne har ofta skjutsat Noora och mig till skolan efter morgonträningen, och till baletten på torsdagsmorgnarna."

Jag nickade, öppnade dörren in till gymmet och klev nästan rakt på Irina Grigorieva. Hennes mamma Elena kom strax bakom, hon rynkade osäkert ögonbrynen när hon såg mig. Hon hade tydligen svårt att förstå att jag var samma person som skötte Noora Nieminens mordutredning.

Jag väste fram ett jäktat hej till Grigorieva och flydde till motionscyklarna. Jag hade verkligen inte räknat med att hela gänget från Esbo Konståkare skulle dyka upp på gymmet. Det skulle ju göra det svårare att prata med Tomi Liikanen också. Men jag ville inte åka hem heller, när jag nu hade besvärat mig med att komma hit. Jag ställde in cykeln på lagom motstånd, satte timern på tjugo minuter och började trampa. I spegeln såg jag en burrig tofs, under den samma muskulösa skuldror och armar som under flera år, den breda magen kikade fram på båda sidor om styrstången. Undrar hur min kropp skulle se ut efter graviditeten, skulle magen hänga slapp som på en kastrerad hankatt? Under graviditeten hade jag lagt på åtta extrakilon som jag inte orkade bekymra mig om, det hörde ju till. Jag var både stolt och förvånad över min

194

runda mage, min kropp var verkligare än någonsin och samtidigt främmande, ett hemligheternas gömställe.

I spegeln såg jag också hur Silja lyfte upp en stång över ryggen, hon hade kanske ett tiotal kilo i vikt på den. Hon började göra spänstiga hopp med tyngderna ovanför axlarna, uppenbarligen försökte hon öka ansatskraften vid upphoppen i sina graciösa ben. Tomi Liikanen såg på en stund, gick sedan för att med kunniga gester rätta till Siljas grepp om stången. Bredvid den slanka Silja såg Liikanen ut som ett skåp. Han var nog en och sjuttiofem lång men vägde säkert hundra kilo, överflödigt fett fanns bara på magen. Liikanens överarmar pryddes av draktatueringar som slingrade sig när musklerna rörde sig. Det tobaksbruna håret var kortklippt och väldigt lockigt, och lockarna fortsatte i den mattliknande bröstbehåringen, som han antagligen fick raka bort före bodybuildingtävlingarna. Öronen stod ut en aning, också där glänste krulligt hår.

Elena dök upp hos Silja och sin man, påpekade något, sedan började paret gå mot hörnet med motionscyklarna.

"Här är min man, ni kan själv fråga honom om jag åkte hem kvällen för Nooras olycka", sade Elena Grigorieva stridslysten.

"Du har varit här tidigare, jag kommer ihåg dig", sade Tomi Liikanen nyfiket. "Men jag visste inte att du var polis. Vad vill du veta? Jag hjälper gärna till."

Liikanen hörde tydligen till den ständigt växande skaran människor som aldrig kunnat nia någon. Så jag svarade också genom att dua:

"Din fru mindes först att ni skulle ha åkt från ishallen samtidigt i onsdags, handlat och sedan åkt hem tillsammans för att laga mat. Hon påstod att ni hela tiden var tillsammans och att ingen av er lämnade bostaden nån mer gång den kvällen. Men Nooras mamma sa i sin tur att du ringt henne strax innan sju samma kväll. Du ville meddela att du hittat Nooras borttappade smycke. Vad hade du egentligen för dig den kvällen?"

"Vilken kväll är det du menar?" Tomis halslösa ansikte såg uppriktigt ovetande ut.

"Förra onsdagen, kommer du inte ihåg! Jag brusade upp för det där reklamstrulet på träningen!" stack Elena emellan. Jag skulle mycket hellre ha pratat med Tomi Liikanen utan Elena, men det kunde inte hjälpas.

"I onsdags... En som hette Lindroos ringde när vi åkte från affären, kommer du inte ihåg, Elena? Han ville köpa Trioxinenergidryck, jag lovade åka dit och ge honom det. Jag importerar ju kosttillskott i kombination med gymmet", tillade Tomi riktad till mig, fastän jag redan visste det. Gymmet var fullt av otaliga reklamaffischer för proteindrycker och specialjärntabletter, som jag aldrig orkat sätta mig in i. "Jag körde hem dig och åkte hit, och när jag stökade bakom disken hittade jag Nooras halsband. Hon letade ju efter det en kväll när hon skulle gå från gymmet. Därför ringde jag. Men Nooras mamma bad mig ge halsbandet till Elena, ni skulle ju ha isträning på torsdagen."

Tomi Liikanen hade alltså varit på gymmet, försökte inte ens dölja det. När jag frågade hur länge han blivit borta sa han en halvtimme. I princip skulle det ha räckt för att åka också till Mattby.

"Skulle jag kunna få telefonnumret till den där Lindroos?" frågade jag så oskyldigt jag kunde för mitt flåsande. Jag hade trampat hela tiden medan vi pratade, det kändes naturligare på något sätt.

"Hurså? Jag har ju inte gjort nåt!"

"Ge henne det", sade Elena kärvt. "Jag mindes lite fel, har det nån betydelse? Jag lagade mat hemma, Irina kan intyga det, hon gjorde läxor på sitt rum. Irina stretchar där borta, ni kan fråga henne på en gång."

"Det kan vara", sade jag snabbt. Jag visste att familjen Liikanen-Grigorieva hade två bilar, Tommy's Gyms skåpbil som var registrerad på firman och Elenas gamla Saab. Också Elena skulle ha hunnit från Kvisbacka till Mattby och tillbaka på en halvtimme. Men eftersom jag inte hade några bevis mot henne ville jag inte i onödan intervjua elvaåriga Irina, som stod och vred sig i obegripliga ställningar vid en balettstång borta vid mottagningsdisken. Stången tycktes inte direkt höra hemma på ett gym, utan hade säkert placerats där på begäran av Elena.

Jag cyklade de sista fem minuterna med högre motstånd, svetten började rinna riktigt ordentligt och jag torkade ansiktet i tröjan. När timern slutligen pep befriande var jag redo att hämta vatten i damernas omklädningsrum. På Tommy's Gym kände man inte till dryckesautomater. När jag vände mig mot dörren såg jag hur Rami Luoto och Janne Kivi kom nerför trapporna, min första reaktion var att springa därifrån. I stället lyfte jag huvudet högt och magen ännu högre och marscherade iväg efter mitt vatten som en annan världshärskare. Rami hälsade åtminstone ordentligt, Janne nickade så pass med huvudet att man kunde tolka det som något slags hälsning. Nog förstod jag hans ovilja. Jag påminde ju hela tiden om Nooras våldsamma död, en upplevelse som skulle följa Janne och de övriga inblandade resten av livet.

Vattnet smakade mull, det var ett vårtecken, för enligt Antti smakade vattnet i Esbo jord under de varma månaderna. Jag tog med mig muggen ut i gymmet och gick mot tingesten som skulle träna insidan av låren. Alla rörelser som gjordes liggande på mage hade börjat kännas obehagliga för ett par veckor sedan. Nu koncentrerade jag mig på att stärka de kroppsdelar som var hårt ansatta, som låren, ryggen och särskilt magmusklerna som tänjts ut rejält. I spegeln såg jag Janne. Han värmde upp på motionscykeln som jag nyss lämnat. Rami använde löpmattan. Han hade hållit sig i god kondition även efter att han slutat som aktiv idrottare, det såg man på kroppens spänstighet och rörelsernas smidighet. Att kika på männen i spegeln började roa mig, jag kände mig som en hemlig agent som oerhört listigt spionerade på de misstänkta med ett egenhändigt gjort periskopsystem. Dessutom fungerade mina lårmuskler riktigt bra. Jag blev nästan på gott humör igen.

Silja tycktes ha en benmuskeldag, för efter att ha slutat hoppa kom hon och satte sig vid höftmaskinen bredvid mig. Som tur var började hon prata om andra saker än mordet på Noora, nämligen Koivu.

"Pekka är tydligen helt ny på er rotel, eftersom jag inte sett till honom tidigare", sade hon. Jag tyckte att det kändes konstigt att någon kallade Koivu för Pekka, vanligtvis var det ingen som använde hans förnamn. I mansdominerade grupper var det väl vanligt att man kallade varandra vid efternamn, också jag var oftare Kallio än Maria på stationen.

"Ja, han började för ett par månader sen. Jag har känt honom i åratal, vi har jobbat på samma ställe ett par gånger tidigare." Jag redogjorde tjänstvilligt för Silja om alla

198

stadier i Koivus liv som den värsta taleskvinna, för det var alldeles uppenbart att hon var intresserad av dem. Vi bytte maskiner och fortsatte prata ända tills det kändes som om lårmusklerna skulle explodera. De skulle väl behövas vid födseln, i värsta fall kunde man ju få ligga med benen isär i flera timmar.

Endorfinberusningen som kraftansträngningen fick igång drabbade mig så häftigt att jag glömde mig kvar på gymmet mycket längre än jag tänkt mig. Det var lagom lite människor där också, förutom jag och skridskogänget bara ett par personer till som försvann efter någon timme, ungefär samtidigt som Elena och Irina. Ett par män var och köpte kosttillskott av Tomi, båda såg ut att kunna klara sig bra i en bilvältartävling. Jag märkte att jag då och då sneglade på Janne Kivis tränande, för han var verkligen en fröjd för ögat. Jag var inte alls förvånad över att han lagt rabarber på både Nooras och Ulrika Weissenbergs hjärta. Ett brottarlinne avslöjade hur ljuset spelade över de svettiga deltamusklerna, som jag stirrade på skamligt länge innan jag befallde mig själv att fortsätta med att träna de sneda magmusklerna. Rami Luoto dök upp bredvid mig och började i sin tur att se på när jag kämpade.

"Är inte det där skadligt för barnet?" frågade han till slut osäkert. Jag hade för mig att Luoto inte hade någon familj, kanske var det ett mysterium för honom vad man kunde göra under graviditeten.

"Inte alls. Jag försöker förhindra att musklerna blir en hängmatta efter födseln", förklarade jag och Luoto skrattade till åt mitt bildliga uttryck, som var hämtat direkt ur någon av de förnuftigare vänta-barn-böckerna.

"Jo… Jag glömde säga det på polisstationen. Jag gjorde en massa provsnörningar på Nooras skridskor i onsdags, det vore underligt om de inte var fulla av mina fingeravtryck."

"Självklart", stånkade jag, det hade plötsligt börjat göra ont i övre delen av högra sidan, men jag kunde inte med att sluta inför ögonen på Rami Luoto. Jag pustade färdigt setet och Rami bara stod och glodde bredvid mig. Eftersom tystnaden kändes onaturlig frågade jag honom:

"Kände ni tränare till att Noora åt aptitnedsättande medel som innehöll fentermin och klassas som dopningspreparat? Var kunde hon tänkas få tag på det?" Jag reste mig upp, torkade av svetten i ansiktet. Huggen i sidan kändes fortfarande, borde jag oroa mig för det?

"Aptitnedsättande medel, som innehöll dopningspreparat!" Rami Luoto ropade ut början av meningen, men sänkte sedan rösten till en viskning. "Det kände jag inte till, fast jag var rädd för det. Men när jag frågade Noora nekade hon till att hon tog nåt sånt. Jag vet inte var hon fått det ifrån, ingen läkare med självrespekt skulle väl skriva ut det åt en flicka av normalvikt i växande ålder."

Rami och jag hade satt oss bredvid varandra på pressbänken, han var noga med att inte ens nudda vid mig. Utåt sett kunde vårt viskande samtal verka väldigt kamratligt, men även om det fysiska avståndet mellan oss bara var tjugo centimeter, fanns muren som min tjänsteställning skapade som ett hinder.

"Vad man får för preparat av Liikanen det vet jag inte", fortsatte Rami Luoto sitt viskande. "Han har kontakter i Ryssland, och där får man nog tag på alla möjliga grejer. Liikanens egen kropp är knappast uppbyggd med hjälp av havregrynsgröt."

"Knappast", höll jag med och skrev inombords upp åt mig själv att jag skulle kontrollera om det någon gång gjorts en razzia mot Tommy's Gym. Jag hade redan hunnit grubbla över varför Nooras halsband hade hittats bakom gymmets reception, utomstående borde inte ha något där att göra.

"Gjorde man några dopningstester på Noora under förra säsongen?"

"Inte ett enda. Inom konståkning har det knappast varit tal om dopning. Vad hade Noora egentligen för sig?" Det fanns rädsla i Luotos ögon. Hade han verkligen inte känt till bantningsmedlen?

"Rami, jag har gjort mitt träningsset. Jag stretchar och sen går jag", kom Silja för att meddela. "Hälsa Pekka, Maria."

"Det ska jag, han blir glad." Jag bestämde mig för att gå över till roddmaskinen, jag ställde in ett ganska lågt motstånd och rodde i tio minuter. När jag reste mig upp från maskinen såg jag hur Silja försvann. Nu var det bara Janne, Rami, Tomi Liikanen och jag kvar på gymmet.

Det kändes egentligen inte bra. Av de där tre kunde mycket väl en vara Noora Nieminens mördare. Fast ingen av dem skulle väl försöka skada mig? Det var säkert uppenbart för alla att vi inte kommit så långt i utredningen. Det skulle ta tid att gå igenom det tekniska materialet och de tiotals förhören. Jag bytte till dragmaskinen, jag slet i en halvtimme till på diverse maskiner, tills det började kännas som om jag använt all lagrad energi. Så jag gick in i bastukojan för att stretcha i värmen.

201

Det var verkligen en koja, redan tre kvinnor skulle ha varit trängsel därinne, men konkurrensen på gymmen var hård och Tommy's Gym hade varit tvunget att bygga bastur. Enligt Antti var det lite rymligare på männens avdelning. Han hade varit med mig några gånger, trots att han inte trivdes så bra på gym utan huvudsakligen utövade nyttomotion, som att cykla till jobbet och att hugga ved.

Efter att ha stretchat slöade jag i bastun en stund till, fastän mätaren visade på nittio grader. Jag duschade och klädde på mig i lugn och ro och hade just fått på mig skorna när ljuset plötsligt slocknade.

Det blev ofattbart mörkt. Den enda ljusglimt jag kunde urskilja var de fosforglänsande visarna på min klocka. Jag funderade ett ögonblick innan jag började treva efter strömbrytaren, som jag föreställde mig fanns bredvid dörren till omklädningsrummet. Det var svårt att hitta den, jag slog höger armbåge i drickfontänen och knäet i något annat innan jag hittade strömbrytaren. Jag tryckte på den, men ljuset tändes inte.

Säkert strömavbrott. Om jag bara väntade i ett par minuter så skulle säkert ljuset tändas igen. Kanske skulle någon ute i gymmet veta. Jag öppnade dörren, utanför den lurade ett likadant mörker, och ropade:

"Tomi?"

Inget svar, som om det inte skulle ha funnits någon på gymmet. Kanske var alla inne i männens omklädningsrum. Hur var det nu med gymmets labyrintartade planritning? Dörren till männens omklädningsrum skulle finnas några meter bort till vänster. Jag började treva mig fram längs väggen mot det, sedan snubblade jag över en hantel som någon jävla idiot hade lämnat på golvet och tappade balansen, jag slog tinningen i stången på benpressen och rasade nästan ner på golvet. Jag kände på pannan, den blödde som tur var inte, men till i morgon skulle en jädra bula växa fram.

Till slut var jag framme vid männens omklädningsrum och öppnade dörren utan att tveka. Skit samma om det fanns ett gäng nakna karlar därinne, jag skulle ju inte se dem i mörkret.

"Tomi? Är det nån här?" Inget svar, inget annat ljussken än väggklockans, som tickade ut sin entoniga sång i tystnaden. Vad fasen hade egentligen hänt, vart hade alla tagit vägen? Och varför upphörde inte strömavbrottet?

Det var väl bäst att öppna ytterdörren, klockan var ju bara åtta och det skulle komma in så pass mycket ljus utifrån att jag kunde plocka ihop mina saker. Sträckan fram till trappan var någotsånär klar, den här gången lyckades jag undvika den förrädiska hanteln också. Jag klamrade mig hårt fast i räcket och gick uppåt och tryckte ner handtaget. Den gav vika under min hand och jag väntade på att dörren skulle öppnas, men ingenting hände.

Jag tryckte ner handtaget igen, lutade höften mot dörren och knuffade mot den. Den rubbade sig inte. Jag famlade med handen efter låsets rörliga del, pillade med den, men det ledde inte heller till något resultat. Dörren var och förblev låst. Passerkortet öppnade den utifrån, men inifrån skulle dörren öppnas genom att handtaget trycktes ner. Troligtvis hade någon slagit på låsanordningen som hindrade en från att ta sig in på gymmet mellan klockan tolv och sex på natten. Ett sådant system kanske automatiskt släckte ljusen också.

Men vem då, Tomi Liikanen? Varför hade han inte kontrollerat att gymmet var helt tomt, det hörde ju till rutinen? Och vad var det för mening med att stänga när det fortfarande var fyra timmar kvar av öppettiden?

Situationen var vansinnig. Jag prövade låsen en gång till, nu lugnt och metodiskt, men inget förändrades. Jag försäkrade mig också om att passerkortet som låg i min jackficka på nedervåningen verkligen bara öppnade dörren från utsidan. Jag bankade ett tag, sparkade på dörren med mina trötta ben, men förgäves. Fastän Tommy's Gym låg på nedre planet i ett flervåningshus låg dörren vid utkanten av en skogsdunge och det var få förbipasserande. Mitt enda hopp var att någon stod och rökte på sin balkong i den kyliga kvällen och skulle höra mitt oväsen.

Men det var ingen idé att stå och vänta på det. Telefonen var ju uppfunnen. Fan också, jag hade ju lämnat mobilen hemma, den låg i jobbväskan som säkert fortfarande stod och ugglade i hallen mitt bland Anttis röra. Men det fanns ju en telefon på gymmet också. På mottagningsdisken eller någonstans i närheten av den, så ner igen för att leta.

Det kändes skrämmande att gå nedför trapporna, magen påverkade redan mitt balanssinne så pass mycket. Jag stapplade försiktigt, ett steg i taget, jag trevade efter möjliga fällor, jag försökte lyssna på omgivningens skälvningar som antagligen blinda gör. Någonstans ifrån strömmade frisk luft in i trapphuset, var fläkten i gång? Var det någonting som rörde sig därnere – som om en tyngd skulle ha rullat längs golvet, det kanske var den som jag snubblat på. Jag fick alltså alltjämt vara försiktig.

204

Mörkret var inte helt kompakt, en grön strimma lyste på en strömbrytare. Från den sken en smal ljusstrimma över gymmets vägg. Den utgjorde ett riktmärke som jag kunde använda till hjälp för att orientera mig. Jag hittade receptionen och förde handen längs bordsytan. Jag var nästan säker på att jag hade sett en telefon på bordet.

Handen träffade en bunt papper. Den föll prasslande ner på golvet och drog med sig något av glas som klirrande gick sönder. Jag slöt instinktivt ögonen för att skydda dem från glassplittret, men tingesten hade uppenbarligen trillat ner på andra sidan disken. Jag gick över bordsskivan ännu försiktigare men systematiskt – ingenting. Jag gick till andra sidan av disken och började treva runt, papperen och glasskärvorna knastrade under skorna. Lådor, pennor, gummiband, handledsvikter som fästes med kardborreband.

Plötsligt hörde jag ett släpande ljud någonstans från den gröna ljusstrålens håll.

"Hallå! Är det nån här?"

Inget svar, det släpande ljudet upphörde. Ändå väcktes en obehaglig känsla inom mig att jag kanske ändå inte var helt ensam i mörkret. Men varför skulle någon göra sig besvär med att leka kurragömma med mig, hann jag tänka innan min hand träffade något hårt och metalliskt. En pistol – nej, en revolver. Formen kändes välbekant mot fingertopparna, jag lyckades ta reda på att vapnet inte var laddat. Ändå var det väldigt oansvarigt att förvara det sådär! Hade Tomi Liikanen ens tillstånd för vapnet?

Jag lade revolvern på bordet och fortsatte leta, men lyckades inte hitta någon telefon. Den måste ju finnas någonstans! Jag tänkte inte tillbringa hela förbannade natten på ett becksvart gym. Antti visste ju vart jag hade åkt, han skulle väl börja oroa sig senast vid midnatt när jag inte syntes till – eller skulle han? Han var ju van vid att mina arbetsuppgifter kunde kullkasta mina planer när som helst. Mestadels brukade jag höra av mig om det skulle dröja länge, men jag hade inte alltid möjlighet till det. Det var alltså ingen idé att sätta sin lit till Anttis hjälp.

Jag kände på väggen bakom disken och fingrarna hittade ett dörrhandtag. Just det, det fanns ju ett litet kontorsrum bakom disken, det var säkert där telefonen fanns. Jag formligen ryckte upp dörren och klev in.

Jag var helt oförberedd på slaget som träffade mig mellan skulderbladen. Jag flög framåt av kraften i det, och bröstet och axlarna slog hårt emot ett bord. Luften ovanför mig susade, jag kände tydligt hur något tungt föremål pendlade ovanför mig. Det gjorde ont i övre delen av buken, likaså i baksidan av axlarna, det låg lika mycket rädsla som smärta i mina tårar.

"Vem i helvete är det som är här!" skrek jag ut i mörkret, men inget svar kom. Jag hukade mig ner för att invänta nästa slag, jag lindade armarna beskyddande runt magen, jag famlade efter något som var inom räckhåll – och hittade en tändsticksask.

Utan att hinna vara rädd för den tyste angriparen snappade jag åt mig asken och tände en sticka. Jag hann nätt och jämnt se konturerna av en telefon på bordet och en boxningssäck ovanför mig innan lågan slocknade. Jag strök eld på en ny sticka, nu vågade jag resa mig upp. Säcken hade uppenbarligen bundits fast i dörren i nedre delen så att den svängde häftigt framåt när man klev in i

206

rummet. Ett dumt arrangemang.

Under den tredje tändstickan hann jag knappa in numret hem. Vilken tur att Antti inte åkt någonstans. Jag bad honom ringa både Tomi Liikanen och stationsbefälet och förklara situationen. Det fanns bara två tändstickor kvar i asken och jag hade inte sett någonting i rummet som jag skulle kunna få att brinna på ett säkert sätt.

Antti slösade som tur var ingen tid på att förvåna sig, utan avslutade snabbt samtalet och lovade hämta hjälp. Jag sjönk ner i Liikanens stol bakom skrivbordet och kände efter om något kändes konstigt i kroppen. Huvudet värkte där benpresstången träffat, jag skulle säkert få ett rejält blåmärke också mellan skulderbladen. Men det högg inte längre till i magen, jag kände försiktigt på huden på övre delen av buken, den verkade vara hel. Åh alla gudar, låt Varelsen vara okej...

En telefonsignal skar genom tystnaden, jag famlade i mörkret och fick tag på telefonluren.

"Hallå."

"Det här är Tomi Liikanen! Är det nån som har blivit inlåst på gymmet?"

"Ja! Dörren är låst och det går inte att tända ljuset!"

"Helvete också, jag kommer på en gång, för fastighets-skötaren har inte heller nån nyckel. Försök stå ut i fem minuter."

Under de fem minuterna satt jag i mörkret och tankarna for fram och tillbaka, bilder på såväl Noora som på mitt eget barn passerade förbi. Jag överraskades av hur lättad jag kände mig när jag hörde ytterdörren däruppe öppnas, och ljuset som helt plötsligt tändes var så skarpt att jag var tvungen att blunda för ett ögonblick och försiktigt kika mellan ögonlocken.

Tomi Liikanen var förfärad och full av ursäkter. Det hade tydligen blivit något fel på gymmets låsanordning. Jag skulle få ett års passerkort gratis som ersättning för det som inträffat. Att jag haft sönder en banankål som stod på disken i mörkret? Det gjorde inget. Det viktigaste var att jag mådde bra.

Antti som ilat dit på cykel och polispatrullen var där samtidigt, jag nästan skämdes över den uppståndelse jag ställt till med. Och ändå: tänk om boxningssäcken hade träffat mig i huvudet i stället för axlarna? Jag skulle ha förlorat medvetandet, i värsta fall kunde jag ha slagit mig ganska illa när jag ramlade. Tänk om... Jag ville inte tänka mer, jag ville inte ens tänka på om det varit en ren olyckshändelse att jag blivit inlåst. Jag ville hem och ner under täcket.

Jag frågade med spelat lugn Tomi Liikanen om vapnet, och han försäkrade att han hade tillstånd för det. När jag frågade varför han förvarade det bakom disken svarade han undvikande att han var rädd för att någon skulle försöka råna kassan på gymmet, sådant hade tydligen också hänt. Ett oladdat vapen var förstås bara ett skrämselredskap.

Just nu orkade jag inte mer. Antti lossade framdäcket från cykeln och stuvade in tingesten i baksätet på Fiaten, jag satt bara med och skickade ett snabbt tack till en okänd gud när Varelsen började röra energiskt på sig igen. Men ändå kunde jag inte få bort tankarna från det som jag måste göra redan nästa morgon.

Kontrollera Tomi Liikanens affärer.

10

En imponerande bula prydde min panna nästa morgon. Jag hade tagit tre Panadol, men det molvärkte ändå i huvudet när jag började gräva fram information om Tomi Liikanen och Tommy's Gym. Resultatet var ganska bedrövligt. Både gymmets och importfirmans affärer såg ut att vara i ordning. Dessutom skulle väl inte Liikanen ha stängt in mig på gymmet om jag hade kunnat hitta till exempel anabola steroider där. Jag nästan trodde på anordningsfelet som han svurit över. Eller var syndabocken trots allt Rami Luoto eller Janne Kivi? Janne läste ju på Tekniska högskolan, han kanske mycket väl hade sådana praktiska ingenjörskunskaper att han kunde programmera om ett tidlås.

Nooras dagböcker låg i en hög på bordet, jag öppnade slumpmässigt den trettonde som hon skrivit vid tiden när hennes mamma flyttat hemifrån.

Morsan fick världens utbrott i dag, precis som nästan varje dag på senaste tiden. Hon slog Sami i ansiktet med bordstrasan för att Sami inte kommit ihåg att stoppa in sin tallrik i diskmaskinen, utan hade lämnat den på bordet. Mig skrek

209

hon åt för att jag skulle ha lämnat träningskläderna i ett byl-
te på tvättlinan i grovköket i stället för att hänga upp dem så
snyggt som hon vill. Hon försökte slå mig också, men jag fick
tag i hennes hand innan hon hann det och hon kom väl till
sans av det. Farsan sa rätt ut till henne att hon är helt knäpp
hela kärringen.

Farsan själv är inte så mycket att skryta med, han bara
stirrar på nån äcklig lastbilstävling på Eurosport och
pimplar öl, han blir bara fetare. Hur kan jag nånsin bli smal
när jag bara har ärvt fettceller av dem båda? Jag skulle inte
orka med allt här hemma och skolans mördande tristess utan
skridskoåkningen och Janne. Nu när träningssäsongen är
som hårdast träffas vi varje dag. Janne är alldeles underbar
när han ser på en och ler sådär…

Men jag blir både road och samtidigt förbannad när nån
som Ulrika tjatar om hur viktigt det är med stöd hemifrån.
Nog för att de skjutsar mig till träningen, det är sant, men
hemmets så kallade mentala atmosfär är det ju lite si och så
med, farsan som antingen alltid är på jobbet eller så super
han, och så neurotiska morsan som förtvivlat försöker vara
finare än vad hon är. Hon köpte en likadan dräkt som Ulri-
ka och blev arg på mig när jag sa att mörklila inte passar
henne.

Sedan lovordades Janne på flera sidor igen, detaljerade
rapporter om vad Janne hade sagt, hur han hade sett på
henne. Det kändes genant att läsa det, jag hoppade över
flera sidor. Noora hade otvivelaktigt inte velat att någon
annan skulle läsa hennes anteckningar. Jag bläddrade
mot slutet av boken, där handlade det om Hanna och
Vesku Teräsvuori.

I dag efter skolan gick jag till Östersjögatan för att hälsa på morsan och den där Vesku. Det var en väldig röra där, morsan skulle aldrig ha pallat med nåt sånt hemma, men hon kanske verkligen har börjat ett nytt liv. Där satt morsan i en osmaklig, urringad, kort klänning som gjorde att hennes stora bakdel och tjocka lår såg ännu hemskare ut, och försökte övertyga mig om hur hon äntligen måste börja tänka på sitt eget liv, eftersom hon hittills bara levt på farsans och våra villkor. "Din far har nog råd att anställa en professionell hushållerska åt er, det är vad ni behöver, inte mig. Han skryter ju alltid med sina pengar, det är det enda som har nån betydelse för den mannen, hur mycket han tjänar", sade morsan och tittade fånigt på Vesku som sjöng gräsliga Joel Hallikainen–låtar strax intill. Verkligen skrattretande när ens egen morsa försöker spela ung och förälskad, hon är ändå trettiofyra. Morsan sa att hon ansökt om skilsmässa, farsan får tydligen behålla huset och allt annat, men morsan tänker kräva ut sina obetalda månadslöner för flera år.

Janne och jag hade kommit överens om att ses vid Gräsvikens tunnelbanestation, han hämtade mig till träningen därifrån. Som tur var följde inte morsan mig till dörren. När jag gick försäkrade hon att hon älskar mig och Sami, men att hon vill ha ut mer av sitt liv än att vara mamma. Hon och Teräsvuori skulle gå på bio och sen ut och äta. Farsan tog ju aldrig med morsan på nåt annat än firmans tillställningar. Och Teräsvuori köper tydligen fräscha röda rosor till morsan varje dag. Skulle det vara roligt att bli bortskämd så? Det skulle det nog. Fast svårt att föreställa sig morsan i säng med Teräsvuori, men jag kunde ju inte föreställa mig morsan och farsan heller, fastän jag hörde dem ibland och lade kudden över huvudet. Jag mår illa bara av att tänka på det.

När jag hoppade in i Jannes Nissan hade jag lust att grå-
ta, men det gick som det brukar med Janne: han började
skämta om nånting och jag glömde bort mina bekymmer, för
han är så söt.

Vad var det som till slut fått Hanna att lämna Teräsvuori?
Skulle Nooras dagböcker ge något svar på det? Varför i
hela friden var jag så inne i familjen Nieminens på en
gång vardagliga och förvrängda värld, vad var det egent-
ligen som fascinerade mig? Trodde jag att lösningen på
Nooras död skulle finnas i hemmet eller någonstans i
dagböckernas skrymslen?

Till min förvåning ringde dörrsummern. Jag hade inte
bokat in något möte med någon och, till skillnad från
kunderna som man numera kallade såväl brottsoffren
som utövarna, knackade jobbarkompisarna för det mesta
bara på. Jag tryckte fram det gröna ljuset och Hanna Nie-
minen steg in på mitt rum. Ansiktet var rött och uppsvul-
let, sminket som var tänkt att dölja spåren efter tårarna
lyckades inte dölja påsarna under ögonen, och det glän-
sande rosa läppstiftet hade klumpat ihop sig på de nariga
läpparna.

"Jag kom för att hämta Nooras saker." Rösten var hes
och tjock, på ett par dagar hade Hanna gått ner så pass i
vikt att hon fick på sig den svarta klänningen.

"De är inte kvar här längre. Vad jag förstått skulle de
skickas hem till er i dag. Om ni väntar ett ögonblick så
ska jag höra efter. Varsågod och sitt ner."

Hanna satte sig ner i fåtöljen mitt emot mig, på något
sätt underligt observant på alla mina rörelser. Jag ringde
bevisförrådet dit jag hade återlämnat Nooras saker. Där

212

hade de av någon anledning blivit kvar. Jag berättade det för Hanna och lovade följa med och visa vägen, men hon satt bara kvar och frågade sedan besvärat:

"Har ni tid en stund, inspektör Kallio? Jag har kommit att tänka på ganska många saker som skulle kunna hjälpa er att lösa mordet på Noora."

Plötsligt märkte Hanna Nooras dagbok på bordet. Till min förvåning stelnade ansiktet till, en hand sträcktes ut mot boken.

"Det är Nooras, eller hur? Det känns som om jag gjorde fel när jag gav er lov att läsa dem. Noora skulle säkert inte ha velat det. Hon var så väldigt noga med att ingen skulle kika på vad hon skrev. Kauko försökte ibland, och därför skaffade hon dagböcker med lås på. Jag borde kanske ta med dem och... och bränna dem."

"Om jag kunde behålla dem tills vidare. Det kan mycket väl finnas nån avgörande information i dem, som ingen annan kommit att tänka på. Men ni hade nåt att berätta, fru Nieminen. Jag lyssnar gärna."

Hannas pekfingrar pillade på huden runt tumnaglarna. Huden som var trasig sedan tidigare såg inflammerad ut, den lyste blodig och fick nagellackets ljusrosa färg att se konstgjord ut. Jag hade lust att säga åt henne att sluta riva på fingrarna, men jag kunde inte.

"Har ni tänkt på att även om Vesku inte själv har tagit livet av Noora, så kan han ha betalat nån annan för att göra det?" frågade Hanna slutligen, pekfingrarna gjorde en gnagande klösrörelse som gav ifrån sig ett obehagligt gnidande läte. "Han känner ju alla möjliga typer, såna som har suttit i fängelse också..."

Jag nickade. Alternativet kändes ohyggligt, men varje

213

förslag måste tas på allvar i ett fall där det inte tycktes finnas en enda förnuftig ledtråd – förutom den röda Nissan Micran som hade setts i parkeringshuset vid samma tid som Nooras kropp hade dumpats i Kati Järvenperäs bil.

"När jag flyttade hem till Vesku betedde sig Kauko ganska hotfullt. Han ville inte släppa iväg mig igen när jag hade åkt för att hämta mer kläder en gång. Då sa Vesku att han nog kände typer som vid behov kunde ge Kauko en läxa. Då blev jag rädd för första gången, jag ville inte bli inblandad i nåt sånt."

"Kan ni nämna nån som Teräsvuori skulle ha kunnat använda sig av?"

Hannas fingrar rörde sig ännu snabbare, det kändes knäppt att hon inte själv märkte vad hon höll på med.

"Jag kände egentligen inte hans vänner! Under de veckorna jag bodde hos honom umgicks bara vi två. När Vesku var på jobbet följde jag för det mesta med honom. Vi höll karaokekvällar i Hyvinge, Tavastehus och Kouvola. Vi sov i fina hotellrum och drack champagne, fastän Vesku egentligen inte hade råd med det. Jag trodde att han var nån helt annan än han i själva verket var. Skratta åt mig bara, men jag trodde att han på allvar var känslig och romantisk och inte alls en sån där kvinnotjusarodåga och småkriminell."

Kunde Nooras död verkligen ha varit en olycka, en misshandel som var tänkt som en varning och som blivit för våldsam? Det kändes inte helt omöjligt, det skulle förklara försöket att efterlikna ett fall som inträffat för inte så länge sedan, där en knarkkungs kropp dumpats i bagageutrymmet på en bil.

Blodet sipprade fram från Hannas vänstra tumnagel, men hon fortsatte bara att riva på fingrarna utan att känna smärtan. Fanns det möjligen några plåster kvar i förpackningen i skrivbordslådan?

"Började Teräsvuori bete sig våldsamt mot er?" frågade jag samtidigt som jag rotade i näst översta lådan. Precis som jag anat var plåsterasken tomt. Koivu hade tagit det sista för några dagar sedan när han skurit upp långfingret med en fickkniv när han skulle skära upp en ovanligt torr och svårskalad apelsin.

"Inte direkt. Det var de där artonåringarna som ringde mitt i natten som fick mig att återvända till Krokudden. Vesku skulle aldrig ha nöjt sig med bara en kvinna. Han hade nån sistaårselev på gymnasiet i Karis som han lovat göra till sångerska, och en annan i Fredrikshamn, hon var också gift. Dem besökte han då och då, fast han sa att han var ute på nåt gig. Sen ljög han om att jag var kvinnan i hans liv. Nog började alla möjliga sidor avslöjas hos honom. Han hade skulder både här och där, jag förstår inte med vilka pengar han köpte alla presenter och blommor till mig. Fastän Kauko är ful och tråkig, så sköter han i alla fall sin ekonomi. Det har aldrig funnits nåt att anmärka på i firmans bokföring."

En röd droppe föll ner på Hannas svarta klänning. Jag bestämde att Pihko skulle få ta reda på mer om Vesku Teräsvuoris förehavanden, eftersom han också hade kontrollerat hans alibi. Teräsvuori hade inget allvarligare i brottsregistret än fortkörningsböter och restskatt, men hans yngre bror hade suttit inne för bedrägeri, ett par gånger till och med. Kanske hade Teräsvuori genom honom kontakt med kriminella underhuggare.

215

"Jag skulle inte ha blivit det minsta förvånad om Vesku hade velat plåga mig genom att låta nån misshandla Noora. Det hade inte krävts särskilt mycket fantasi, de gjorde ju samma sak mot Nancy Kerrigan i USA för några år sen. Jag var så dum att jag berättade för Vesku hur jag som barn velat bli konståkerska, men det fanns det ju inga möjligheter till i slutet av 60-talet i Forssa."

Hanna hade vänt blicken mot väggen, där hon garanterat såg helt andra bilder än läckerbitssamlingen som hängde där.

"Pappa fryste till en skridskobana på gården, den var ju liten och ojämn, men ett par ungar fick plats att åka där. Jag släpade vår gamla skivspelare till fönstret och åkte i takt med Olavi Virta, jag hade en av min brors Beatlesskivor också, men han ville inte låta mig spela den. Jag hade velat ha en riktig skridskodräkt också, en sån där pälskantad som Marja i vår klass hade, men mamma ville inte göra nån sån. Då bestämde jag att om jag nån gång fick en dotter skulle hon bli konståkerska."

Jag hade hört liknande berättelser alltför ofta, och för det mesta hade de också haft ett sorgligt slut. Men Noora hade tydligen varit nöjd med den roll hon tilldelats, att uppfylla moderns drömmar. Hon hade kunnat göra det till sin egen dröm.

Hanna var uppenbarligen säker på att Teräsvuori på ett eller annat sätt var ansvarig för Nooras död och hon försökte övertyga också mig om det. Ändå gjorde hennes prat mig misstänksam. Det var lätt att skjuta över skulden på Vesku eller någon småkriminell han avlönat, men tänk om sanningen var en helt annan?

"Vi ska förstås undersöka möjligheten att Teräsvuori

216

skulle ha betalat nån för att misshandla Noora. Hotade han nånsin att göra nåt sånt?"

Hanna skakade på huvudet, men berättade samtidigt om någon som hette Karttunen som hade varit skyldig Vesku femtusen och påstått att han inte hade råd att betala tillbaka. Samma kväll hade Karttunen blivit överfallen, och nästa dag hade han dykt upp vid dörren med bruten näsa och femtusen. Hanna hade varit ensam hemma och undrat över det tjocka, solkiga kuvertet som tryckts i hennes hand.

"Det vågade jag inte fråga nåt mer om, särskilt som Vesku behövde pengarna till sina egna skulder. Jag förstod bara att Vesku kanske trots allt inte var nån trygg livskamrat. Och dessutom…"

En knackning på dörren avbröt Hanna mitt i meningen, jag hade förstås glömt att slå på det röda trafikljuset. Puupponen kom med nya resultat från dörrknacknings-rundan i Mattby.

"När blir du ledig?" frågade han och såg ut som om han hade viktig information.

"Jag ska just gå", sade Hanna snabbt. Jag märkte att även den vänstra tummen nu blödde.

"Vi hämtar Nooras saker", sade jag och tänkte på de blodiga och trasiga kläderna som också väntade darnere. Vore det bättre om Hanna slapp se dem? Och vad sjutton skulle jag göra med dagböckerna? Det var ju inte min ensak, men Hanna och Kauko skulle knappast vilja möta den avsky och vrede mot sig som föräldrar som förmedlades ur Nooras minnesanteckningar.

Hanna gick framför mig i korridoren som om hon hade svårt att gå i de tio centimeter höga klackarna. Jag öppnade hissdörren för henne, sedan dörren till förrådet och på hela vägen sade vi inte ett ljud. När Hanna fick syn på Nooras väska som dammsugits ren tog hon ett djupt andetag, men sade inte ett ord. Men när jag frågade om hon ville ha med sig Nooras kläder också formligen skrek hon:

"Nej! Behåll dem här!"

"I väskan finns allt förutom skridskorna och skydden samt dagboken", sade jag till Hanna som hade grabbat tag i handtaget och tycktes väga väskan i handen.

"Just det, skridskorna, det var därför den kändes så lätt", sade Hanna på samma gång tankspritt och koncentrerat, och i detsamma började det regna tårar över hennes ansikte som hon hastigt viftade bort. Fingrarna lämnade blodspår i sminkningen.

Jag lugnade henne så gott jag kunde, till slut ledde jag henne till damrummet för att skölja av ansiktet. Jag var inte alls säker på om hon var i stånd att köra bil när hon slutligen åkte hemåt. Men jag kunde ju inte övervaka allting, eller hur?

När jag återvände till mitt rum hängde Puupponen fortfarande i korridoren. Det röda håret lyste mot den vita väggen, fräknarna som våren satt piff på glödde i det annars bleka ansiktet. Puupponen var från Kuopio och fick ibland bassning av dem som var födda i Esbo och ansåg sig vara citypoliser för att han var savolaxare. Som tur var kunde han ta deras larvanden med humor och ansträngde sig ibland för att prata dialekt för att reta dem.

"Du letar tydligen efter ett par skridskoskydd", sade han hemlighetsfullt och smet in i mitt rum efter mig.

218

"Det stämmer", sade jag och bokstavligt talat dråsade ner i soffan. Det värkte underligt i ryggen, jag hade lust att lyfta upp benen.

"Pertsa tycks ha hittat dem."

"Vad fan?"

"Ström, Lähde och ett par killar från tekniska var i närheten av Mattbykorsningen, det är ju där antastaren har hållit till. Du vet ju hur viktigt fallet är för Ström, när det har skrivits så mycket om det i tidningen och allt. Man misstänker att antastaren har tappat det omtalade hundfotot i nån bergsskreva när han senast slog till, det var väl det de letade efter. Det hittade de inte, i stället stoppade Ström ner handen rätt i ett par blodiga skridskoskydd som tydligen hade gömts bakom en lös sten."

"Hände det här i morse?"

"Nej, i går eftermiddag."

"Var är Ström? Varför har han inte kommit och berättat det för mig? Hur fick du reda på det här?"

"Killarna från tekniska snackade inne på herrtoaletten... Att Ström skulle ha förstört avtrycken på skydden och därför inte vågar visa upp dem." Puupponens ansikte lyste, han avskydde Ström kanske mer än någon annan på vår rotel och gladde sig åt att få bussa mig på Pertsa.

"Så du hörde allt av misstag? Vilka var det från tekniska?"

"Namnet på den första kommer jag inte ihåg, men den andra är Hirvonen, den lille pipskäggige. Det är ju en av Ströms fasta suparkompisar."

"Jävla Ström! Bra att du kom och berättade", sade jag på en gång uppretat och tacksamt till Puupponen. Sådant här hade ju hänt förut. Någon förstörde bevis i sin ovarsamhet eller okunnighet, och arbetskamraterna fick tysta ner det för att det inte skulle nå upp till de överordnade. Någon gång hade det också hänt att bevis helt enkelt tappades bort – vår chef hade ett par gånger lyckats skydda sina kamrater på det sättet, den ena visserligen bara för fortkörningsböter, men den andra från ett åtal för förfalskning. Berättelserna om fallen cirkulerade som rykten på stationen, var och en kände till vad som var brukligt och kunde se sig för.

Men här var det inte enbart fråga om att av misstag förstöra ett bevisföremål, utan om att med flit försvåra en brottsutredning. Och Ström var förstås inte på plats, svarade inte ens på mobilen. Lähde, som delade rum med Ström, var även han ute ur huset. Stationsbefälet kunde berätta att Ström var i rätten, jag lämnade ett meddelande där jag bad honom ringa mig och marscherade bort till tekniska roteln, där jag åtminstone hittade Hannu Hirvonen. Hirvonen höll som bäst på att granska en rapport. Han kisade med ögonen bakom de tjocka glasen när han såg mig och pipskägget började darra. Det var uppenbart att han kunde gissa sig till varför jag var där.

"Ni hittade tydligen Noora Nieminens skridskoskydd i Mattby i går", sade jag och satte mig på bordet så nära Hirvonen att min mage nästan nuddade honom. Han försökte förgäves fortsätta att läsa rapporten. I huvudsak var det Kriminaltekniska laboratoriet i Dickursby som skötte de tekniska undersökningarna, men vår rotel hade några egna kemister för rutinuppdrag, som att fastställa fingeravtryck och blodgrupp.

"Vi hittade några plastbitar. Det stod inget namn på dem", svarade Hirvonen undvikande.

"Vad lovade Ström dig för att hålla tyst? En stor flaska Kosken, eller? Var finns skydden nu?"

"Ström har inte lovat nåt. Var skydden viktiga på nåt sätt? Ström tog dem, fråga honom."

"Han är inte här. Berätta var ni hittade dem."

"Jag var inte precis där."

Hirvonen försökte gömma sig bakom rapporten, hans ansikte lyste rött som på en femtonåring som åkt fast för att ha kört en trimmad moppe.

Graviditeten hade tydligen ännu inte hunnit få upp den ömma, omhuldande hormonnivån i blodet till toppnoteringar för jag fullkomligt kokade över. Hirvonens skrattretande pipskägg skälvde precis i höjd med min hand, jag högg tag i det och drog hans ansikte nästan intill mina bröst.

"Sätt i gång och berätta! Fattar du inte, Hirvonen, att bara förlorare håller på Ström. Han kommer inte att bli rotelchef, utan jag. Och om inte förr så sitter du i klistret då, om du inte snackar nu!"

Uppenbarligen förvirrades Hirvonen så fullständigt av motsättningen mellan mitt hotfulla beteende och min ömt moderliga karaktär att han började berätta, och när orden tog slut tog han dessutom hjälp av ett papper. Det handlade om en liten skogsplätt bredvid Västerleden som låg under anslutningen till Ringväg II där man som bäst höll på att bygga till en ny ramp. Där fanns en tillfällig busshållplats, och det var där mannen hade väntat på sitt förra offer.

Var skridskoskydden fanns nu, det visste inte Hirvonen. Min bästa gissning var nog Pertsas rum. Så jag gick ut i korridoren igen och bad sekreteraren att öppna dörren till Pertsas och Lähdes rum.

"Ström lovade att lämna en rapport på sitt bord åt mig, men han har väl låst dörren av misstag", ljög jag. Sekreteraren var inte förvånad, för andras arbetsrum var inte förbjudet område. Större delen av oss brydde sig inte ens om att låsa dörren under tiden vi var borta.

Lähde och Ström var rökare båda två, och fastän rökning var förbjuden i vår korridor sedan den nya lagen trädde i kraft bolmade herrarna genom en ömsesidig överenskommelse på sitt rum. Eftersom båda var nöjda med arrangemanget iddes ingen av de andra tjata om saken, fastän röken ofta smet ut i korridoren när man öppnade dörren. Rotelns övriga bolmare gick hellre och tog ett bloss i kollegornas rum än gjorde sig besvär att gå till kyffet två trappor ner. Lagens väktare var även i det här fallet de första att bryta mot lagen de upprätthöll.

Också nu var luften blåaktig och tjock. En skärm delade rummet i två delar, i Lähdes del rådde ett fröjdefullt kaos, men i Pertsas del låg papperen åtminstone skenbart i ordning i sina lådor. Inkommande, utgående, icke avslutade. Ett par hopknölade cigarettpaket bröt åtminstone av prydligheten, och askkoppen hade heller inte tömts på ett bra tag. På skärmen hade en karta över Esbo satts upp, de blå knapparna vid Mattby angav säkert var förgriparen slagit till. Bredvid kartan log Pertsas barn Jenna och Jani, som var i skolåldern, Pertsa klagade över att han såg dem alltför sällan.

Skrivbordslådan skulle vara ett naturligt gömställe för föremål av skridskoskyddens storlek. Jag drog på mig de tunna plasthandskarna jag tagit med mig och satte i gång. Jag fick en underlig skuldkänsla när jag rotade i Pertsas lådor, fastän det var han som var boven i dramat. I övre lådan fanns bara papper och ett par oöppnade cigarettpaket, uppenbarligen Pertsas reservförråd. Nästa låda var tom, i den tredje låg ett par strumpor som verkade smutsiga och en brun högerhandske i skinn som gått sönder vid pekfingret.

I den nedersta lådan fanns en bullig påse från Alko där det när jag först kände efter tycktes ligga en spritflaska. Helskotta, Pertsa hade väl inte nedlåtit sig till att börja kröka på jobbet! Jag drog snabbt fram kassen. Flaskan visade sig vara en tom halvliters Koskenkorva. Men det intresserade mig inte längre, för det låg något annat i påsen också.

Ett par gråa, repiga plastskydd med bleknade, mörka fläckar, som om någon försökt rengöra dem. I fästet på den ena kunde man tydligt urskilja initialerna N.N. Det måste vara Nooras skydd.

Men hur hade de hamnat på byggplatsen vid Mattbykorsningen? Och varför i hela friden hade Pertsa inte kastat bort dem om han nu ville dölja deras förekomst?

I detsamma smällde det i dörren. Jag hann bara resa mig upp mödosamt innan Pertsa stod framför mig.

"Vad gör du här?" frågade han strävt.

"Jag hörde att du hade föremål som hör till min utredning. Jag ville få dem till labbet så fort som möjligt, darfor väntade jag inte på dig", sade jag så kallt jag kunde och visade Pertsa skydden.

Rodnaden började spridas över Pertsas ansikte från den oformliga näsan som han brutit ett par gånger. Därifrån spred den sig till de acneärrade kinderna och den låga grovhyade pannan. Slutligen rodnade de en aning utstående öronen.

223

"Vem var det som skvallrade?" Rösten var bara ett hest väsande, Pertsa hade garanterat lust att flyga på mig och rycka ifrån mig skydden, men han kunde trots allt inte med att göra det.

"Du borde ha fattat att snacket går. Du skulle ha gjort dig av med dem lite snabbare. Nu ska de till Dickursby. De har väl dina fingeravtryck där, så att de kan uteslutas."

Jag trängde mig förbi Pertsa, men när jag redan hunnit till dörren tog han mig i armen. Ögonens färg var som ofiltrerad öl, blicken efterlämnade en besk smak. Jag stirrade tillbaka uppåt, jag var så förbannad att jag inte ens kände smärtan som Pertsas järngrepp säkert orsakade.

"Och i morgon vet hela stationen om det, eller?" Pertsas röst hade en underlig ton. Helvete, karln var ju rädd! Jag skakade mig loss, smet ut genom dörren och sade ytterst vänligt:

"Fundera på det du, käre kollega."

Koivu kom emot mig i korridoren och jag befallde honom att följa med mig. Först skulle vi ta skydden till Dickursby, jag ville inte släppa dem ifrån mig mer. Det var först när vi blåste fram längs Ringväg III som jag berättade för Koivu var jag fått tag på dem.

"Ojoj", han rullade med sina blåa ögon. "Tänker du berätta för Taskinen?"

"Nej. Han hör det säkerligen från nåt annat håll. Det vore förstås schysstare att berätta själv, men jag orkar inte vara schysst. I det spel som Ström spelar finns det inga regler."

Vi lämnade skydden på Kriminaltekniska laboratoriet. De skulle knappast hitta något avgörande på dem, Pertsa

224

hade ju med flit kunnat förstöra alla spår. Men det lönade sig alltid att försöka. Vi åt hastigt en tallrik soppa på en bensinmack, den gjorde mig sömnig men det fanns inte tid för tupplurar. Tillbaka längs den trista, fula Ringväg III, för jämnan plågad av vägarbeten, mot Västerleden och bygget i Mattbykorsningen. Jag ville själv se platsen där skydden hade gömts. Det skulle kanske säga mig något.

Arbetet vid korsningen stod still, som det nästan alltid tycktes göra, först revs marken upp och lämnades sedan att påminna en om människans dårskap. Antti, som starkt var emot att jorden täcktes av asfalt, jämförde avverkandet av skogen och sprängandet av berg för vägar med mord:

"De dödar landskapet, helt lagligt dessutom. De tror att de är några riktiga hjältar när de viftar med sina sjuarmade spadar."

Landskapet såg också misshandlat ut, man hade borrat sår i berget, gruset som lagts ut som vägunderlag lyste som ett blåmärke vid kanten av skogsdungen. Hirvonen hade ritat en bra karta, jag hittade lätt gömstället. Det var ett ungefär meterhögt flyttblock, under det hade ett utrymme av skostorlek formats. I sådana hål hade jag för vana att under skogsutflykter stuva in bananskal, toalettpapper och annat som förmultnade. Om man kom från ishallen var det naturligt att gena den här vägen till den tillfälliga busshållplatsen. Ingen skulle ha undrat om Nooras mördare hade stannat för att stuva in skydden i hålet.

"Vi går bortåt ishallen, jag måste tänka", föreslog jag.

"Kan man lämna bilen där? Tänk om de flyttar på den

225

som nåt övergivet vrak", sade Koivu och syftade på vår orangerostiga Lada, som borde ha pensionerats redan under förra decenniet.

"Förmannen för garaget skulle bara bli glad om nån snodde den. Titta, ishallen är där och köpcentret där", sade jag och pekade genom buskaget. "Nooras mördare fick kanske panik, dumpade kroppen på första bästa ställe han kom på och blev sen förskräckt när han märkte att skydden blivit kvar hos honom. Han måste känna till Mattby väl, veta varifrån man kommer vart."

Stigen genom videsnåret var lerig, mina tennisskor började kännas våta. Vi gick tyst och försiktigt, en grävmaskin bökade borta vid Västerleden och jag hade ingen lust att skrika över oväsendet. Jag skulle precis vända tillbaka när jag hörde steg på andra sidan om buskaget, sedan en mild mansröst.

"Ursäkta att jag stör, flicka lilla. Kommer du från skolan i Mattby? Fint. Råkade du se min lilla hund där borta, en cockerspanielvalp?"

Jag hörde inte flickans svar, för Koivu och jag hade stelnat till. Man kunde inte riktigt se till andra sidan buskaget. Jag kunde bara urskilja något mörkblått, kanske mannens jacka eller överdelen av en träningsoverall. Underligt att inte våra steg hade hörts genom videsnåret. Trafikbullret hade väl överröstat det.

"Är du säker på att du inte har sett den? Kom och titta på det här fotot ändå. Hon är så söt, min lilla Prinsessa. Hon sprang bort i morse och jag är jätteorolig."

Man kunde inte ta sig igenom buskaget ljudlöst, så Koivu började smyga bakåt för att hitta en öppning. När hans sko lösgjorde sig ur gyttjan gav den ifrån sig ett klafsande ljud, och jag förväntade mig att mannen som lurpassade på andra sidan skulle rusa iväg. Men han var koncentrerad på flickan och fortsatte lirka:

"Vilket vackert hår du har, så mjukt också. Precis som Prinsessas päls. Tycker du om hundar?"

Nu kunde jag höra ett blygt ja och jag kunde också urskilja ett par rosa tennisskor med vita spetsband.

"Du skulle ju kunna hjälpa farbror att leta efter hunden."

Mannens röst var nu ännu ljusare och mildare.

"Jag borde nog gå hem."

"Gå inte än. Låt mig få smeka ditt hår lite grann, det är som Prinsessas päls, och jag längtar jättemycket efter min lilla hund. Var inte rädd, jag ska inte göra dig illa..."

Jag hörde flickans rädda gnällande och orkade inte längre vänta på Koivu, utan pressade mig igenom videsnåret utan att bry mig om kvistarna som piskade mot ansiktet. De som stod på andra sidan av buskaget stelnade till. En tanig liten man höll en tanig liten flicka i axeln, båda stirrade på mig med ögonen uppspärrade av rädsla. Tystnaden bröts av Koivu som brakade dit. Mannen släppte sitt grepp om flickan och rusade iväg. Jag störtade efter och fick fram foten lika snyggt som på fotbollsplanen förr i tiden. Mannen föll pladask i gyttjan och jag dråsade ner över honom med hela min tyngd som ökat under graviditeten.

"Från polisen", meddelade jag för säkerhets skull, jag ryckte mannens armar bakåt och hoppades att Koivu hade med sig handklovarna, men det hade han ju inte. Han började lugna flickan, förklara att vi verkligen var poliser och att hon inte behövde oroa sig.

227

"Ta upp mobilen ur min ficka och ring efter en pa-trull", stönade jag. Mannen gnydde under mig, en ynklig liten antastare. Fastän sådana här ensamma vrickade ty-per fick mycket uppmärksamhet i pressen fanns de stora förövarna någon annanstans. De som hade råd att flyga till fjärran länder ett par gånger om året och köpa ett barn eller två för en veckas bruk, de som beskyddade sina likar på toppen av hierarkin. Det var dem jag verkligen hatade.

Koivu klev fram till oss och tillsammans slet vi upp mannen ur gyttjan. Hans ansikte såg inte bekant ut, det var litet och kantigt, underligt anonymt. Hundfotot hade ramlat ner på marken. En brunfläckig spanielvalp stirra-de med stora, fuktiga ögon. Undrar om det verkligen var mannens egen hund? Flickan stod fortfarande handfal-len, den rosa och lilafärgade jackan var halvöppen, en blommig skolväska låg vid hennes fötter. Jag frågade efter hennes namn och adress, men hon fick inte ur sig ett ord. Många skulle säga att hon haft tur som kom undan med blotta förskräckelsen, men hur länge skulle den förfölja henne?

Det kändes som en evighet innan patrullen anlände, fastän klockan påstod att bara sex minuter hade gått. Koivu höll fast mannen som såg minst lika skrämd ut som flickan, som till slut presenterat sig som Laura, och han gnällde till ömkligt när Akkila från patrullen fäste handklovarna hårdhänt runt handlederna.

"Ta honom till stationen och meddela kommissarie Ström att småflicksförgriparen som han letat efter tydli-gen har hittats", sade jag. Koivu och jag skulle ta Laura till mammans arbetsplats i Hagalund dit hon varit på väg efter skolan.

"Ska de ta honom till fängelset nu?" frågade Laura blygt när jag spände fast säkerhetsbältet åt henne i baksätet på Ladaskrället.

"Ja, och för en lång tid. Han har gjort mycket annat dåligt också", sade jag tröstande. Laura uppvisade åtminstone inga yttre skador, men kanske var det bäst att ta henne till vårdcentralen så snart vi hittat mamman. Hon jobbade på ett av de två apoteken i Hagalund och blev förfärad när hon fick höra vad som hade hänt. Mannen som förgripit sig på småflickor hade varit en allmän rädsla och ett allmänt samtalsämne i Mattbyområdet, och nu beskyllde Lauras mamma sig själv för att hon låtit flickan gå ensam efter skolan. Vi tog Laura och hennes mamma till vårdcentralen, särskilt mamman verkade vara i behov av något lugnande. Pertsa skulle komma och förhöra dem inom de närmaste dagarna.

Jag förstod mycket väl mammans förskräckelse. I Finland kunde man nog låta barnen gå till skolan själva, den största faran ansågs vara att de skulle bli överkörda. Och hur skulle en arbetande förälder sköta skjutsandet av barnen till och från skolan, måste man anställa någon att ta hand om det? Och med vilka pengar? Det upprepade Lauras mamma, var väl rädd för att hon skulle beskyllas för att ha försummat sin åttaåring.

"Är du nöjd nu?" frågade Koivu när vi slutligen styrde mot stationen.

"För att vi tog antastaren och inte Pertsa? Jag vet inte. Jag känner mig bara tom."

Koivu flinade åt mitt bildliga uttryck, jag med min runda mage kunde väl inte känna mig tom. Men jag kände ingen segerglädje. Att vi råkat vara där var bara rena turen, och inte alls tack vare mitt och Koivus lysande polisarbete. Vem skulle man tacka för att antastaren åkte fast, Lauras skyddsängel?

"Vi åker inte till jobbet än, vi sticker till skogen i Krokudden", föreslog jag. "Vi hann ju inte beundra landskapet ordentligt."

Koivu ryckte på axlarna, svängde sedan upp på rampen i Mattbykorsningen. En välbekant vit skåpbil med gröna bokstäver från Tommy's Gym svängde in framför oss. Jag hade under dagens stress nästan hunnit glömma gårdagens malörer på gymmet. Undrar vem det var som styrde bilen, Liikanen eller Grigorieva, var de på väg till ishallen?

"Kör upp bredvid den", sade jag till Koivu när skåpbilen hade lagt sig i körfältet som svängde in till bensinstationen och stannade för att invänta grönt ljus. Elena Grigorieva satt bakom ratten, dottern Irina bredvid henne. De tittade inte ner på vår Lada, utan pratade hetsigt med varandra, Irina ruskade på huvudet och Elena viftade intensivt. Sedan slog ljuset om och de svängde in till bensinstationen, uppenbarligen för att tanka.

"Kör efter, jag har några frågor om skydden."

Vi svängde in bredvid dem på bensinstationen, Grigorieva höll som bäst på att tanka bilen ur automatpumpen, det tycktes gå långsamt och hon verkade avsky lukten.

"God dag, fru Grigorieva", sade jag käckt, fastän jag inte riktigt visste hur jag skulle tilltala henne. Fru Grigorieva lät på något sätt nedvärderande, som om hon inte hade varit en av världens främsta konståkartränare. När Grigorieva hörde min röst ryckte hon till så att hon nästan tappade slangen till bensinpumpen, och stinkande vätska skvimpade ner på marken och på hennes vänstra sko.

"Herregud, vad ni skräms!"

"Ursäkta. Jag ville bara fråga om en sak. Var det ni som sa åt Noora att ta aptitnedsättande medel?"

"Vad i hela friden?" Elena Grigorieva satte tillbaka bensinslangen i pumpen, grävde upp en bit papper ur fickan och genom att skydda händerna med det skruvade hon tillbaka bensinlocket. Sedan vände hon sig mot mig med ett underligt uttryck i ansiktet.

"Vad pratar ni egentligen om? Jag har inte ens hört talas om någon medicin! Noora behövde ju inget sånt!"

"Precis, men det fanns fentermin i hennes urin, det används för att minska aptiten. Och det är ett dopningspreparat."

"Dopningspreparat! Jag skulle ha dödat Noora om hon hade…"

Grigorieva insåg för sent vad som slunkit över hennes läppar. En hand flög upp över munnen som för att ta tillbaka orden. Var det så det hade gått till? Elena hade fått höra talas om Nooras experimenterande med mediciner och de hade grälat om saken? Men jag visste ju hur lätt något sådant kom över ens läppar, utan att man för den skull menade något med det.

"Ni skulle ha dödat Noora om ni vetat att hon riskerade sin idrottskarriär med dopning", sade jag trevande.

Elena Grigorieva svarade inte, sneglade mot bilfönstret där hennes dotter stirrade på oss med en förbryllad min.

"Men jag kände inte till det! Jag svär! Jag skulle garanterat ha tagit tag i det." Grigorieva lyfte handen mot dörrhandtaget, men fortsatte sedan prata: "Var det ni som fastnade på Tomis gym i går?" frågade hon och försökte tydligt byta samtalsämne.

"Ja, det var jag."

"Den där låsanordningen har ställt till med problem tidigare också!" När Grigorieva blev upphetsad blev den ryska accenten tydligare, l:en blev mjuka och s:en väste och susade, men ändå var hennes finska utomordentlig.

"Tomi får allt lov att laga låset, han får väl låna pengar! Annars kan ju vad som helst hända!"

Elena Grigorievas oro verkade äkta, men upprördheten på något sätt underlig. Även om jag tyckte att jag hade kontrollerat gymmet noga kändes det som om jag missat något. Men vad?

Grigorieva utbrast att hon måste åka och hoppade in i skåpbilen. Vi fortsatte mot Krokudden, men vi hann aldrig fram för min telefon ringde.

På skolan i Kvisbacka hade man haffat en ung man på skolgården som försökte sälja hasch till eleverna, en gammal bekant till mig som släppts ut ur fängelset för ett par veckor sedan. Man ville ha mig att förhöra honom, för anhållandet av förstagångsförbrytaren Tirkkonen var bland det första jag skött när jag kom till Esbopolisen. Den gången hade knarkhandeln även varit förenad med en brutal misshandel. Men som ung brottsling hade Tirkkonen bara fått ett halvårs fängelse, och när han satt på Sörkka hade han garanterat haft tid att knyta bekantskap med nya langare. Jag kunde inte längre tro att fängelset hjälpte. Tirkkonen hade åtminstone inte lärt sig att bli en samvetsgrann medborgare av det. Det hade väl knappast pedofilen i Mattby heller gjort, och knappast den som hade tagit livet av Noora.

Men fanns det något bättre system? Jag orkade inte tänka på det, utan stack iväg för att skicka ännu en bakom lås och bom i några månader.

11

"Vi går ut och äter", föreslog jag Antti nästan genast när jag kommit hem. Einstein puffade förväntansfullt på mina fötter, han hade luktat sig till laxpaketet i matkassen jag hade med mig och ville få sin andel. Av allt kött och fisk som åts i familjen betalade vi en kattaxa till Einstein, ungefär en tiondel av totalvikten. Jag hyschade kissen lite åt sidan och lade laxen i frysen.

"Ut och äta? Varför inte, du jobbade ju hela helgen. Hade du tänkt dig nåt särskilt?"

"Jag har bara ätit en tallrik eländig soppa på en bensinmack i dag. Jag känner för tex-mex. De har tydligen goda enchiladas på Fishmaid i Gäddvik."

"Fishmaid? Skulle det vara ett matställe, också? Är inte det mer en supar- och karaokelya?"

"Pihko sa att de har bra mat där, och han är mycket kräsnare än jag. Kom igen nu, snart kommer vi inte ut utan att skaffa barnvakt. Förresten har jag skäl att fira. Jag löste ett av Ströms fall", sade jag och grimaserade surt när jag kom ihåg hur Pertsa hade trängt sig in i förhörsrummet mitt under förhöret med knarklangaren Tirkkonen.

234

"Du är säkert jävligt nöjd!" hade han vrålat innan protokollföraren ens hunnit stänga av bandspelaren.

"Borde du inte säga tack?"

"Ta dig i arslet, Kallio. Snart tror jag ta mig fan att Gud var en kvinna som ni feminister påstår. En sån där tur kan man inte förklara annars."

"Det var tur, Ström. Precis som när du hittade skydden. Försvinn nu, jag är mitt uppe i det här. Vi får prata senare, om du nu vill det."

När jag blivit klar med Tirkkonens förberedande förhör fanns inte Pertsa kvar på stationen. Stationsbefälet trodde att han försvunnit till sin favoritkrog i Olars för att fira att han lyckats pressa fram något slags bekännelse ur mannen som vi gripit. Jag ville inte tänka på Ström, jag visste att den närmaste tiden med honom skulle bli ännu jobbigare än vanligt. Taskinen gick från jobbet samtidigt, han frågade om utredningen av mordet på Noora och gratulerade mig till att ha satt dit förövaren.

"Det viktigaste är att mannen åkt fast, inte vem som råkade få fast honom", sade rotelchefen som för att övertyga sig själv.

"Säg det till Ström också."

"Du hade tydligen blivit inlåst på nåt gym i går? Hur gick det till?"

Jag berättade för Taskinen vad som hänt, frågade lite om Tomi Liikanen också. Han visste inte så mycket om honom, hade träffat honom i förbigående några gånger. Enligt Silja sade Liikanen inte så mycket, men tittade desto mer. I Taskinens röst kunde jag urskilja faderlig irritation.

Min chef hade ännu inte hört talas om käbblet med

skydden, och fastän jag bestämt något annat så berättade jag för honom. Taskinens vanligtvis bleka ansikte blev flammigt av ilska. När hissen stannat trängde han in mig i ett hörn av parkeringshuset och frågade om jag ville att något skulle göras åt saken.

"Ödet tog hand om det åt mig. Vi väntar i alla fall på resultaten från skydden."

Taskinen snurrade eftertänksamt på sin tjocka vigselring.

"Jag hade inte tänkt säga nåt än, men... Det verkar som om det inte finns några särskilda skäl för dig och Ström att tävla i duglighet. Min tjänst blir nog inte ledig."

Jag svalde. Taskinen försökte tydligt dölja sin besvikelse, men rösten var ändå dov och ett par oktaver lägre än vanligt. Jag visste inte riktigt vad jag själv kände. Jag tyckte mycket om Jyrki, det skulle ha varit synd om han blivit en chef man bara träffade några gånger i månaden. Å andra sidan skulle han ha varit bra på det jobbet, och självklart törstade också jag efter en befordran.

"Jaha?"

"Nån brottsutredare från Åbo, en gammal bekant till polismästaren, har anmält sitt intresse för tjänsten. Det är klart att de vill ha en som under inga omständigheter skulle börja utreda sina företrädares oegentligheter, det är de ju så förbannat rädda för", sade Taskinen. Jag hade aldrig hört honom svära tidigare, vår rotelchef var en väldigt behärskad man.

"Så jag och Ström blir kvar på våra gamla befattningar, du blir mammaledig och kommer förhoppningsvis snart tillbaka", fortsatte Taskinen.

"Varför skulle jag inte komma tillbaka?" Jag öppnade

bildörren, daskade Taskinen kamratligt i ryggen som av-
sked. På hemvägen upptäckte jag att jag var vrålhungrig.
Så blev det ofta när man gjort något som ökade adrenali-
net, som om jag skulle gjort av med fyra gånger så myck-
et kalorier när jag lurpassade på antastaren. Det var där-
för jag föreslog Antti att vi skulle gå ut och äta.

Vid sjutiden satt vi på Fishmaid i Gäddvik med meny-
erna framför oss. Restaurangen hade öppnat under det
namnet i början av vintern, men tidigare hade det i sam-
ma fastighet funnits åtminstone en kinarestaurang, en
pizzeria och en ölkrog. Fishmaid var väl något slags tex-
mex-karaokepub, på fredagarna hade de levande musik.
Vesku Teräsvuori höll karaokekvällar från tisdag till tors-
dag, från sex till elva enligt annonsen. Nu var den stora
restaurangsalen nästan öde, en skiva spelade vemodig
finsk humppa. Jag kände för stark mat, trots att jag visste
att det skulle ge mig en våldsam halsbränna. Före gravi-
diteten hade jag inte ens vetat vad halsbränna var för nå-
got, nu var det en daglig besökare. Det var intressant att
se vilka nya saker jag skulle hitta i min kropp fram till
dess att babyn hade trängt sig ut.

Jag tog risken och beställde en vegetarisk enchilada,
Antti nöjde sig med tacos. Först när vi fått ölen framför
oss, Antti en Soli och jag en alkoholfri, berättade jag vad
jag hört om Taskinens befordran.

"Jaha. Trist. Så jag får inte leva på en kommissaries in-
komst", grimaserade Antti. Han var på ovanligt bra hu-
mör, för han hade rättat de sista tentorna i dag och efter
att ha tagit hand om några räkneövningar som blivit lig-
gande hade han flera månader framför sig av skön, lugn
forskningstid. Vi pratade om ditten och datten, planerade

semestern. Jag skulle ha velat segla, men det var väl inte att rekommendera för en höggravid kvinna.

"Vi håller oss till Ekenäs farvatten, så kan vi åka in där och föda vid behov", föreslog Antti.

"Jag har funderat på att vi kunde åka dit ändå. Jag är inte rädd för förlossningen", skrattade jag kanske lite för kaxigt. "Men du kommer väl ihåg hur det var där när vi hälsade på Jensens. Trivsamt på något sätt och inte så sjukhusaktigt. Och Eva sa att de inte körde med en där."

"Du tänker inte ens låta dig köras med av barnmorskan, eller? Kolla, det finns karaoke här också. Vesku håller i det… Är det samma kärva typ som på Jyris svensexa?"

"Ja", sade jag snabbt för att Antti inte skulle inse att Vesku också var samme man som jag utredde. "Borde man inte på pin kiv kliva upp och sjunga? Undrar om de har *Polisen slår med batongen igen*? Eller Popedas *Gasa, kommissarie Peppone*."

Men Antti var inte så lättlurad.

"Var det inte nån karaoketyp som hade trakasserat Noora Nieminen också? Var det därför vi kom hit, Maria? Du ville jobba och inte tillbringa kvällen med mig!"

Anttis goda humör hade på ett ögonblick gått över i ilska. Vi hade haft samma diskussion alltför många gånger, grälat om vad som var ett lämpligt förhållande mellan jobb och privatliv. Antti tog ju också hem jobb emellanåt, särskilt när han hade försökt bli färdig med sin avhandling hade han suttit framför datorn hela nätterna. Men eftersom jag inte förstod ett dugg av de matematiska kategoriteorier han undersökte pratade han inte särskilt mycket om dem. Jag berättade ju inte heller så mycket

238

om mitt jobb, men ibland gav jag utlopp för dagens stress och Ströms samlade djävulskaper inför Antti. Polisjobbet var så fruktansvärt annorlunda mot en matematikers, fastän vi båda löste oförutsägbara ekvationer. Men Antti hade aldrig lärt sig att acceptera inslaget av fara som ingick i mitt jobb, därför hade jag förskönande berättat för honom om såväl gårdagens äventyr på gymmet som tillfångatagandet av barnantastaren i dag.

"Jag kan bara inte sluta tänka på Vesku Teräsvuoris vattentäta alibi", erkände jag lite skamset för Antti. Han hade självklart rätt att bli sårad över att jag inte bara koncentrerade mig på honom, fastän jag påstod det. "I själva verket skulle du kunna göra mig en tjänst. Fråga vid bardisken när karaoken börjar."

"Gör det själv. Servitrisen kommer med maten nu", fnös Antti.

Servitrisen berättade att Teräsvuori skulle dra i gång karaoken så fort det dök upp villiga sångare. Ville vi kanske...

Antti grimaserade besvärat, jag sade att inte alls. Teräsvuori väntade tydligen i något av de bakre rummen på att det skulle dyka upp villiga sångare. I princip började han jobba klockan sex, men tänk om han ändå skulle ha lyckats smita iväg från Fishmaid i onsdags? Det var väl inte helt omöjligt. Man kunde ju till exempel påstå att magen inte var i form och låtsas bli fast på toaletten.

Enchiladan var stark och mättande, jag slukade den på rekordtid, och sedan kändes det som om jag haft trillingar i magen. Jag hade tänkt gå och se mig omkring lite och ta reda på var Teräsvuori egentligen höll till, när jag upptäckte en bekant lådformad gestalt vid dörren. Var Tomi

239

Liikanen intresserad av karaoke?

Liikanen gick rakt fram till bardisken, frågade något och försvann sedan in genom köksdörren. Det verkade som om han kände restaurangens personal väl. Inte gick han väl för att leta efter Vesku Teräsvuori? Men i så fall varför?

Efter en stund kom Liikanen och Teräsvuori ut från köket och satte sig vid ett hörnbord. Jag vände på stolen så att de inte skulle känna igen mig och grävde fram sminkväskan. Genom spegeln i puderdosan kunde jag åtminstone på något sätt försöka smygtitta på vad de gjorde. Jag låtsades torka bort utsmetad mascara, fast det var väl ingen som fäste någon uppmärksamhet vid vad jag gjorde. Antti gav mig en förbryllad blick, men ryckte sedan på axlarna. Han hade tydligen underkastat sig rollen som make till en brottsutredare och att han alltid hamnade på andra plats.

Tomi Liikanen såg ut att dricka kaffe, Teräsvuori drack en öl. De verkade diskutera häftigt, åtminstone om man kunde dra några slutsatser av Teräsvuoris viftanden. Liikanen satt i sin tur stelt på sin plats, skakade bara på huvudet då och då.

Undrar hur de egentligen kände varandra? Underligt att inte Hanna Nieminen nämnt Teräsvuoris och Elenas mans bekantskap. Eller kände hon inte till den? Varför hade den då hemlighållits? Hade männen lärt känna varandra först efter det att Teräsvuori börjat plåga familjen Nieminen?

Jag kände mig plötsligt alldeles villrådig. I spegeln såg jag att servitrisen gick bort för att säga något till Teräsvuori och han gick bort mot karaokemikrofonen. Den

240

första villiga sångaren hade tydligen dykt upp på scen. Liikanen satt kvar vid bordet, efter en stund grävde han fram mobilen ur fickan och började snacka. Jag var extremt kissnödig. Var låg damrummet, tro, kunde man ta sig dit från vårt bord utan att Liikanen och Teräsvuori skulle märka något? Mitt behov av att fly ökade när en spänd och gäll kvinnoröst började pipa fram Miljoner rosor i mikrofonen.

Jag bestämde mig för att smita ut i hallen, där låg ju toaletterna för det mesta och för en gångs skull hade jag tur. Jag steg lättad in genom dörren och fick använda en hel del akrobatik innan jag lyckades tränga mig in genom båsdörren, som öppnades inåt. Jag kände mig tjock och klumpig, och som om jag hade ett russin i stället för hjärna. Betydde det något att Teräsvuori och Liikanen kände varandra?

Efter att jag slingrat mig ut ur toalettbåset och pudrat näsan, där de första fräknarna till slut hade dykt upp trots bristen på sol, smet jag ut ur restaurangen för att leta efter en annan ingång. Fishmaid låg i en kantig u-formad byggnad, i andra änden låg en revisionsbyrå och en städfirma. Ingången till restaurangen låg på yttersidan av urets tvärlinje. Jag gick runt till innergården som bara lystes upp av en ensam lampa som gungade i vinden. Asfalten glänste våt som under en höstkväll, vinden kastade omkring en trasig plastpåse på gården, tog sedan tag i mitt hår och slungade fram det över ögonen, trängde igenom min tunna skjorta som om den inte ens hört talas om att majvinden skulle vara ömt smekande. Jag sparkade på en ölburk som redan innan var i ett sådant skick att den inte skulle duga åt en enda återvinningsautomat.

Ljusen från restaurangköket bildade en halvmåne på lastbryggan. Det måste alltså finnas en dörr där... Vilka var det nu Pihko hade förhört? Jag måste kontrollera hans rapport direkt morgonen därpå. Jag misstänkte allt starkare att Teräsvuoris alibi inte var så vattentätt som vi först trott.

Vad var det Hanna Nieminen hade sagt om Teräsvuori och utpressning? Tänk om Teräsvuori utövade utpressning mot Tomi Liikanen? Jag ryckte till när dörren till lastbryggan öppnades, någon körde ut en tom ölback, sedan ännu en. Jag gömde mig bakom en buske ifall det skulle vara Teräsvuori. I detsamma hördes röster från lastbryggan:

"Vad i helvete kommer du hit för, vi har ju bestämt att vi inte ska synas tillsammans!" Rösten var upprörd, men försökte ändå hålla sig dämpad.

"Dina pengar är försenade! Och det tär på nerverna att snuten snokar omkring och frågar om mordet på Noora. Det kom också ganska oläpligt."

"Var det du som gjorde det?" den upprörda rösten förvandlades med ens och blev lekfull. "Ställde flickan till problem för dig?"

"Det är du som är huvudmisstänkt!" Rösten som uppenbarligen tillhörde Tomi Liikanen drunknade i Teräsvuoris skratt.

"Jag har alibi. Härifrån kommer man ju ingenstans när all världens obegåvningar propsar på att sjunga. Är du själv fläckfri, eller frugan? Hetsa inte upp dig nu, jag skämtar bara! Vi båda kan nog gissa oss till vem som tog livet av Noora – och varför. Eller hur? Oroa dig inte, du får dina pengar i övermorgon. Stick nu, ta bakvägen. Jag måste tillbaka till jobbet!"

242

Jag försökte pressa mig längre in i busken när Tomi Liikanen tungt lufsade förbi mig. Han skulle ändå inte ha märkt något, för han hade ett inåtvänt uttryck i ögonen, han mumlade för sig själv, jag lyckades inte urskilja språket. Vilka pengar? Ett ögonblick önskade jag nästan att jag aldrig kommit till Fishmaid, för kvällen hade rört till det ännu mer i huvudet på mig. Det skulle ha varit mer logiskt om Teräsvuori skulle ha tiggt pengar av Liikanen än tvärtom.

Slutligen gick jag runt byggnaden tillbaka mot huvudingången. I hörnet mötte jag Antti.

"Maria! Var sjutton blev du av? Jag trodde att det hade hänt nåt!"

"Cigarettröken gjorde mig lite yr, jag tänkte ta lite frisk luft", ljög jag.

"Yr? Du? Vad håller du egentligen på med?"

När jag inte svarade berättade Antti att han betalat notan och räckte över min jacka med ett sårat ansiktsuttryck. Kvällen var helt tydligt misslyckad. Någon öppnade restaurangdörren, inifrån ljöd en haltande tenorröst, någon försökte härma Juice Leskinens näs-sound:

"I din famn kryper jag in, och om jag får stannar jag i natt..."

Jag kände mig långt borta från Antti, fastan han bara gick en halvmeter ifrån mig. Vi packade utan ett ljud in oss i bilen och i backspegeln såg jag hur den vita skåpbilen från Tommy's Gym svängde ut från restaurangen. Kanske försökte jag förgäves passa ihop människor jag mött och berättelser jag hört till ett pussel, och trodde att sanningen om Nooras död skulle finnas på en färdig bild. Kanske var bitarnas slumpmässiga ordning som verkade

243

helt vansinnig den rätta, kanske handlade det om ett stereogram. Under ytan skulle en ny, tredimensionell bild stiga fram om jag bara kunde rikta in blicken rätt.

Jag hade planerat att jag skulle rota i sambandet mellan Liikanen och Teräsvuori direkt på onsdag morgon, men det blev inte av. På bordet väntade en kallelse till Tirkkonens häktningsförhandling klockan tio. Även om det var ett rent rutinärende gick resten av förmiddagen till spillo genom fortsatta förhör efter ett misshandelsfall som hänt för två veckor sedan och som jag totalt glömt bort på grund av mordet på Noora. Efter att snabbt ha slängt i mig en portion fiskbullar var det dags att åka till mödravårdscentralen i Olars.

Rutinerna hade allt eftersom blivit bekanta: urinprov, vikten, babyns hjärtljud... Dånet som hördes genom ultraljudsapparaten var som ett fönster som öppnats till livmodern, fast ändå osynligt. Jag kunde känna babyns rörelser inuti mig, jag kunde höra ljuden från hjärtat som var litet som en mansnagel, babyn var så nära mig som en annan människa kan vara, och ändå främmande, fortfarande ansiktslös.

"Ditt blodtryck är lite högt", konstaterade distriktssköterskan. "Har det hänt nåt särskilt de senaste dagarna?"

Jag tänkte på händelsen på gymmet och jakten i går, jag funderade på om jag kunde berätta det. Distriktssköterskan var några år yngre än jag, utomordentligt förståndig, och såg inte alls graviditet som en sjukdom.

"Det är några jobb som stressar som jag borde få klart före semestern", sade jag undvikande.

"Om blodtrycket inte normaliseras får vi sjukskriva dig", sade sköterskan. Fastän rösten var vänlig lät det som ett hot. "Kom hit på måndag, så kollar vi om situationen har förbättrats. Passar det klockan åtta?"

Jag sade att det gjorde det, vid den tiden på morgonen fungerade inte min hjärna fullt ut ännu. Jag hade dåligt samvete för att jag inte alls åkte hem för att vila, utan bestämde mig för att fortsätta jobba. Jag borde kanske ha betett mig lite mer ansvarsfullt, för det handlade inte bara om mig, men jag trodde inte att mitt blodtryck skulle sjunka av att ligga ner. Jag skulle ändå bara grubbla över ogjorda jobb.

Jag var ganska nära både Tommy's Gym och Liikanens och Grigorievas bostad. Var det någon vits med att titta in i Kvisbacka? Jag bestämde mig för att pröva min lycka, alltid kunde man ju hitta på något om Noora eller inlåsningen på gymmet.

Irina Grigorieva öppnade dörren. Det var tydligt att hon fortfarande var ett barn, utan höfter och bröst, kort för sin ålder, hon hade en ballerinas min som samtidigt var strängt koncentrerad och drömmande.

"Mamma är hemma", svarade hon på min fråga. Undrar hur det hade känts för Irina att byta hemland vid sju års ålder, gå till skolan fastän hon inte kunde språket och inte behärskade de finländska barnens sociala mönster?

"Ni? Vad är det nu då?" Elena Grigorieva hade dykt upp vid köksdörren. Hon torkade händerna på en handduk "Jag har inte så mycket tid, nybörjarträningen börjar kvart över tre."

Grigorievas ansiktsdrag såg ännu skarpare ut än tidigare, den stora näsan kastade skuggor över de höga kindknotorna och fick henne att se exotisk ut. Jag bestämde

245

mig för att inte tassa runt, utan gå rakt på sak:

"Ni berättade inte att er man känner Vesku Teräsvuori."

Det blixtrade till i Grigorievas ögon, men sedan lyckades hon behärska sig.

"Känner vem då?"

"Sluta spela teater, ni vet mycket väl vem Vesku Teräsvuori är. Mannen som har trakasserat familjen Nieminen."

"Jaså han! Hur har ni fått för er att han skulle vara bekant med Tomi?"

Jag svarade inte, stirrade bara stint på Grigorieva, som vred diskhandduken i händerna.

"Jag känner ju inte alla Tomis bekanta! Han har sitt liv och jag har mitt."

Jag fortsatte bara stirra. Grigorieva förstod förstås att jag insåg att de självklart hade diskuterat såväl Hanna Nieminens flytt som Teräsvuoris trakasserier. Jag trodde inte för ett ögonblick att Liikanens och Teräsvuoris bekantskap kunde vara hemlig för Elena – om inte Tomi med flit velat hemlighålla den.

"Var lärde ni känna er nuvarande man?" frågade jag. Det gjorde ont i ryggen, jag lutade mig mot ytterdörren och önskade att jag kunde få sitta ner, men Elena Grigorieva gjorde inget tecken till att vilja bjuda in mig.

"Tomi? I Moskva. Anton levde fortfarande då, min förste make. Han lärde känna Tomi på nån fest. Tomi byggde ett nytt gym till vår ishall. Då fanns det fortfarande statliga pengar till sånt, nu finns det knappast ens is som duger att åka skridsko på där borta…" Grigorieva såg på diskhandduken som om hon undrade

246

vad den gjorde i hennes hand och kastade sedan in den i köket.

"Har ni några fler frågor? Jag måste åka snart."

"Ni berättade inte hur ni själv träffade Tomi."

"Polis eller milis, alltid samma sak! Inget annat har nån betydelse när de vill ställa frågor!" utbrast Grigorieva. Jag kom att tänka på hur hon första gången vi träffades hade förundrat sig över att jag städade upp, "hemma i Moskva" stökade milisen för det mesta bara till.

"Trakasserade milisen er under Sovjettiden?"

"Milisen! Det var KGB. Vi var förstås ofta och tävlade utomlands. Vi hade för många amerikanska bekanta. De misstänkte att vi skulle hoppa av så fort vi fick chansen." Elena sneglade oroligt mot dörren som Irina försvunnit genom. "Men vi visste ju att våra familjers liv skulle ha blivit ett helvete efter det."

"Er förste man dog i en bilolycka... Blev han överkörd?"

Grigorieva nickade, visade sedan oväntat mot vardagsrummet.

"Ni är ensam. Det här är alltså inget riktigt förhör. Kom och sätt er. Vill ni ha te? Jag tänkte dricka en kopp innan jag åker."

"Tack, gärna." Min rygg tycktes ytterligt tacksam när jag satte mig ner i den hårt stoppade fåtöljen. Jag hade inte riktigt funderat över vad jag skulle fråga Elena Grigorieva, utan jag lät henne leda samtalet. Hon dök upp i rummet med en utsmyckad bricka och kanna som båda såg ut att vara äkta silver och räckte mig ett teglas, vars öra också tycktes vara av silver. En sked hallonsylt flöt omkring i det kådbruna teet.

247

Elena satte sig i den andra fåtöljen i rummet och rörde om i sitt te.

"Anton blev överkörd när han var på väg hem från ett möte en natt. Han fortsatte inte som tränare, hade tydligen fått nog av skridskoåkningen, men han jobbade på idrottsministeriet."

"Hur länge sen är det?"

"Det blir fem år i augusti. Det hände strax innan generalernas statskuppsförsök."

"Fick man fast den som körde på honom?"

Elena Grigorieva suckade. Ingen hade ens erkänt att de sett händelsen, fastän det hade hänt på en relativt livligt trafikerad gata, dock nattetid. Milisen hade lämnat utredningen därhän innan det ens hade gått en månad. Men Elena hade hört alla möjliga antydningar om såväl KGB som om några interna härvor på idrottsministeriet, men hon hade inte vetat vilken teori hon skulle tro på.

"Tomi kom till Antons begravning. Redan då erbjöd han sig att gifta sig med mig, så att jag kunde komma ut ur landet. Sedan kom statskuppsförsöket och förhållandena i ishallarna började bli sämre. Det fanns inga pengar till löner, ingen ordentlig is."

Fastän Elena Grigorieva inte sade det rätt ut, verkade det som om hon inte gift sig med Tomi Liikanen av en allt uppslukande kärlek, utan snarare av längtan efter trygghet. En trea i Kvisbacka verkade inte som någon lyxlägenhet, kanske hade det heller inte varit fråga om enbart ekonomisk vinning. Men varför hade Anton Grigorieva fått mördare efter sig, och vad hade Tomi Liikanen med saken att göra?

248

"Så din förste och din nuvarande make var alltså goda vänner?"

"Vänner? Jag antar det. Anton hade lätt för att lära känna nya människor, han var den typen. Några finländare kände han egentligen inte innan dess, ni hade inte direkt några konståkare på internationell nivå under vår storhetstid, Rami Luoto var egentligen den enda. Anton började till och med lära sig finska, och jag tillsammans med honom."

"Ni pratar ofattbart bra finska."

"Jag är tvungen. Jag tränar tioåringar också, de pratar inte engelska ännu. Förresten, om Nooras medicin... Vet ni nåt mer om den? Var fick hon den ifrån?"

Jag skakade på huvudet och tog en klunk till av mitt te. Den starka smaken trängde på ett underligt sätt från halsen och upp i näsan. Misstankarna snurrade runt i huvudet. Fanns det inte för många kopplingar till Ryssland i det här fallet? Paret Grigoriev, Tomi Liikanen och Kauko Nieminens firma som i huvudsak sysslade med transporter till Ryssland? I vintras hade Helsingforspolisen löst ett fall av heroinsmuggling, kuriren hade varit en tränare för ett elitbasketlag som ideligen åkte mellan Riga och Helsingfors. Han hade en gång i tiden spelat i basketlandslaget i Sovjetunionen och berättat att under den Store och Mäktiges tid hade idrottare som kunde röra sig fritt utomlands använts som kurirer av än knark, än svarta pengar. Tänk om paret Grigorieva också hörde till dem? Men det var ju nästan femton år sedan deras storhetstid. Idrottsministeriets tjänsteman Anton Grigoriev hade kanske organiserat någon svarthandel och lärt känna Tomi Liikanen just i de affärerna...

Och Noora hade fått reda på något som varit så farligt att hon måste dö. Men det betydde ju att Tomi Liikanen också var inblandad i Anton Grigorievs död. Skulle Liikanen ha gift sig med kvinnan vars man han tagit livet av? Eller hade Elena Grigorieva också varit med i planen?

Och om Tomi Liikanen var inblandad i Nooras och Grigorievs död hade det inte heller varit en olyckshändelse att jag blivit inlåst på gymmet...

I detsamma kom Irina som var klädd i ytterkläder in i vardagsrummet och frågade sin mamma något på ryska.

"Da da, Irinotska, idjom... Vi måste verkligen åka nu."

Jag tömde teglaset och reste mig upp ur stolen. Jag längtade väldigt efter en samtalspartner som jag tillsammans med kunde gå igenom svärmen av tankar som kretsade inom mig. Det var väl bäst att åka tillbaka till stationen. Jag hoppades att Jyrki var där, jag ville prata med honom, och också med Silja Taskinen.

"Ska Silja träna i dag?" frågade jag Elena Grigorieva i trappuppgången.

"Klockan fem. Om ni vill prata med henne så kom inte och stör under träningen. Kanadaresan närmar sig och vi behöver all isträning vi kan få. Livet måste gå vidare även om Noora är död."

Kanske hade Grigorieva tänkt likadant efter sin mans död. Livet måste gå vidare. Det var tursamt för flera små skridskoåkare att Elena bestämt sig för att fortsätta sitt liv här i Esbo. Och kanske älskade hon verkligen Tomi Liikanen, vad visste jag. Vem var jag att mäta andra människors känslor?

När jag kom till korridoren för vår rotel högg stationsbefälet genast tag i mig.

250

"Var har du varit? Ström har letat efter dig med ljus och lykta."

Jag kom ihåg att jag stängt av mobilen när jag åkte till mödravårdscentralen, jag hade varit rädd att den skulle störa ultraljudsapparaten.

"Han är i förhörsrum tre med Koivu och ditt byte från i går."

"Vad behöver de mig till", muttrade jag för mig själv, slängde in jackan på mitt rum och bytte till andra skor. Ryggvärken plågade mig igen, kanske var det en följd av smällarna i förrgår kväll. Jag satte mig på soffan i mitt rum en stund och i detsamma föll tröttheten över mig som ett mörkt skynke som man kastar över en papegojbur. Jag skulle inte alls ha velat gå och lyssna på Ströms fräsanden, jag skulle inte ha velat träffa den solkiga småflicksjägaren, för honom skulle ställningen som paria i fängelschierarkin vara ett värre straff än frihetsberövandet.

När jag kom till förhörsrumskorridoren stod Koivu vid Cola-automaten.

"Bra att du kom", suckade han. "Det här förhöret är rena helvetet. Just nu svär jag över att jag inte blev exempelvis förskollärare."

"Hurså?" undrade jag. Koivus ångestutbrott var relativt ovanliga, för det mesta fungerade hans sinne för humor även i svåra situationer. Jag misstänkte att det berodde på att han fortfarande efter fem år i yrket lyckats behålla en i viss mån idealistisk syn på polisjobbet. Han inbillade sig väl att vi faktiskt kunde rå på brottslingarna.

"Sitta hela dagen med tre idioter! Ström är helt uppe i varv. Under förra rökpausen sa han att det bästa straffet

251

för den där snubben skulle vara att stänga in honom i en källare och släppa in de antastade flickornas fäder med basebollträn. Sariola, den här smågangstern, bara gråter och kvider. Och advokaten nekar till allt."

"Ta en Cola, det hjälper enligt reklamen. Ta en till mig också", sade jag och stoppade en tia i Koivus näve. Ström kom precis in genom balkongdörren, och hans glänsande ansikte sken inte direkt upp när han fick syn på mig.

"Har du gjort en rapport om gripandet i går?" hojtade han utan att hälsa.

"Har inte hunnit."

"Häktningsförhandlingen är i morgon klockan tre. Den behövs där, och du också."

"Du har väl nog med bevis ändå? Har han erkänt nåt?"

"Han skulle snacka bättre utan advokaten, som hela tiden rör till det som om jag vore den kriminella och inte den där satans underhuggaren!"

"Vad behöver ni mig till då?"

"Ja, vi ska ju börja med konfrontationerna i morgon. De första småflickorna kommer klockan tio. Det vore väl trevligare för dem om nån kvinna var med…"

Jag kunde bara brista i skratt.

"Men Pertsa då! I jämförelse med mig är du ju en riktig barnexpert, du har ju två egna! Jenna är dessutom i samma ålder som de flesta av Sariolas offer. Min baby är fortfarande här." Jag klappade mig på magen. "Så be inte mig om hjälp. Att komma överens med barn har inte med könet att göra. Och alla från socialtjänsten är förstås tanter. Var det nåt mer?"

Jag förundrade mig över Pertsas vilja att ha mig att springa fram och tillbaka, jag hade trott att han efter strulet med skydden skulle hålla sig så långt borta som möjligt. Jag hade nästan hoppats det också. Kanske var det här bara ett försök att få kommendera i sken av att be om hjälp. Men jag tänkte inte dansa efter Pertsas pipa.

Dörren till förhörsrummet öppnades, en halvt bekant advokat, som haft några föreläsningar tillsammans med mig, frågade vresigt Pertsa när förhöret skulle fortsätta. Hans klient klagade över trötthet.

"Fan, jag är också trött", stönade Pertsa till mig och försvann tillbaka in i rummet. Jag ryckte Koivu i ärmen för att fråga om han hade tid i kväll.

"Jag skulle vilja hålla nåt slags idémöte, om det bara passar Taskinen. Vi kunde hämta Silja från träningen och köra hem henne, träningen slutar klockan sju."

"Silja? Då har jag tid… Jag hade tänkt gå till gymmet här på jobbet, men det kan väl vara", flinade Koivu. Jag gick tillbaka till mitt rum och kom överens med Taskinen om saken. Sedan gick jag till damtoaletten och borstade tänderna, jag låste min dörr, drog jackan över mig som täcke och lade mig ner på soffan i arbetsrummet. För en gångs skull hade jag nytta av att jag var kort i rocken, för jag fick gott och väl plats att sträcka ut mig i min fulla längd, som var under polisens standardmått.

Distriktssköterskan hade sagt åt mig att vila, och jag hade inte tid att åka hem. Jag började göra avslappningsövningar. Fastän Varelsen började busa runt när mina rörelser inte längre vaggade den slumrade jag till inom en minut.

12

Jag hällde i mig resten av kamomillteet som fanns i koppen och gungade samtidigt höfterna fram och tillbaka. Jag försökte få den sprattlande babyn i min livmoder att lugna ner sig åtminstone för en stund innan den skulle sparka ut sin högra fot genom mitt bäcken. Varelsen hade tröttnat: klockan var över tio, vi hade stött och blött fallet Noora och dess underliga förvecklingar i tre timmar. Jag började slutligen hitta något slags förnuft i det.

"Det börjar kännas som om det är mycket större saker som ligger bakom mordet på Noora än vi från början kunnat föreställa oss." Jag började förklara mina misstankar om Teräsvuoris kontakter med Ryssland, Tomi Liikanens och Anton Grigorievs bekantskap och Grigorievs märkliga död.

Det handlade inte om något officiellt möte, för vi hade också tagit Silja till hjälp. Fastän det kändes svårt för henne att föreställa sig att Elena på något sätt skulle ha varit inblandad i Nooras död visste hon förvånansvärt mycket om familjen Grigorieva-Liikanens liv. Koivu hade presenterat de mest fantasifulla teorier, hade väl velat verka både rolig och smart inför flickan som han beundrade. Emellanåt hade Jyrki Taskinen och jag låtit de där två spekulera och bara lyssnat.

Vi skulle utreda både Tomi Liikanens och Vesku Teräsvuoris anknytningar till Ryssland. Misstankarna om inblandning i narkotikahandel var inte alls omöjliga, särskilt som Silja visste att Liikanen åkte till S:t Petersburg ungefär en gång i månaden. Jag hade i min tur kommit ihåg att Teräsvuori hört sig för om transport av karaokeutrustning till Ryssland och de baltiska länderna. Silja ansåg det troligt att Noora fått de aptitnedsättande pillren av Tomi Liikanen.

"Det kan vara så att Elena ändå sa åt Noora att ta dem, även om hon förnekar det", funderade Silja lite besvärat. "Alla tjatade ju på Noora om risken med att gå upp i vikt. Janne klagade senast för ett par veckor sen över att han inte orkade lyfta henne. Noora skrek bara kallt åt honom att spring du till gymmet, grabben, om inte krafterna räcker till. Men sen grät hon i omklädningsrummet, fastän hon inte ville visa det för mig."

Nooras förhållande till Silja hade varit tudelat. Å ena sidan hade Noora känt sig ful och oansenlig bredvid den kvinnliga Silja, och hon hade också sett Silja som en rival när det gällde Jannes uppmärksamhet. Å andra sidan kunde hon inte låta bli att tycka om Silja, för denna var rättvis och tog skridskoåkningen lika allvarligt som Noora. Kanske hade mognandet till elitidrottare redan i tonåren fått båda flickorna att växa upp snabbare än normalt. Fast jag hade väl också varit som mest vuxen någon gång i sjutton- artonårsåldern, jag tyckte att jag var så väldigt mogen och allvarlig och medveten om hur saker och ting borde ha varit i världen. Numera var jag säker i färre frågor.

"Det är ganska underliga typer som går på Tommy's Gym", konstaterade Silja. "De allra största tar Tomi med sig in på sitt kontor. Vem vet vad han säljer till dem där."

"Fan att jag inte undersökte det där kontoret noggrannare", förbannade jag. "Så du anade att Noora åt aptitnedsättande medel. Fick du nånsin erbjudanden om olagliga kosttillskott?"

"Det är väl ingen som vågar ge mig nåt sånt, de vet att jag är dotter till en polis", log Silja. "Jag misstänker att Janne provade på nåt för några år sen... Det var väl då när Elena kom med som andra tränare. Allt var ganska kaotiskt just då. Rami förstod väl att Janne tog nåt som orsakade en hemsk acne och pratade förstånd med honom. Fråga Rami."

"Elena har aldrig ens knystat om att Tomi skulle känna Vesku Teräsvuori", sade Jyrki Taskinen eftertänksamt. "Vi förhörde ju Rami och Elena när vi samlade in material till förundersökningen, de kunde ju vittna om att Teräsvuori flera gånger stått och väntat på Noora vid ishallen. Kanske kände Elena verkligen inte till det."

Det kändes bra att diskutera ett pågående fall på ett inofficiellt och hemtrevligt sätt. För det mesta ältade jag saker och ting för mig själv alldeles för mycket, ofta berodde det förstås på att jag tyckte att mina frågor kändes för dumma för att ställas till någon annan. Vi bestämde att Koivu, som Teräsvuori inte kände, skulle hålla denne under uppsikt under ett par dagar. Taskinen skulle i sin tur reda ut Tomi Liikanens och Anton Grigorievs förhållande, eftersom han hade gamla bekanta vid milisen i

Moskva. Även om Taskinen inte hade någon medlems-
bok hade han någon gång under början av sjuttiotalet
förvillat sig till att gå med i Samfundet Finland-Sovjetu-
nionen; kanske ansåg man numera också att det var gra-
verande för Taskinens avanceringsmöjligheter.

Nästa morgon körde jag hem till familjen Nieminen. Mor-
gonen var återigen grå som vinterpälsen på en ekorre,
regndropparna landade kors och tvärs på framrutan.
Maskrosorna som djärvt trängt upp till ytan hade slutit sig
igen, och sädesärlan såg ut som om den dragits vid näsan.
    Hanna kom för att öppna dörren. Sminket var lika
kladdigt som under de föregående dagarna, ögonen såg
på mig genom en grumlig hinna.
    "Vad vill ni nu igen…", sade hon förvirrat. "Jag hinner
inte riktigt prata nu. Ulrika är också här, vi planerar Noo-
ras begravning."
    Hanna gick iväg mot köket. I dag hade hon en grå
stickad dräkt, som hon förgäves försökt få att sitta bra
med hjälpt av ett smalt, svart skärp. Klackarna på de
svarta skorna var obekvämt höga, baken sköt ut och
gången var osäker. Ulrika Weissenberg satt i köket, hen-
nes ögonbryn som plockats till smala bågar åkte upp mot
hårfästet när hon fick syn på mig. Bordet svämmade över
av receptsamlingar och broschyrer från cateringfirmor.
Under en av dem stack en psalmbok fram.
    "God dag", sade jag till Ulrika Weissenberg, vars när-
varo inte riktigt passade in i mina planer. Hanna skulle
säkert inte prata öppet i hennes närvaro.
    "Har polisen äntligen fått reda på nåt? Det har gått en
hel vecka", svarade Ulrika ovänligt.

"Vi får reda på nya saker hela tiden." Min röst lät stark och säker, jag fortsatte genom att be Hanna prata med mig i enrum.

Hanna rörde osäkert på sig, plockade upp ett glas från diskbänken och tittade i botten på det som om en värld som var osynlig för andra öppnade sig där. Det var som om hon inte hade hört min förfrågan alls. Efter en stund suckade hon, öppnade dörren till porslinsskåpet och ställde in glaset med tveksamma händer.

"Jag räknar ihop de här totalkostnaderna under tiden", sade Ulrika lugnande till Hanna, och för första gången undrade jag om hon kanske trots allt hjälpte familjen Nieminen av ren vänlighet och inte alls av makthunger. Det verkade åtminstone klart att Hanna själv inte skulle ha kunnat ordna med begravningen. Dag för dag tycktes hon bli alltmer förvirrad. Det var uppenbart att hon tog lugnande medel, men hon skulle kanske också vara i behov av psykiatrisk vård.

Hanna tog med mig till Nooras rum. Där hade ingenting förändrats sedan mitt förra besök, ylletröjan och strumpbyxorna låg kvar på soffan, västklänningen samlade damm på soffbordet. Jag satte mig i soffan och aktade mig noga för att flytta på någonting. Hanna tvekade ett ögonblick, satte sig sedan på Nooras säng, strök över det ljuslila satängtäcket som stack fram under kanten på det vita överkastet.

"Jag skulle vilja prata lite mer om Vesku Teräsvuori. Förra gången pratade vi om hans brokiga bekantskaps-krets. Nämnde han nånsin att han kände Tomi Liika-nen?"

Huden runt Hannas naglar bestod av rodnande kött,

258

det högra lillfingret var så inflammerat att det måste göra väldigt ont när Hanna började riva igen.

"Tomi… Elenas man? Nej… Eller de träffades nog ett par gånger när vi hämtade Noora vid ishallen och Tomi var och hämtade Elena."

Jag nickade. Det var förstås helt möjligt att männen hade träffats så första gången, men numera var de garanterat mer än flyktigt bekanta.

"Vesku är tydligen tvungen att resa runt ganska mycket i Finland på grund av jobbet?"

Hanna nickade.

"Ibland har han hållit i karaoken på båtarna till Tallinn också."

"Sysslar Vesku med nån sport, till exempel med att gå på gym?"

"Han gjorde det åtminstone inte tidigare. Han sa att sjungandet och att jobba med människor håller honom spänstig utan att han behöver svettas vanvettigt. Vesku tycker att idrottare är en underlig samling, åtminstone motionärerna. De tjänar ju inte ens pengar på sitt slit."

Hanna tänkte efter en stund, en underligt road min spred sig över hennes ansikte.

"Jag har alltid tänkt att Kauko och Vesku inte har nånting gemensamt. Men det har de ju. Kauko tänker precis likadant om motionering. Att det är helt vanvettigt. Sami skjutsar han till hockeyträningen bara för att han nån gång ska bli miljonär som Teemu Selänne. *Om nu flickan klarar sig i skridskoåkning, så måste ju grabben också ha talang*", härmade Hanna sin mans röst. "Varför frågar ni om Vesku nu igen? Ni sa ju att han har ett vattentätt alibi för tiden då Noora dog. Var det inte så då?"

Hinnan började försvinna från Hannas ögon, en klar, skarp blick tändes i dem. Jag svarade inte, för jag ville inte provocera Hanna till att ilskna till igen, men till och med mitt tigande var tillräckligt som medgivande för henne.

"Varför anhåller ni honom inte! Vad väntar ni på, att han ska ta livet av vår Sami härnäst – eller mig! Jag fick se Veskus andra sida, den som inte drog sig för att slå kvinnor eller hota andra människor. Varför tror inte polisen på oss!"

"Vi tror på er", sade jag fastän min försäkran lät kraftlös.

Vad i all världen hade Teräsvuori menat när han sagt att både han och Liikanen visste vem som tagit livet av Noora och varför? Men jag kunde ju inte alls bevisa att jag hört de där orden. Och på något sätt hade jag en känsla av att det skulle vara lättare att få Tomi Liikanen att erkänna bekantskapen än Teräsvuori.

"Hur väl kände egentligen Noora och Vesku varandra? Era barn bodde ju här i Krokudden hela tiden när ni bodde i Gräsviken med Teräsvuori, eller hur?"

"Ja, det gjorde de! Ni tycker väl att jag är ett monster för att jag lämnade mina barn och tänkte på mig själv, om så bara ett litet tag! Tror ni att det har varit trevligt att under alla de här åren vara nåt slags sekreterare för Kauko och en betjänt till hans barn! Mamma hit och mamma dit, var finns flingor och rena sockor. Jag får förstås inte säga det här, jag får förstås inte säga att Nooras divalater gick mig på nerverna nåt så in i helvete ibland. Unga fröken kunde inte ens tänka på såna vardagliga saker som att diska eller stryka sina egna kläder, för att hon var tvungen att koncentrera sig på att hitta rätt uttryck för nån lillfingerrörelse. Det var ju lätt att spela isprinsessa när nån körte en till isen sen man var fyra! Hon tackade aldrig för nåt, tränarna fick en massa beröm för det, men inte mamman, aldrig nånsin..." Hannas röst började darra, klarheten hade försvunnit ur ögonen igen och tårarna svämmade över.

"Jag vågar nog säga det här, jag bryr mig inte om vad nån tänker! Jag har nog straffats i förväg för de här tankarna..."

Hanna började gråta häftigt, vilket tillkallade Ulrika till Nooras rum.

"Måste ni tvunget få henne helt ifrån sig?" snäste Weissenberg åt mig. "Polisen kunde åtminstone respektera de sörjandes frid och inte bara storma in så där utan förvarning. Ni borde..."

En smäll utifrån köket avbröt Ulrika.

"Vesku är utanför fönstret! Han är här för att döda oss allihop!" skrek Hanna gällt. Hon sade något annat också, jag tror att hon bad mig hämta geväret i vardagsrummet, men jag stannade inte för att lyssna utan rusade ut i köket så fort jag kunde för min mage, beredd på Gud vet vilken Ramboscen. Men det fanns ingen Teräsvuori där. Fönstren var hela, men golvet fullt av glasskärvor. Dörren till porslinsskåpet hade tydligen lämnats öppen och glaset som Hanna tveksamt ställt upp på hyllan hade vält och dragit med sig ett par tomma vaser från diskbänken i fallet.

"Det är ingen fara här!" ropade jag mot tjutandet som hördes i bakgrunden. "Det var ett glas som föll!"

Men också att vaserna gått sönder var en katastrof enligt Hanna, som fick hysterin att stegras till det yttersta.

Ur gastandet urskiljde jag att det varit fråga om Nooras prisvaser. Vi lyckades nätt och jämnt hålla Hanna ifrån de gröna och färglösa skärvorna, eftersom hon skulle ha velat sätta ihop dem igen.

"Var kan sopskyffeln och kvasten finnas?" ropade jag till Ulrika över Hannas gälla skrikande. Ulrika rörde sig vant hos familjen Nieminen, men i stället för att ta hand om städningen räckte hon över redskapen till mig. Jag började sopa. Det var ju inte första gången som jag tvingades städa upp skärvor under den här utredningen. Ulrika försökte förgäves lugna Hanna. Till slut försökte hon med den gamla metoden: hon klatschade till henne hårt på kinden. Det fick Hanna att tjuta ännu värre.

"Vet ni om Hanna varit hos nån läkare efter Nooras död?" hojtade jag till Ulrika, som verkade ursinnig över att hon inte längre hade kontroll över situationen.

"Kauko tyckte inte att det var nödvändigt!" väste Ulrika i mitt öra.

"Men hon tar lugnande?"

"Det är väl de där gamla som ordinerades åt henne efter rättegången mot Teräsvuori."

Jag makade mig så nära Hanna som möjligt, jag tog tag i axlarna på henne och försökte nå den flackande blicken.

"Hanna, lugna dig! Det är ingen fara", pladdrade jag. Jag pratade som jag hört att man gjorde till ett barn som drömt mardrömmar. Jag lirkade ett tag, fick tjutandet att upphöra, fick till och med Hanna att leta upp Temesta-förpackningen och ta en tablett.

"Om ni nu bryr er om familjen Nieminen, så skaffa hjälp åt Hanna. Här hjälper inget klatschande, och det finns bara två tabletter kvar", sade jag till Ulrika.

262

"Vore det inte bättre om ni koncentrerade er på att fånga Nooras mördare. Det vore den bästa terapin för Hanna", sade Ulrika Weissenberg ovänligt och nästan knuffade ut mig genom dörren. Jag hade lust att sparka till den guldfärgade BMW:n på gården, men nöjde mig med att grimasera mot den stängda dörren.

Men Hannas ångest hade smittat av sig på mig som en snuva som sprider sig som en droppinfektion. Hur många nya bekymmer skulle inte Varelsen föra in i mitt liv när den föddes? Människan var väl uppbyggd så att man kunde förutsätta att ens barn skulle leva längre än en själv. Och det var nog inte så smart av mig att fråga Hanna om Vesku, jag hetsade bara upp hennes rädsla för Teräsvuori. Men nu verkade det återigen möjligt att han hade tagit livet av Noora. Hoppas att Koivus skuggningsuppdrag skulle leda till bevis.

Jag slog på bilradion för att tänka på något annat en stund och till min tur spelades *Bonnie und Clyde* av Die Toten Hosen. Jag kände mig genast bättre till mods, nästan sprallig. Anneli Tempakka hade uppenbarligen en gång i tiden haft rätt i att punken fördärvade ungdomen, för jag började också genast känna för en whisky på någon rökig pub. Enligt vänta-barn-böckerna skulle väntande mödrar snarare lyssna på Mozart eller Vivaldi.

Jag körde just över Knektbro när jag upptäckte en bil som susade fram i en väldig fart under mig på Åboleden, den jagades av en piketbil med tjutande sirener. I detsamma började också radion knastra fram något om en fortkörning på Åboleden.

"En röd Nissan Micra, registreringsnummer AZG-577", hörde jag hur patrullbilen som hängde efter fart-

263

dåren rapporterade. Numret lät bekant, men det tog några sekunder innan jag insåg att det var Janne Kivis bil. Vad i hela friden hade killen gått och trasslat in sig i nu?

Trots att det inte var förnuftigt att börja vansinneskörа efter kollegorna längs Åboleden gjorde jag ändå en djärv u-sväng strax före vägskälet till polisstationen och körde i rasande fart nedför rampen mot motorvägen. Jannes bil och dess efterföljare var redan flera kilometer bort. Men jag fick i alla fall kontakt med patrullen som låg efter killen, Haikala och Akkila.

"Föraren är helt galen!" skrek Akkila upphetsat i telefonen. "Hundrafyrtio på mätaren och vill inte stanna. Han har säkert snott bilen eller så har han promille. Nu är det öppet, vi kör upp intill. Ge mig megafonen, Haikala!"

Linjen bröts, jag körde om en Lada som låg under hastighetsbegränsningen och ett par skåpbilar, jag försökte låta bli att trycka för mycket på gasen, fastän en känsla av ångest hade drabbat mig igen. Kanske försökte Janne köra ihjäl sig, kanske accelererade han sin Nissan till max i väntan på att den skulle slinta honom ur händerna och hamna under en långtradare med timmer eller mot en bergvägg. Jag litade inte riktigt på Akkilas och Haikalas förmåga att ta hand om situationen. Jag kunde mycket väl föreställa mig hur de for fram efter Janne och inbillade sig att de jagade en farlig narkotikabrottsling i Los Angeles. Båda killarna var nykomlingar och alldeles för snara att använda våld, Akkila hade för vana att alltid ha med sig ett vapen. Haikala var i sin tur expert på kickboxing, och demonstrerade gärna sina talanger vid gripanden, även om det inte var nödvändigt. Jag tyckte att det var ett misstag att sätta dem tillsammans, båda skulle

264

ha behövt någon äldre och lugnare som sällskap.

Jag märkte att jag själv körde hundratrettiofem kilometer i timmen, och jag brydde mig inte längre om att bromsa eller förflytta mig ur det vänstra körfältet. Jag skulle ändå inte ha kunnat lugna mig innan jag fått reda på hur det gått med Janne.

Jag hade precis hunnit till backen före korsningen till Esbo centrum när Akkila rapporterade att de lyckats stoppa fartdåren. Vid foten av Kasaberget syntes en polispiket som parkerat vid vägrenen, den skymde nästan helt den mindre röda bilen. Jag förflyttade mig till höger körfält och bromsade till de bakomvarandes förtret ända tills jag lyckades krångla in mitt fordon, som såg ut som en civilbil, i samma klunga. Fastän jag koncentrerade mig på att parkera såg jag hur Haikala hårdhänt drog ut Janne ur bilen. Janne stretade i sin tur emot allt vad han kunde. Akkila knuffade honom hårt mot motorhuven, Janne försökte sparka honom i skrevet, men Akkila lyckades väja undan. Haikala halvt satte sig på Jannes rygg och började sätta på honom handfängslet.

"Vad i helvete är det egentligen som pågår här?" gormade jag och baxade mig ur bilen och ut på dikesrenen.

"'Tjena, Kallio", fnös Akkila irriterat. "Vi behöver ingen hjälp längre, vi har situationen under kontroll. Har du några papper, grabben?"

Haikala vände sig mot mig, han hade ett rött skrubbsår på hakan. Hade Janne klippt till honom, var det orsaken till den hårdhänta behandlingen?

"Ta fram körkortet, grabben – om du har nåt överhuvudtaget!" sade Akkila stöddigt. "Och registreringsbeviset också. Eller är det här inte din bil?"

Haikala kom med en alkometer och tryckte hårdhänt in den mellan Jannes läppar.

"Blås här. Varför dröjer körkortet? Blås ordentligt!"

Killarna såg tydligt besvikna ut när visaren inte ens skälvde till. Janne lyfte huvudet från motorhuven så pass att han upptäckte mig. Jag visste inte riktigt hur jag skulle tolka hans min, den övergick snabbt från ilska till lättnad, sedan till något slags generad uppsyn och slutligen tillbaka till vresig igen.

"Plånboken där jag har körkortet och registreringsbeviset blev visst kvar hemma", sade Janne och rätade på sig.

"Snacka inte skit, grabben! Hemma va! Du har inget körkort, och den här bilen har du bergis snott", sade Akkila med hot i rösten.

Det glimtade till i Jannes ögon och han såg nöjd ut när han meddelade:

"Fråga henne. Inspektör Kallio känner mig."

Akkila och Haikala vände sig mot mig, så jag nickade.

"Han heter Janne Kivi, han har ett giltigt körkort och bilen är hans", snäste jag. Situationen kändes närmast skrattretande. "Vad är det egentligen som har hänt? Jag hörde registreringsnumret på den förföljda bilen på radion. Jag följde efter för att jag kände igen det."

"Vi var i korsningen till Ring-ettan när vi såg hur den här snubben gjorde kamikazeomkörningar och brassade på i åtminstone hundrafyrtio i ett åttioområde. En sån måste man ju stoppa", ivrade Akkila.

"Hundrafyrtio. Ganska bra för en sån här liten Nissan", försökte jag skämta. Janne brydde sig inte ens om att svara, men Akkila fortsatte:

266

"Han stannade ju inte ens förrän vi körde upp jäm-sides. Sa att han inte hört sirenerna för att han haft på musiken så högt."

"Och han kom inte ut ur bilen förrän vi drog ut ho-nom och så slog han mig", fortsatte Haikala som en sex-åring som skvallrar på sin kompis. Min lättnad över att Janne mådde bra bubblade upp som skrattlust. Fastän jag bet mig i läppen kunde jag inte undgå att släppa ifrån mig en liten fnissning, som fick det att glimta till i Jannes ögon igen.

"Så du vet att det är hans egen bil, Kallio?" frågade Akkila misstänksamt.

"Ja, det är det."

"Vi misstänkte förstås att det var nån biltjuv bakom ratten. Grov vårdslöshet i trafik och våldsamt motstånd mot polis blir det i alla fall av det här", förkunnade Akki-la. Han längtade efter fart och fläkt under arbetsdagarna, hade ännu inte lärt sig att den bästa dagen för en polis var trist och händelselös.

I princip angick Jannes fortkörningssjabbel inte mig det minsta. Det smartaste hade väl varit att låta Haikala och Akkila ta hand om honom och att försvinna därifrån. Men jag var säker på att killens vansinnesfärd hade att göra med Nooras död. Dessutom måste jag fråga honom något.

Janne hade ju varit på Tommy's Gym kvällen jag blev instängd där. Kanske hade han tänkt att "nu ska vi retas lite med den där jävla snuten."

"Har den här typen nåt tidigare register?" frågade Ak-kila nyfiket. Även om jag förstod hans lust att veta hur jag kände Janne irriterade jag mig över sättet att prata om honom som ett föremål. I Akkilas värld var poliserna "vi" och de gripna "dem".

"Hans konståkningspartner mördades i förra veckan", sade jag med en röst som jag hoppades skulle lugna ner Akkila. "Jag utreder fallet. Jag har faktiskt lite att fråga Kivi om det, jag skulle kunna köra honom till stationen, om nån av er tar min bil. Sedan skulle jag kunna ta honom till trafikpolisen för förhör. Om jag var du skulle jag glömma det där om våldsamt motstånd mot polis", sade jag till Haikala. "Det fanns en hel del att anmärka på i era grepp också."

Haikala undvek min blick, det var lätt att se att det retade honom.

"Åk ni och fortsätt med det ni höll på med innan ni såg Kivi", sade jag med min mest auktoritativa röst. "Jag tar hand om Kivi. Ta bort de där armbanden, jag klarar honom utan dem."

Akkila blängde argt på mig, slet sedan upp Janne från motorhuven, med vilje så att det skulle göra ont, och lossade på handfängslet. En telefonsignal inifrån patrullbilen räddade killarna ur en pinsam situation, de kallades till Kyrkträsk. Akkila kastade nycklarna till Nissan vid mina fötter. Jag tyckte mig urskilja orden "satans kärring" från Haikalas läppar när han klev in i bilen. Janne masserade handlederna där de för hårt åtdragna handklovarna hade gjort röda ränder.

"Du kommer nog att åka dit för fortkörningen, Janne. Ganska dumt. Vad är det som bekymrar dig så att du måste köra omkring som en blådåre?"

"Vad fan spelar det för roll?"

"Det vet du ju själv om det gör." Jag böjde mig ner för

att ta upp bilnycklarna och räckte över dem till Janne. "Kan jag lita på dig? Kör du efter mig till stationen om jag släpper iväg dig ensam?"

Janne nickade och såg butter ut, han insåg ju att det inte skulle vara någon mening med att fly igen. Ändå följde jag den röda bilen noga i backspegeln, och spänningen som packats ihop i axlarna släppte först när vi möttes utanför polishusets dörr.

Jag ledde in Janne på mitt rum, hämtade ett par koppar kaffe och grävde fram chokladkexpaketet jag hade som nödproviant i skrivbordslådan, innan jag började fråga ut ynglingen som sjunkit ner i soffan. Den trotsiga minen hade förvandlats till trötthet, mjölken jag hämtat hamnade inte riktigt i kaffekoppen, utan en del stänkte ut på bordet. Jag satte mig inte bakom skrivbordet, utan drog fram en stol mot soffan och började leka kafferep.

"Vad är det egentligen som bekymrar dig?" frågade jag som om jag pratat med en kamrat.

"En jävligt dum fråga", smålog Janne. "Det bekymrar mig väl lite grann att hela mitt liv är åt helvete och att flera års arbete har gått till spillo!"

Det lät logiskt. Alla hade ansett att Janne inte hade någon karriär som skridskoåkare förutom med en begåvad partner, och det var inte lätt att hitta en ny partner, åtminstone inte i Finland. Men jag var säker på att det var något mer som gömde sig bakom Jannes agerande. Eftersom jag inte visste hur jag skulle få honom att öppna sig började jag prata om andras angelägenheter.

"Hur väl känner du Tomi Liikanen?"

"Tomi? Jag känner honom inte så värst bra. Jag går på gymmet bara, som du mycket väl vet."

Janne vägrade i alla fall inte att prata i dag. Min moderliga omtanke började kanske ha effekt till slut.

"Vad jag förstått så känner du också Vesku Teräsvuori, mannen som Nooras mamma var tillsammans med ett tag. Har Teräsvuori synts till på Tommy's Gym?"

"Han var där ett par gånger efter att de gjort slut, men Tomi portförbjöd honom. Icke önskvärd kund, han störde Noora."

"Verkligen? Det kände jag inte till, berätta mer."

Enligt Janne hade Vesku kommit till Tommy's Gym för att träna i höstas. Första gången hade konståkningstruppen precis varit på väg därifrån, så Noora hade inte gjort så mycket väsen av det. Följande gång hade det bara varit Rami och Janne där, förutom Noora. Vesku hade inte sagt något till Noora, men hade hela tiden ordnat så att han hade maskinen bredvid henne. Noora hade beklagat sig för Tomi, som utan några vidare förklaringar hade bett Teräsvuori att försvinna.

"Verkade det som om Teräsvuori och Tomi kände varandra sen tidigare?"

Det kunde inte Janne säga, han hade inte tänkt på saken på det sättet. Hela truppen hade lärt känna Teräsvuori när Hanna hade flyttat hem till honom, men Janne hade inte direkt brytt sig om honom.

"Jag jagade också iväg honom från ishallen ett par gånger efter att det blivit slut med Nooras mamma. Tomi och Elena hade väl pratat förstånd med honom om de hade känt honom. De verkade inte direkt som vänner på gymmet i alla fall."

Att prata om något annat än sig själv hade fått Janne att slappna av. Han lutade ryggen mot soffans armstöd och lyfte upp benen på bordet. Den stilige unge mannen passade bra som komplement till läckerbitssamlingen som hängde på väggen.

"Hurdant tycker du att Tomis och Elenas förhållande är?"

Janne rynkade på ögonbrynen som om det var första gången han funderade på det.

"Jag vet inget om deras förhållande. Elena pratar inte med mig om sina egna saker. Hon är den typen av tränare som håller sig på avstånd, hon har inte för vana att vara kamratlig med oss eller att bjuda över oss."

"Till skillnad från till exempel Rami Luoto?"

Det stämde. Enligt Janne var Rami helt annorlunda, för honom hade Rami alltid varit mer en vän än tränare. Ulrika ansåg att just det var Ramis svaga sida, han hade inte tillräckligt med auktoritet. Men Jannes varma tonfall avslöjade att åtminstone han tyckte om Rami också som person. När jag försökte styra in samtalet på Ulrika Weissenberg fick jag bara undvikande svar.

"Sällskapar du med nån?" frågade jag till slut, och av någon anledning fick min fråga Janne att rodna.

"När skulle jag hinna det?" snäste han till, och besparades några ytterligare frågor av en välbekant jämn knackning på dörren.

"Hej, Janne", sade Jyrki Taskinen i dörrspringan. "Har du tid en stund, Maria, jag har lite…"

"Vi ska precis sluta. Tack för min del, Janne, men gå och anmäl dig hos trafikpolisen nu."

Allra först ville Taskinen veta vad Janne gjorde på stationen. När jag berättat verkade han orolig, men skyndade sig i alla fall att klargöra sitt eget ärende.

"Jag ringde till min gamla kompis Boris Harlamov i Moskva genast i morse om Anton Grigorievs dödsolycka. Boris lovade ta reda på vad det stod i förhörsprotokollen, och ringde för en stund sen." Taskinen gjorde en paus, helt avsiktligt för att reta mig, och fick mig också att otåligt tjuta till:

"Och?"

"Inget."

"Vadå inget?"

"Det finns inga förhörsprotokoll. De har försvunnit."

"Va?"

Enligt Boris var det inte så konstigt att förhörsprotokollen försvunnit. I samband med de senaste årens politiska omvälvningar hade det skett mycket omorganisationer även inom den ryska milisen, och man hade försökt förhindra att oegentligheter i det förgångna skulle kunna spåras, genom att förstöra såväl bevismaterial som arkiv. Anton Grigorievs papper hade legat i ett förråd där det ett par år tidigare hade inträffat en explosion, och det var troligt att papperna hade försvunnit då.

"Men har de inget system med säkerhetskopior? Och det måste väl finnas nån som kommer ihåg händelsen, till exempel polisen som utredde saken?"

Taskinen suckade.

"Boris fortsätter att leta efter spår, men han tvivlade på att han nånsin skulle få reda på nåt. Även om det handlade om en tjänsteman på idrottsministeriet och en bronsmedaljör i Europamästerskapen – eller kanske just därför – utredde man tydligen fallet ytterst översiktligt och slarvigt, och därför finns det inte direkt nåt material."

"Men det där måste ju syfta på nåt stort!" sade jag

upphetsat. Under mina arbetsår hade jag blivit tvungen att reda ut en del omfattande, delvis internationella narkotikafall, och nu såg det ut som om Nooras mord skulle kunna ha kopplingar till nästan hur stora saker som helst. Men vad sjutton kunde flickan ha fått reda på – och om vem?

"Ja, det kan det göra, men å andra sidan behöver det inte vara märkvärdigare än att man aldrig fick fast den som körde på Grigoriev, för att han var nån av höjdarna inom det kommunistiska partiet som vansinneskört med sin Volga, eller att milisen som hade beredskap var för berusad för att utreda fallet." Min entusiasm nyss tycktes nästan roa Taskinen.

"Vad annat kan man göra nu än att vänta på Boris uppgifter? Borde man pressa Elena riktigt ordentligt?"

"Jag tycker att man snarare borde försöka med Rami Luoto. Han tävlade ju samtidigt med paret Grigoriev, han har känt dem i över femton år. Och Rami har åtminstone alltid varit Siljas förtroendetränare. Det kan ju vara så att Noora har berättat vad hon visste om paret Grigoriev för Rami."

Jag nickade. Sedan diskuterade vi Anu Wang som skulle vikariera för mig under mammaledigheten, hon var den första polisen med vietnamesiskt ursprung som tagit examen vid vår polisskola. Anu skulle börja en vecka före min semester, så att jag skulle hinna sätta in henne åtminstone lite grann i de fall som jag lämnade halvfärdiga.

"Du har ännu inte meddelat om du tänker ta ut full mammaledighet", sade Taskinen trevande. Jag var tvungen att erkänna att jag inte visste det ännu. Fastän jag följt mina vänners och mina systrars liv med småbarn, kunde jag inte riktigt föreställa mig hur det skulle vara i verkligheten. Samtalen med mina systrar hade fått mig att känna mig som en dålig mor redan innan förlossningen. Min mellansyster Eeva hade frågat rent ut varför jag egentligen ville ha barn om jag nu tyckte att jobbet var det viktigaste i mitt liv.

"Dina värderingar kommer också att förändras när barnet väl är fött", sade hon efter att hon först beklagat sig över att hon inte läst en enda bok eller gått ut och tagit en enda öl med tjejerna sedan den två och ett halvt år gamla Saku föddes.

Taskinen försökte locka med mig och äta, jag lovade att komma efter så fort jag fått tag i Rami Luoto. Han lät yrvaken och beklagade att han hade fullt upp, till slut bestämde vi att jag skulle komma och hämta honom vid ishallen efter juniorernas träning vid halvsextiden. Vi kunde prata i hans bostad på Lisasgränden.

Halv sex... Tröttheten svepte genom kroppen, påminde om att det var vansinnigt att jobba tio timmar om dagen. För en gångs skull hade jag väl verkligen ett lagligt skäl att vila. Jag sträckte ut mig på soffan, den skarpa citrondoften från Jannes rakvatten hade satt sig i soffryggen, jag tittade på hur Varelsen med sin bakdel gjorde vågrörelser under huden på magen. Alla verkade vara omåttligt intresserade av om babyn var en pojke eller en flicka. Anttis föräldrar hoppades också att deras tredje barnbarn skulle vara en flicka som sällskap åt Anttis systers tvillingpojkar. Jag vågade bara släppa in en pytteliten önskan om en flicka, en självisk önskan, som om jag genom att föda en efterlängtad dotter på något sätt kunnat gottgöra mig själv för att jag bara varit ett substitut för

274

den pojke som mina föräldrar aldrig fick. Och samtidigt fasade jag för att jag började flytta över förhoppningar, som förvridits längs kedjan av generationer, till mitt än så länge ofödda barn.

Ögonlocken föll igen, Varelsens rörelser blev allt mer energiska. Jag lindade armarna runt magen som i en kram, för att försäkra barnet att det skulle vara välkommet i vilket fall som helst, vilket kön det än var.

Telefonen trängde igenom mina välvilliga tankar, Koivu lät upphetsad. Han hade suttit i sin bil utanför Vesku Teräsvuoris bostad på Östersjögatan under förmiddagen, och jag hade väntat mig att höra av honom.

"Jag är på Karlavagnsvägen i Drumsö. En vit skåpbil kom för att hämta Teräsvuori för tio minuter sen."

"Jag kan nog gissa vad det står på bilen", inflikade jag. "Tommy's Gym, eller hur?"

"Ja. En sån där kort snubbe med igelkottsfrisyr och skåpbreda axlar kör."

Det lät som Tomi Liikanen.

"Vad sysslar de med där borta vid Karlavagnsvägen?"

"De gick in i det här flervåningshuset som jag står posterad utanför nu. Ett ganska kul sammanträffande förresten. För några år sen, då när vi jobbade för Helsingforspolisen, langade de knark i det huset. Du kommer väl också ihåg Mattinens liga, en av huvudgärningsmännen bodde i B-trappan i det här huset då. Jag har redan hunnit kolla om det här fortfarande är hans adress, han slapp ju ut förra året. Och det är det. Jag har en känsla av att Teräsvuori och Liikanen är och hälsar på i B 28. Tror inte du också det, Maria?"

13

Regnet som duggat ner i flera veckor visade inga tecken på att upphöra när jag i kvällningen körde mot ishallen i Mattby. I matsalen hade kollegornas främsta samtalsämne varit vilken del av Kanarieöarna var och en skulle åka till på semestern, för ingen tycktes längre lita på att vädret skulle slå om, åtminstone inte före midsommar. Fastän det var slutet av maj sålde man fortfarande gummistövlar i stället för bikinis i affärerna.

"Du är säkert glad för att det inte är värmebölja?" hade Pihko sagt nästan anklagande till mig.

"Åtminstone så länge jag får på mig regnrocken", hade jag svarat med tankarna på helt annat håll än på dagens väder. Fastän jag inte varit så ivrig över Koivus nyheter som han nog hoppats att jag skulle vara surrade det ändå ganska mycket i huvudet. Koivu hade lovat att hänga efter Teräsvuori resten av dagen, även om Ström högljutt hade krävt att få honom till något av sina jobb. Ström hade ännu mitt på dagen luktat misstänkt likt gammal sprit. Jag var nästan orolig, jag ville ju ändå inte att Pertsa skulle bli ännu ett namn på listan över poliser som blivit alkoholiserade på grund av jobbstress. Han till-

276

hörde ändå riskgruppen: över trettiofem, en skilsmässa bakom sig, inga direkta vänner.

Jag lade in en högre växel på vindrutetorkarna, stänkskydden på långtradaren framför mig skvätte smutsvatten så att jag emellanåt inte såg någonting. En stackars fotgängare blev blöt ända upp till midjan, när långtradaren dundrade igenom en vattenpöl bredvid trottoaren för att hinna passera Mattbykorsningen för gult ljus. Skulle Akkila och Haikala ha ingripit i det precis som de ingrep i Jannes vansinnesfärd?

På parkeringsplatsen utanför ishallen satt det folk och väntade i bilar som gick på tomgång. Jag hade förståelse för att föräldrar som blivit uppskrämda av Nooras död skjutsade sina idrottande barn hem fastän avståndet bara var en halv kilometer, men annars hade jag svårt att förstå människor som tog bilen till tennishallens entré, eller klagade på att man inte kunde parkera precis utanför dörren till affären. Men jag var ju från landet, och inte från Esbo ursprungligen, på knappt två år hade jag ännu inte hunnit komma underfund med hur man betedde sig i staden.

Kanske hade Esbo konståkares schema blivit omkastat, för juniorerna tränade fortfarande för fullt när jag klev in i ishallen. Uppenbarligen var det dags för ishockeyjunio rerna därnäst, för korridorerna kryllade av finniga fjortisar, som i sina vadderingar såg ut att komma från någon annan planet, och deras pappor som såg ilskna ut.

På isen svävade däremot dvärglika, plattbröstade flickor fram, jag kunde urskilja Irina Grigorieva i mängden. Det såg ganska enormt ut när elvaåringen tog sats inför den ena lätta trippel toeloopen efter den andra. Flickorna var som kopior av varandra i sina träningstrikåer och håret som dragits ihop till en stram ballerinaknut. Det var endast sättet att röra sig som skilde dem åt, på en del såg man tydligt att de aldrig skulle komma att tävla om medalj ens i distriktstävlingarna. Bredvid Irina Grigorieva verkade alla klumpiga och stela i knäna. Skridskorna gjorde vassa jack i isen, som redan såg misshandlad ut.

"Kom ihåg knäna!" ropade en kylig kvinnoröst från kanten av isen. "Mer smidighet, Johanna, böj, böj!" I detsamma dunsade en flicka som tycktes åka på träben ner på isen med en nedslagen min.

Träningsledningen stod på rad utmed rinken, Rami i sina smala byxor och collegetröja, Elena i träningsoverallsjacka och trikåer, Ulrika Weissenberg i svart glänsande vinylregnjacka, hon förklarade intensivt något för Rami. Elenas uppmärksamhet var däremot riktad mot isen, där största delen av flickorna nu snurrade runt i liggpiruetter. Hon gled ut för att rätta till hållningen hos en liten tioåring, pekade mot Irina Grigorieva som åtminstone vad jag kunde bedöma tycktes göra piruetten helt rätt.

"Hör upp alla! Knäna. När ni vill att vilken rörelse som helst, men i synnerhet att hoppets landning, ska se mjuk ut och kännas mjuk, måste ni vara smidigare i knäna. Smidiga knän är grunden till bra skridskoåkning på vilken nivå som helst. Det räcker inte med att ni hoppar högt, om ni dunsar ner i isen med rakt knä på hoppbenet. Titta vilken skillnad det är på ett hopp med rakt knä", förklarade Elena medan hon vant tog sats till en dubbel toeloop. "Och i ett sånt här där knät är ordentligt följsamt."

Medan jag följde Elenas hopp tänkte jag på knäet på

Nooras hoppben, som särskilt i kasthoppen följsamt hade böjt sig väldigt djupt ner. Det hade fått nedslaget att se säkert och enkelt ut, fastän smidigheten i knät säkert hade krävt vältränade lårmuskler.

"Kom ihåg den extra begravningsrepetitionen på lördag morgon", gastade Ulrika när flickorna började åka omkring i rinken, och musiken som under rörelserna hade varit klassisk stråkmusik förbyttes i rivigt technodunk. Begravningsrepetition? Skridskoåkarna skulle väl inte följa Noora till graven med skridskorna på? Eller vad visste jag. Kanske hade Ulrika planerat in minnesstunden till Mattby ishall. Fastän träningen tycktes löpa synbart lugnt kastade nog Nooras död tills vidare en skugga över all aktivitet i konståkningsförbundet. För de yngre skridskoåkarna hade Noora varit en idol och ändå bekant, en av dem. En sådan gestalts våldsamma död plågade en, satte spår i hela verksamheten. Förhoppningsvis insåg föräldrarna och tränarna hur det kändes för de där små isprinsessorna; en stor begravning som man planerat tillsammans skulle kanske vara en befriande upplevelse för alla.

Rami hade förflyttat sig ut på isen, han visade en skridskoåkare av en loppas storlek hur hon skulle hitta rätt ihopsamlade hållning i hoppens rotation. Jag tänkte på mig själv i förpuberteten, hur svårt det skulle ha känts med en främmande människas beröring på kroppen, men skridskoåkarna var väl vana vid det, vana vid att känna lukten av sin partners svett och vitlöksdoft i andedräkten, att känna tränarens kalla händer på sin midja.

Sedan började Rami leda slutstretchningen. Rörelserna såg lockande ut, min rygg som blivit stel av att sitta och att köra bil skulle ha behövt lite stretching. Men just då upptäckte Ulrika mig och började klappra iväg åt mitt håll. Klackarna slog hårt mot betonggolvet.

Också Ulrikas blick var vass och jag förberedde mig på en utskällning igen för Gud vet vad. Jag blev riktigt överraskad när hennes första ord var tack.

"Tack för att ni räddade Janne ur klorna på de där poliserna som betedde sig så olämpligt."

Janne hade tydligen ringt Ulrika direkt efter att han sluppit ifrån polisstationen och bett om juridiska råd om han skulle hamna i rätten. Jobbet som ordförande för Esbo Konståkare tycktes vara ett heltidsjobb, eller Ulrika Weissenberg hade åtminstone gjort det till det.

"Nooras begravning är på tisdag", fortsatte Ulrika. "Det är bra för Hanna att komma igenom åtminstone ett led i sorgen. Men vad sa ni egentligen till henne om Teräsvuori? Hon verkar vara helt säker på att han är skyldig nu."

"Det finns det ingen grund för", svarade jag undvikande, för också Elena Grigorieva närmade sig oss. Men hon hade ingenting att säga mig, utan gick bara förbi och nickade lite ovänligt på huvudet. Men till Ulrika sade hon:

"Jag tycker inte att det är nån bra idé att Irina ska vara Snövit. Hon kan inte rollen tillräckligt bra. Och dessutom... Jag är rädd för att det ska föra otur med sig."

Elena Grigorievas drag såg ännu skarpare ut i dag, groparna under de höga kindbenen påminde om små gravar, huden på den krökta näsan såg ut som efter en rynkåtstramande operation.

"Sen tycker jag att det är lite osmakligt att göra Snövit.

280

Ska vi inte bara nöja oss med gruppdansen?"

Vad i all världen var det Ulrika Weissenberg egentligen planerade? Jag hann inte fråga, för musiken upphörde och Rami Luoto meddelade att stretchningen var slut. Han började se sig omkring, upptäckte sedan mig och började snabbt glida bort mot oss. Han rörde sig kattaktigt och smidigt, väldigt annorlunda i jämförelse med ishockeyspelarna som stoppats kantiga och som nu trängde ut på isen.

När Rami fick höra att jag hade kommit i bil, sade han att han skulle byta om först därhemma. Färden till Lisasgränden tog bara några minuter, jag förstod mycket väl att Rami helst gick till fots. Jag slog vad om att han oftast tog trapporna upp till fjärde våningen också. Nu öppnade han artigt den smala dörren till trepersonshissen, tänkte säkert att jag inte skulle orka baxa mig ända upp med min tyngd. I sista stund steg också en tredje person in i hissen, en medelålders kvinna som blivit blöt i regnet och som släpade på en matkasse, hennes intrång tvingade Rami att luta sig mot min mage. En underlig känsla som han uppenbarligen försökte kontrollera drog över hans ansikte. Som avsky. Rami kunde knappt dölja darrningen av lättnad i sitt ansikte när kvinnan steg ur på tredje våningen.

På fjärde våningen stod det Luoto på två av dörrarna.

"Min syster bor i grannlägenheten", berättade Rami utan att jag behövde fråga. Han öppnade den vänstra dörren, sade att han skulle byta kläder, bjöd mig på ett glas mineralvatten och försvann in i duschen. Eftersom jag visste att han flackat runt på isbaletter i Nordamerika i över tio år hade jag väntat mig att hans hem skulle vara

281

pråligt på något sätt, men jag hade fel. Den neutralt må-
lade höghustvåan var helt annorlunda än jag föreställt
mig. Den sade till exempel inte så mycket om ägarens yr-
ke. Det enda föremålet som hänvisade till konståkning
var ISU:s eller Internationella konståkningsförbundets
regelbok som lämnats uppslagen på bordskanten med
ryggen uppåt.

Fast mitt och Anttis hus i Hemtans avslöjade väl inte så
värst mycket om våra jobb heller. Kanske skulle man ha
förväntat sig att hitta vapensamlingar och *Nordisk krimi-
nalkrönika*-bokserier i ett polishem. Att Antti var mate-
matiker syntes väl närmast i hans lilla arbetsrum som låg
bredvid köket, det dominerades av de båda datorerna,
den stationära och den bärbara. I bokhyllan fanns det fle-
ra hyllmeter med matematiska verk och väggarna prydd-
es av färgförstoringar av fraktalutskrifter. Att döma av
mängden böcker i vardagsrummet och sovrummet kun-
de man snarare ha trott att vi var litteraturmänniskor.
Den franska poesin och allt annat svårförståeligt här-
stammade från Antti, jag hade fört in en praktfull sam-
ling deckare i hemmet och alla mina flickböcker. På toa-
letten på undervåningen ståtade min barndoms idol Pip-
pi Långstrump på väggen, och Anttis förebild, den fåra-
de Samuel Beckett, tittade från hallväggen ner på folk
som kom in. Det syntes väl på vårt hus att ingen av oss
hade tid att ägna sig åt vare sig inredning eller städning.
De bekväma fåtöljerna som köpts på loppmarknad och
den praktiska soffan var alltid fulla av katthår, böcker
fanns ibland till och med i kylskåpet – även om Antti inte
fått tjänsten som professorsassistent i matematik uppvi-
sade han allt tydligare symptom på tankspriddhet.

282

Min gamla elbas stod försonligt lutad mot Anttis piano, vars ton enligt stämmaren var mer som en daggmasklåda än en cigarrlåda. Området runt stereotornet och högtalarskåpen svämmade över av skivor och urgamla kassettband som spelats in från radion i forna tider. Antti hade efter att vi flyttat in sorterat LP-skivorna, de klassiska efter tonsättare, rockskivorna efter sångare, men ingen orkade göra någonting åt den hela tiden växande högen av CD-skivor. Alanis Morissette och Mozarts Requiem trivdes väldigt bra ovanpå varandra.

Övervåningens andra sovrum hade hittills främst fungerat som skräpförråd och tillfälligt gästrum. Mitt första projekt under mammaledigheten var att inreda det till barnkammare, vilket innebar korgsängen och skötbordet vi ärvt av Anttis syster, och den stora röda gunghästen som Anttis far hade haft som barn. I vårt en och en halvvånings hyreshus såg man att vi hellre höll på med annat när vi var hemma än att torka damm av småföremål.

Rami Luotos lägenhet såg ut som om dess ägare på alla sätt försökt undvika en personlig prägel. De mjölkvita skinnmöblerna var stiliga, men ganska trista, i hyllan av björkträ stod en standardteve, en video och en stereo, men skivorna och videofilmerna hade uppenbarligen gömts undan i skåpen. Några böcker fanns det just inte, deras plats var kanske i sovrummet, det fanns inte heller några skridskotroféer. Mitt dricksglas var ett grönt Kartioglas, det var väl köpt på rea på närmsta stormarknad. Det enda personliga föremålet var egentligen ett svartvitt foto av en smal plattbröstad ballerina som hängts upp ovanför soffan, av kläderna att döma trippade hon fram som Odette i Svansjön. Vem var kvinnan egentligen, någon gammal flamma? Det skulle i alla fall omkullkasta de tankar Pertsa hade om att Luoto var homosexuell.

"Så, vad kan jag berätta om Noora?" Det var svårt att tro att Luoto plaskat i duschen alldeles nyss. Håret med stänk av grått var perfekt kammat, den gråa fritidsdressen såg nystruken ut. Men hans avslappnade gestalt var lika skenbar som en vilande katts. Han hade tagit med sig ett glas till, is och en halvliters flaska citronmineralvatten.

"Jag tänkte faktiskt inte prata med dig om Noora, utan om paret Grigoriev. Du lärde ju känna dem redan i början av sjuttiotalet?"

Vanligtvis hade jag för vana att nia åtminstone alla kunder som var äldre än jag själv. Niandet framhävde min officiella ställning, fjärmade och gav mig befogenheter. Duandet använde jag mig av när jag ville föreställa en kvinna som det var lätt att anförtro sig åt. Rami och jag hade duat varandra ända från början, kanske hade han under sina år i Kanada lagt sig till med att kalla alla vid förnamn vilket gick att jämföra med duandet.

"Grigorievs?" mimade Ramis läppar, fårorna dansade runt munnen. "Vad vill du veta om dem? Anton dog ju för flera år sen."

"Och under mer än oklara omständigheter. Hurdan var han? Verkade äktenskapet lyckligt?"

Rami hällde upp ett glas mineralvatten, hällde i sig hälften och snurrade glaset i handen.

"Lyckligt… Hur mäter man det egentligen? Många av de ryska konståkningsparen gifter sig med varandra, åtminstone gjorde de det på den tiden. Elena och Anton var bara barn när de började åka skridsko tillsammans, och de gifte sig också i tjugoårsåldern. Elena drömde om

284

en karriär som balettdansös och Anton skulle bli ishockeyspelare, men du kommer väl också ihåg det där sovjetsystemet, alla hade inte råd att välja där. Man producerade elitkonståkare fabriksmässigt, och nån tränare insåg väl deras talang och kompatibilitet. Det var självklart en chans för dem också. Man fick resa, representera sitt land, hade råd att köpa saker den genomsnittliga Moskvabon inte ens hade hört talas om... Men Grigorievs saknade det där lilla extra som skulle ha fört dem ända till toppen."

"Vadå?"

"En sån där sista mental spark. Tekniskt sett var de nästan prickfria. Men Elena var – hur ska man nu säga det på ett fint sätt – intetsägande, och Anton passade bara in i de komiska programmen. På den tiden var ryssarnas stil väldigt klassisk och tragisk."

"Vad hände när de slutade sin amatörkarriär?"

"Vi åkte faktiskt i samma isshow ett år, The Magic Skate. Den är inte alls lika känd som till exempel Holiday On Ice, men där får man också smak för att resa runt och att tjäna pengar. Men sedan blev Elena gravid och de återvände till Moskva."

"Irina alltså? I mitten av åttiotalet?"

"Nej... Det här hände åttio. Jag fick min första stora roll i ett program då. Jag klarade ju aldrig riktigt av trippel lutzen, men jag kunde allt få publiken att skratta, så jag var en bra underhållare..." En sorgsen min drog över Ramis ansikte, tävlingskarriärens ringa framgång kanske fortfarande grämde honom, efter tjugo år. "Men nu handlar det ju inte om mig. Elena fick missfall med en otäck infektion som följd. Sjukhushygienen var väl aldrig riktigt en av sovjeternas starka sidor. Där tycktes deras skridskoåkande sluta. Anton fick som tur var en arvodestjänst på idrottsministeriet."

"Och efter några år blev Elena gravid igen?"

"Precis. Vad jag förstod gav barnets födelse henne ny energi att leva. Elena hade ju aldrig studerat nåt, bara åkt skridsko professionellt sen hon var tio. Vad annat hade hon kunnat göra än att bli tränare? De satte på Irina ett par skridskor innan hon ens kunde gå ordentligt. Och den flickan kommer att bli Finlands första världsmästare på sextio år... När Noora och Janne nu inte blev det."

Rami reste sig, gick fram till fönstret som regnet fällt tårar över. Det tog ett par minuter innan han kunde fortsätta prata.

"Det skulle inte ha varit omöjligt, ser du. Noora hade de perfekta psykiska anlagen. Hon var modig, öppen, kunde leva sig in, musikalisk, skapande. Allt! Kroppens låga tyngdpunkt skulle inte ha kunnat förstöra helheten. Janne behövde bara hoppa ordentligt och följa med."

Hade Rami känt att han kompenserats för sitt eget karriärnederlag genom Nooras och Jannes framgångar? Det var väl i och för sig en ganska dålig utgångspunkt för en tränares jobb.

"Vem av er var det som egentligen lockade Elena till Finland, du eller Tomi Liikanen?"

"Det var Tomi som började, men i slutändan jag." Rami gick iväg från fönstret, öppnade ett av skåpen i bokhyllan och tog fram en CD-skiva. Han tittade frågande på mig, jag nickade fastän jag inte såg skivans framsida. Tonerna från en cembalo fyllde rummet, musiken var avlägset bekant, kanske Vivaldi.

286

"Jag mötte Elena igen efter flera år på juniorernas världsmästerskap i Bulgarien. Esbo Konståkare hade med en väldigt lovande pojke som sen tyvärr slutade för att han blev så retad för sitt intresse. Men det hör ju inte hit. Under kommunisttiden stannade de flesta elittränarna i Sovjetunionen. När vi sågs upplevde Elena det som om hon inte skulle avancera längre inom sin tränarkarriär än som skridskoåkare, hon skulle vara den eviga trean efter alla Moskvinovs, Tarasovs och deras partners. I Finland har vi däremot haft problem med att hitta tränare på internationell nivå. Redan då föreslog jag att hon skulle flytta hit, men det hade förmodligen inte varit särskilt enkelt. Anton hade en bra karriär på idrottsministeriet, han hade till och med frivilligt gått med i det kommunistiska partiet. Elena vågade inte tala klarspråk om saken, men jag hade intryck av att deras äktenskap var trasigt på nåt sätt."

"Har du själv varit gift nån gång?" inflikade jag.

"Jag? Nej! Menar du att jag inte är rätt person att bedöma andras förhållanden? Det är jag säkert inte. Men det förstår man ju: Elena och Anton gifte sig nästan lite av situationens tvång, onödigt unga."

"Och sedan dog Anton…"

"Anton blev påkörd. Allt som allt en underlig historia, man fick aldrig fast föraren. Men det vet du säkert redan. Jag var också med på begravningen, jag deltog i Finska Konståkningsförbundets delegation."

Det hade varit en overklig stämning på begravningen. Ingen hade gråtit. Elena var den enda nära anhöriga, för Antons föräldrar hade dött våren innan och hans enda syster var utkommenderad någonstans i Uzbekistan. Irina var inte med vid begravningsakten alls. Minneshögtiden hade hållits i ett hus mitt på ett byggarbetsområde och det var svårt att höra talen för borrarnas ylande.

"Tomi var också där, det var då jag träffade honom första gången. Jag tänkte direkt, att den där mannen är intresserad av Elena."

"Så Tomi Liikanen var förälskad?"

Ramis min blev besvärad.

"Inte förälskad. Intresserad."

"Sexuellt?"

"Jag kan inte förklara det! Intresserad av att få Elena för sig själv. Det var från Tomi som idén om att Elena skulle till Finland kom ifrån. Jag bara ackompanjerade."

Jag funderade ett ögonblick. Vad skulle Tomi Liikanen ha haft för nytta av att Elena Grigorieva flyttade till Finland? Eller hade han vetat att också Elena var i fara om hon stannade i Moskva? Men varför? Jag var väl tvungen att fråga honom själv. Enligt Rami hade Ulrika blivit intresserad av att anställa Elena efter ytterst lite övertalning, och sedan hon tagit tag i saker och ting hade det gått lätt att ordna arbetstillstånd och visum. Elena och Tomi hade gift sig samma vecka som arbetet i Finland började. Nu väntade både modern och dottern på finskt medborgarskap, så att Irina skulle kunna representera Finland i de olympiska spelen.

"De har siktet inställt på Salt Lake City 2002, då är Irina sjutton, precis i lagom ålder. Nästa år ska hon tävla i juniorernas världsmästerskap."

Jag ville sluta tänka på de ryska turerna ett tag och förde över samtalet på Janne Kivis förehavanden.

"Du och Janne verkar vara goda vänner. Varför tror du att han beter sig som han gör?" frågade jag Rami medan

288

jag hällde upp ett andra glas mineralvatten åt oss båda.

"Vad menar du?"

Jag berättade om vansinneskörningen i morse. Skratt-rynkorna runt Ramis ögon djupnade till oro, han drog de smala fingrarna genom håret.

"Det är helt naturligt att han är förvirrad. Vad jag minns så har han också tidigare gett utlopp för konflikter på det sättet. Hoppat in i bilen och kört runt som en galning."

"Skridskoåkare på internationell nivå använder sig ofta av en idrottspsykolog. Hur är det hos er, det kunde kanske vara till hjälp för Janne?"

Rami nickade, verkade tydligt lägga saken på minnet.

"Jag tycker att Jannes beteende uttrycker skuld", fortsatte jag och när jag såg att fårorna i Ramis ansikte djupnade ytterligare skyndade jag mig att tillägga: "Jag menar inte att han nödvändigtvis skulle vara skyldig till Nooras död. Han kan till exempel lägga skulden på sig själv för att de grälade precis innan Noora dog. Han kan tänka att om han inte hade låtit Noora gå iväg hemåt arg, utan hade skjutsat hem henne, skulle Noora fortfarande vara i livet."

Cembalons klingande hade gått över i viola da gambas vemodiga sågande. Rami såg ut genom fönstret på den knappt urskiljbara yllesocksfärgade himlen. Han öppnade munnen som för att säga något, men stängde den sedan igen, så jag fortsatte:

"Jag har läst Nooras dagböcker. Enligt dem var hon hejdlöst förälskad i Janne, men känslorna var inte besvarade. Vad beror det på? Är Janne kanske mer intresserad av män än kvinnor?"

Till min förvåning brast Rami i skratt.

"Var har du fått för dig nåt sånt? Jag vet nog att man generellt anser att manliga konståkare är homo, men Janne är en vanlig tråkig hetero." Ramis skratt slutade i en suck.

Han behövde inte säga mer. Uppenbarligen hade Janne Kivi krossat även ett tredje hjärta i Esbo Konståkares team. Så jag fortsatte på det ämnet:

"Janne tycks vara Ulrika Weissenbergs särskilda favorit. Tror du att Ulrika skulle ha kunnat vara svartsjuk på Noora?"

"För Janne? Inte alls. Janne var bara inte intresserad av Noora, och uppriktigt sagt var det bättre så. Det är lättare att åka tillsammans om det inte finns några allvarliga relationskringelikrokar med i bilden. Noora hade också kommit över sin tonårsförälskelse om hon bara fått bli lite mer vuxen. Noora var i många avseenden mognare än andra i samma ålder, men inte i förhållande till Janne."

"Hade hon några pojkvänner?" frågade jag när jag kom ihåg patologens utlåtande om att Noora inte längre var oskuld. Det kunde ju förstås handla om ett one-night-stand. Men det var underligt att det inte nämnts nåt om att bli av med oskulden i de dagböcker jag läst hittills.

"Inte vad jag vet. Men Noora berättade ju inte allt om sitt liv för mig, även om jag försökt vara lika mycket en kompis som tränare."

Det var väl svårt för en tränare att vara kompis i längden, särskilt som en åtskiljande faktor var både kön och nästan trettio års åldersskillnad. Min tid tycktes vara bortkastad med Rami Luoto, han kunde inte berätta något avgörande för mig om paret Grigorieva. Men jag för-

sökte ändå med Teräsvuori. Ramis reaktion på mitt på-
stående att Vesku och Tomi kände varandra var bestört:

"Det kan inte stämma! Teräsvuori har ju nästan varit
som vilddjuret i Uppenbarelseboken för oss alla, stört hela
teamets jobb. Jag är säker på att om Tomi kände honom
skulle han ha försökt få ordning på Teräsvuori." Luoto
slog igen regelsamlingen, den påminde till sin tjocklek och
sitt yttre om Bibeln.

Jag orkade inte börja förklara för Rami att männen
setts tillsammans flera gånger. Han verkade uppriktigt
villig att hjälpa till i utredningen, men en aning naiv.
Kanske trodde han att människor var vad de såg ut att
vara på ytan. Men hade han efter åren på tävlingsarenor-
na och som showskridskoåkare kunnat förbli så godtro-
gen, eller var den eviga pojkaktigheten bara en roll?

Påmind om Teräsvuori insåg jag att jag inte hört något
från Koivu sedan i förmiddags. Fortsatte han att spana,
hade han kanske varit tvungen att följa efter Teräsvuori
till något ställe där mobilen inte hade någon täckning?
Jag skulle som bäst resa mig för att gå när Rami Luoto
frågade:

"Du nämnde att du läst Nooras dagböcker. Har de va-
rit till nån hjälp i utredningen?"

Jag visste inte vad jag skulle svara. De få stycken i dag-
böckerna som beskrev Rami var ganska bittra, fastän jag
inte visste orsaken till den motvilja Noora kände. Noora
hade visserligen njutit av dramatiska motsättningar, och i
hennes värld hade Rami varit en dålig tränare och Elena
en bra.

"Det var väl allt", sade jag och baxade mig upp ur sof-
fan.

291

"Det måste vara svårt att röra sig med en så stor mage", sade Rami. Kommentaren var tydligt menad som medkännande, men den fick mig att känna mig som en tank. Jag hade annars också, allt eftersom graviditeten blivit synlig, fått ta emot blickar på ett helt annat sätt än tidigare. Arbetskamraterna klappade mig irriterande på magen, på bussen i rusningstid väjde man besvärat för mig, som om jag kunde börja föda vilket ögonblick som helst. Man frågade ständigt hur jag mådde, och i synnerhet min yngsta syster Helena, som under hela tiden hon varit gravid hade lidit av illamående och anemi, verkade bli nästan besviken när jag sade att jag mådde bra.

Jag mumlade något obestämt till svar och iddes inte använda Ramis toalett, fastän jag skulle ha behövt det. Jag startade bilen och backade ut från parkeringsplatsen med sådan fart att jag nästan körde in i en gråsmutsig Renault, den mörkhåriga kvinnan som körde grimaserade ilsket åt mig. Jag hade hunnit bli rädd och förskräckelsen hoppade otäckt till inom mig och hjärtat bultade fortfarande när jag körde förbi ishallen igen och under Västerleden. Vanligtvis var jag en säker bilförare, jag var tvungen att sitta mycket bakom ratten även å jobbets vägnar, även om jag inte tyckte så värst mycket om att köra bil. Men den plötsliga händelsen påminde återigen om hur inget i livet var säkert. Även om man följde trafikbestämmelserna i årtionden skulle en rattfyllerist som dundrade fram med två och en halv promille i blodet när som helst kunna smälla in i sidan på bilen, och göra mos av bilen och dess passagerare.

När jag svängde in på Lillhemtsvägen insåg jag någonstans inombords starkt att Nooras död också hade varit

292

en tillfällighet, en olycka som inte planerats i förväg. Drogerna och ryska maffian hade bara fått för stor dimension, det var bara ett antal sammanträffanden. Noora hade knappast vetat någonting om dem. Det var säkert någon helt okänd person som hade slagit ihjäl henne, kanske för att Noora inte hade cigaretter eller för att hon sagt fel sak. Det kanske handlade om ett våldtäktsförsök. Men var börjar man leta efter en våldtäktsman när det inte fanns några vittnen till Nooras promenad hemåt?

De nya laboratorieresultaten var utlovade till i morgon, de skulle kanske vara till större hjälp än folks prat. Jag visste att jag lurade mig själv när jag väntade mig att det skulle finnas fingeravtryck från någon som fanns i brottsregistret på Nooras skridskoskydd. Men det kunde ju gå så också. Det skulle inte vara första gången som jag fick fast en brottsling enbart med hjälp av kriminaltekniskt bevismaterial. I samband med rån hade det ofta hänt.

Ljusen från hemmet glimtade tryggt genom regnet. Den gulbruna målarfärgen på ytterväggen flagnade redan en aning. Trädgården såg trött ut efter vintern, gräset hade inte hunnit bli mer än fläckvis grönt. Jag tyckte om vårt hus i Hemtans, det var egentligen vårt första riktiga hem. Av hyreskontraktets fem år återstod tre, och än så länge verkade det som om kontraktet skulle komma att förlängas. Ingen av oss var särskilt pigg på att dra på sig lån för en bostad, det kändes som om det skulle spika igen möjligheterna i livet för gott.

"Har du haft mobilen avstängd? Koivu har ringt hit åtminstone tre gånger när han inte fått tag i dig", skrek Antti från vardagsrummet, där han satt och spelade piano.

Jag proppade i mig en halv banan innan jag ens började kontrollera mobilen, under slutet av färden hade min mage börjat knorra hotfullt. Det var ingen överraskning att batteriet hade laddats ur igen, jag glömmer alltför ofta att ladda det. Det är en praktisk tingest, men den skulle kräva en lite annorlunda karaktär av sin användare än min.

Det fanns inget att anmärka på batteriet i Koivus biltelefon.

"Äntligen!"

"Nåt nytt?"

"Nä, inget. Jag sitter på Fishmaids parkeringsplats nu. Det är jävlig kallt här och jag måste pinka." Koivu lät förbannad. Han hade uppenbarligen förväntat sig att det skulle börja hända något riktigt spännande efter snilleblixten på Karlavagnsvägen.

"Har Teräsvuori gått till jobbet, eller?"

"Ja. Och säg inte att jag måste gå in och sjunga karaoke."

"Det skulle åtminstone vara varmare där. Du kunde köra Jari Sillanpääs *Drömslottet*, vore inte det en passande sång för en förälskad ung man?" frågade jag samtidigt som jag tryckte in resten av bananen i munnen.

"Dra åt..."

"Vart åkte Teräsvuori från Drumsö?"

"Snubben som körde skåpbilen från Tommy's Gym släppte av honom på Östersjögatan igen. Efter det satt han hemma och jag satt och ugglade i bilen. Ström ringde en gång i timmen och svor över att jag inte kunde komma och sköta några förhör i hans fall."

"Bry dig inte om Ström. Åk hem bara."

"Det störde mig så pass att jag ringde till den där Kos-

294

kinen. Alltså han som bor på Karlavagnsvägen och är med i Mattinens liga. Jag frågade om Vesku var kvar."

"Vad i helvete?" Jag var inte alls säker på om Koivus självsvåldiga beteende hade varit rätt. "Vem sa du att du var?"

"Pekka så klart", sade Koivu, som ju hette Pekka i förnamn. "Han började inte fråga efter vem jag var utan svarade att Vesku stuckit tio minuter tidigare. Då fick vi bekräftelse på det besöksstället också. Och säg inte att de alla tre är gamla klasskamrater."

Det gjorde jag inte, jag berömde Koivu så pass att jag fick honom att lova att fortsätta spanandet i morgon också. Jag skulle i min tur hämta in Tomi Liikanen på förhör.

För att ruska av mig jobbet gick jag in i vardagsrummet igen, där Antti improviserade C-blues. För tre år sedan, precis i början av vårt sammanboende, hade han bestämt sig för att det inte var tillräckligt med tjugofem års klassiskt pianospelande. Att gå över från musik som spelades utifrån noter till att lära sig ackompanjera fritt och improvisera var inte helt lätt, men nu lät bluesen inte längre framtvingad. Och blues kunde ju jag spela med i.

Jag kopplade in basen i förstärkaren, slängde remmen över axeln och började pumpa fram en långsam boogie-woogie under Anttis tonföljder. Det gick några fraser innan vi hittade en gemensam rytm, men sedan bar musiken oss ledigt.

Bluesen passade in i den regniga vårkvällen. Jag dansade bort för att släcka ljuset i hallen, i dunklet skulle inte högarna av katthår eller fingeravtrycken som inte torkats bort från TV-rutan störa. I ljuset av pianolampan såg rummet ut som en rödaktig grotta, och man kunde näs-

295

tan föreställa sig rökslingan som steg upp från Anttis läppar, trots att han inte rökte. Pianot klingade fram riviga intervaller, som basens toner törnade emot, ibland smeksamt, ibland med en klang av gräl.

Att spela tillsammans var egentligen som att älska. Enbart ett solo framkallade inte den bästa njutningen, utan att hitta just de rätta tonerna för just oss. När man improviserade tillsammans var man tvungen att lita på den andra, följa med i musiken utan att hålla tillbaka i onödan. Ibland sjöng vi också, till blusens ackord var det lätt att kasta fram vrickade tonföljder och rycka fram en nödformulering ur sitt eget huvud. Jag hade säkert snickrat till åtminstone sjutton Pertti Ströms blues, sjungandet hjälpte en att få ur sig frustrationerna över jobbet också. Men nu nöjde vi oss med att bara spela, och efter ett tag började också Varelsen i min mage att dansa i takt med musiken som vibrerade dit. Vi vävde ett hem åt oss av musiken, en varm stabil tongrotta, och den övriga världen blev kvar utanför, för en lång stund.

14

Mitt hem är här. På alla andra ställen känner jag mig alltid en aning främmande. Men på isen vet jag vem jag är, också på en främmande is, vars yta jag fortfarande försiktigt känner på. Nån gång skulle jag vilja åka skridsko tillsammans med Janne på en nattgammal höstis, som klagande skulle sjunga under våra skridskor. Den skulle svikta lite men ändå bära, om vi var tillräckligt snabba. Jag skulle vilja se på vår bild i den klara mörka ytan. Då skulle jag inte se mitt egna fula jag, utan den jag verkligen skulle vilja bli.

Jag bläddrade i Nooras sista fullskrivna dagbok samtidigt som jag försökte ringa Tomi Liikanen. Noora hade läst Peter Høegs *Fröken Smillas känsla för snö* och av den inspirerats att fundera över sitt förhållande till isen.

Det finns förstås stunder när jag kämpar mot isen. Ibland är den helt enkelt för mjuk och lyfter inte upp mig i luften. Andra gånger känner jag hårdheten när jag flyger mot den och inte hinner rätta till min hållning så att den ska vara så mottaglig som möjligt. Ibland drömmer jag att jag är för tung för dess yta. Isen orkar inte bära mig, utan jag sjunker in i den

medan skrattet exploderar vid kanten av rinken. Isen äter
upp mig, och inte en enda människa rusar fram för att rädda
mig. Men för det mesta är vi ett, jag och isen. Jag växer ur
isen och isen fortsätter i mig.

Handstilen var inte längre barnsligt rund. De första bågarna på de versala m:en var fortfarande utmärkande stora, de små bokstävernas nedre krokar täckte så när raden under. I slutet lyfte nästan raderna från papperet, som om Noora skulle ha skrivit i extas. Jag vände på bladet där handstilen blev allt oläsligare.

Isen är mycket oftare ovänlig mot Janne än mot mig. Den
håller honom inte upprätt, den gör blåmärken på hans knän.
En gång skar den upp ett jack i hans haka, ärret syns fortfa-
rande. Ibland dansar den glatt med honom, som en tredje
varelse emellan oss som fogar oss samman. Det är tydligt att
isen älskar Silja, som alla andra gör, och jag bevakar svart-
sjukt min egen is. Rami är som jag, han är rädd att isen ska
visa honom just så ful som han är. Elenas förhållande till
isen är det allra underligaste. För henne är den opersonlig,
endast ett arbetsredskap, bara viktig när den är till nytta.
Elena vill tämja allt, också isen, men isen har aldrig gått
med på det.
   Men Ulrika är rädd för isen. Jag såg att hon snubblade en
gång när hon kom för att dela ut priserna i teamåkningen,
och sen dess har hon alltid smugit längs rinken och hållit i
kanten eller hämtat stöd i Jannes armar. Dumma, fåniga Ul-
rika.

Sedan började Noora analysera Ulrikas förtjusning i Janne på ett så grymt sätt som bara en sextonåring kan, som tycker att alla över trettio är hopplösa och lastgamla.

Det är precis som om Ulrika försökte suga tillbaka ungdomen i sig själv genom Janne. Och Rami är likadan, jag ser det allt tydligare. Det är äckligt, smutsigt. Jag förstår hur bedrövligt det måste kännas för Janne. Om jag bara kunde berätta allt, prata öppet med honom. Men då skulle han hata mig.

På nästa sida satt en operabiljett fastklistrad. Ulrika hade tagit med skridskotrion för att se Tosca och hade druckit sherry med Janne under pausen, något som irriterat Noora kolossalt. Jag började nästan känna sympati för Ulrika Weissenberg. En människa har väl rätt att bli förtjust i en människa som är yngre än en själv. För sjutton, om Janne hade varit flicka och Ulrika man skulle ingen ha sagt något!

Efter ett par sidors intensivt förolämpande återgick Noora till istemat:

Det är svårt att föreställa sig att morsan nånsin har haft nåt förhållande till isen. Jag kan någorlunda föreställa mig henne på skridskor, det var ju hon som lärde upp mig när jag var liten, men hon slutade ganska snart. Jag kommer fortfarande ihåg morsans löjliga Jutta-skridskor som hon hade skaffat sig nån gång när hon var liten. De ligger väl fortfarande kvar på botten av nåt skåp, hon har inte haft hjärta att kasta bort dem. Som tur är hade hon tillräckligt med vett att köpa ett par riktiga skridskor åt mig med en gång.

Morsans barndomsbilder är roliga. En isig plätt på gården

som ska föreställa en skridskobana, en tjock flicka med vit
pälsmössa på huvudet som försöker inta vågrät position. Det
är inte morsans förtjänst att jag uppfyllde hennes drömmar.
Okej, hon lät mig bekanta mig med isen, men det var inte
hennes förtjänst att isen godkände mig, utan min egen.
För Sami är isen ett slagfält. Och isen är inte viktig för
honom, utan klubborna och puckarna. Men eftersom han
inte förstår nåt av isen, kommer han inte att bli nån Teemu
Selänne. Själv kommer han aldrig att fatta varför.
Det enda förhållandet som farsan skulle kunna ha till isen
är som förare av ismaskinen. Och då skulle han säkert göra
isen för ojämn och skrovlig.

Jag insåg att jag försjunkit i Nooras dagböcker, fastän jag
skulle ha knappat in numret till Tommy's Gym. Hemma
hos Grigorieva-Liikanen svarade nämligen ingen. Jag
sträckte mig efter telefonluren när Pihko stack in huvu-
det.

"Nu har jag kollat och återigen kollat Teräsvuoris alibi
för kvällen då Noora dog." Pihkos axlar var spända, mi-
nen skvallrade om väldig frustration.

"Ja?"

"Han har inte åkt nånstans från Fishmaid den kvällen!
Ett möhippesällskap var där, nåt slags körpinglor från
Tekniska högskolan, och de hade börjat sjunga karaoke
redan klockan sex. Det sa de till mig redan första gången,
men inte så utförligt som nu. Vanligtvis brukar onsdags-
kvällarna vara lugnare, men det här var ett undantag. Jag
har pratat med nästan alla de där kvinnorna, vad det nu
är för nån jäkla Dominaklubbkör..."

"Dominante."

300

"Vid niotiden kom deras ledare, som är man, dit och bruden fick tydligen öva sig på att behandla maken rätt genom att sjunga alla smöriga kärlekssånger som fanns på listan. Teräsvuori hade varit ganska trött på dem, men hade varit på plats förutom en toapaus på trettio sekunder. Det påstår i alla fall cirka trettio teknologtjejer."

"Tack, Pihko. Jag bad dig inte att göra det här för att jag tvivlar på din kompetens", sade jag, men de sista orden möttes av en stängd dörr. Pihko hade verkligen tagit illa upp. Förbannat också. Att jobba för tätt inpå Ström hade kanske förstört även min förmåga till relationer. Pihkos semester skulle börja någon av de närmsta dagarna, och efter semestern skulle han börja plugga juridik på heltid. Trist om hans sista minnen av mig skulle vara bittra.

Vesku Teräsvuori kunde alltså inte ha tagit livet av Noora, jag var väl tvungen att finna mig i det till slut. Att han skulle ha värvat någon annan, till exempel Tomi Liikanen, till att misshandla Noora åt honom var på sätt och vis långsökt, men allt måste kontrolleras. Nu var det dags att få Liikanen att börja prata. Jag trevade efter luren igen, men tingesten hann ringa först. När jag lyfte luren var det Koivus upphetsade röst som hest väste i den.

"Hej, Maria. Jag är här på Östersjögatan igen. Det verkar som om Vesku Teräsvuori fick besök nyss. Åtminstone såg jag fru Nieminen, Nooras mamma, gå in i hans trappuppgång."

"Hanna Nieminen? Är du helt säker?"

"Jag upptäckte bilen först, för hon parkerade sin Ford Scorpio snett på övergångsstället. Jackan var felknäppt och sminket så utsmetat att jag tänkte att hon var full. Sen insåg jag att det var Nooras mamma."

Varför i hela friden hade Hanna åkt för att träffa Teräsvori – eller det kunde jag kanske ana. Det kunde bara finnas ett enda skäl. Jag famlade efter skorna som jag sparkat av mig under bordet medan jag fortsatte prata.

"Hade hon med sig nåt?"

"En sån där sportbag, du vet, som hockeyspelare ofta har. Hon bar den lite försiktigt som om den vore tung, även om den såg rätt tom ut."

En sportbag. Jag mindes älgstudsaren i bokhyllan i vardagsrummet hos familjen Nieminen och tappade nästan telefonen.

"Koivu. Lyssna noga! Be om assistans från närmaste Helsingforspatrull och försök ta dig in i Teräsvuoris bostad. Han kan vara i fara! Jag kommer dit med detsamma."

Jag drog på mig jackan, snappade åt mig mobilen och rusade ut i korridoren. Vilken tur att Pihko var på sitt rum.

"Följ med på en gång! En nödsituation, jag behöver en chaufför!" skrek jag med en sådan röst att Pihko inte tordes tvivla på allvaret i situationen. Samtidigt slog jag numret till garaget, de skulle få ordna fram en bil.

Pihko frågade inte i onödan, det fanns inte ett spår av tjurandet nyss. Vi rusade ut i trappuppgången, hissen kom just upp, vi bokstavligen slet ut Lähde för att påskynda vår avfärd. När vi klev ur hissen sparkade Varelsen, som blivit skrämd av att mitt hjärta gick på högvarv, till så kraftigt att jag trodde att levern och bukspottkörteln skulle lossna och åka upp i halsen. Jag lyckades bara nätt och jämnt undvika att kasta upp på Pihkos nytvättade bruna bomullsbyxor.

Jag hoppade ändå raskt in i bilen som i någon amerikansk polisserie och befalldc Pihko att köra till Gräsviken. Han krävde fortfarande ingen förklaring, vilket var bra för jag hade samtal att ringa.

Kauko Nieminen var inte på sitt företag, utan tydligen på väg till Blåbacka för en affärsförhandling. Sekreteraren gick med på att koppla mig till biltelefonen först när jag började gasta om att jag var polisen som utredde Nooras dödsfall och att en annan människas liv kunde stå på spel. Som tur var svarade Kauko. Jag högg av hans "något nytt"–fråga med mina egna andfådda frågor.

"Älgstudsaren som ni har i ert vardagsrum. Går den att skjuta med?"

"Jag jagade senast i höstas. Hanna ville att den skulle stå framme ifall Teräsvuori skulle göra ett oväntat anfall. Hurså?"

"Har ni patroner hemma?"

"Det finns några lådor. I ett skåp med lås i klädkammaren i anslutning till vårt sovrum. Vad…"

"Har ni eller Hanna nyckeln?"

"Båda har nyckel till skåpet. Det finns annat vik…"

"Kan er fru ladda vapnet?"

"Ja! Hon bad mig visa henne när Teräsvuori trakasserade oss som värst. Hurså! Vad i hela friden är det som har hänt?"

Jag berättade det lilla jag visste, jag försökte låta bli att förstora upp det, även om rädslan säkert hördes i min röst.

"Jag åker till Gräsviken", skrek Kauko Nieminen i luren och lade på innan jag hann säga nej eller ja. Det kunde inte skada i alla fall.

Vi hade redan hunnit till trafikljusen i korsningen mellan Ringväg I och Otnäs, för Pihko hade slagit på sirenerna och dundrade fram i åtminstone hundrafemtio. Nu körde han oförfärat mot rött ljus, en urgammal blåvitfärgad Corolla hann nätt och jämnt undan. Hjärtat slog volter på grund av något helt annat än hastigheten. Låt det inte vara det jag är rädd för, bad jag en namnlös gud som jag inte ens visste att jag trodde på.

Himlen ovanför Västerleden hade en underlig färg, stränderna täcktes av moln med lilagrå kanter, men det militärgröna molnluddet ovanför havet sprack upp här och där och blå flikar tittade fram. Solen skulle kanske också behaga sig till ett snabbt besök för första gången på flera dagar, hann jag tänka innan vi var framme vid Lepakko-huset och Pihko körde förbi bilköerna genom bussfältet.

På Östersjögatan stod två polisbilar, den ena var bemannad. Koivus civil-Samara var tom. Jag presenterade mig för helsingforsarna.

"Koivu är i korridoren bakom lägenheten, han försöker höra efter vad som händer. Patrullen är på undervåningen."

"Har ni ringt till Teräsvuoris lägenhet?"

När svaret var nekande, knappade jag först in mobilnumret där jag inte fick något svar. På hemnumret svarade telefonsvararen.

"Hej, det här är Vesku", framförde den hesa rösten. Jag lade på innan jag insåg att Teräsvuori förmodligen hade en vanlig, gammaldags telefonsvarare som ekade ut meddelandet i lägenheten. Så jag tryckte på återuppringningsknappen och hörde samma litania igen.

"Hej, Vesku. Det här är Maria Kallio från Esbopolisen. Och hej, Hanna. Vi vet att du är där. Lyssna, Hanna! Vesku kan inte ha tagit livet av Noora. Han har ett vattentätt alibi. Kom ut därifrån, Hanna. Jag…"

Pip! lät telefonsvararen när tiden som var avsedd för meddelandet var slut. Borde jag försöka igen? Det kanske var smartare att gå och ringa på dörren. Undrar om fastighetsskötaren tillkallats för att öppna dörren ännu?

Det verkade inte finnas någon hiss i huset. Jag slog säkert rekord för höggravida kvinnor när jag rusade upp till tredje våningen. Koivu väntade utanför dörren, han såg liten och osäker ut för sina hundranittio centimeter och nästan hundra kilo.

"Det här är mitt fel, Maria", sade han utan att hälsa. "Jag borde ha insett direkt att jag skulle ha hindrat fru Nieminen. Lyssna!"

Det var lätt att urskilja skrikandet ända ut i trappuppgången. Hannas kvinnliga röst lät gällare, Teräsvuoris gnällande avslöjade att han var väldigt rädd.

"Vesku och Hanna, öppna! Det här är polisen!" vrålade jag i nyckelhålet. "Hanna! Vesku är inte skyldig!"

Grannarna trängde ut i korridoren, Pihko var som tur var där och kunde sjasa iväg dem.

"Är det polisen!" skrek Teräsvuori någonstans inifrån lägenheten. "Hjälp mig! Hon tänker döda mig!"

"Nycklarna?" Jag var inte säker på att det kom något ljud ur strupen, men Koivu kunde väl läsa på mina läppar och nickade. Fastighetsskötaren var på väg så fort han kunde från Östra Böle, där fastighetsbolaget kamperade.

Koivu och Helsingforspatrullen rådgjorde med ett studerande par som bodde i grannlägenheten. De lovade att släppa in poliserna på sin balkong. Trots att det bara var en smal betongkant mellan balkongerna skulle det inte vara en så svår konst att klättra förbi den till den andra balkongen. Åtminstone den ena av Helsingforspoliserna försäkrade att han kunde göra det. Blotta åsynen av en polis skulle kunna få Hanna att avstå från sina avsikter.

Jag fortsatte med ropandet som var tänkt att lugna, men det tycktes inte ha någon effekt. Hannas gråtblandade pipiga röst hasplade ur sig hotelser, jag kunde nästan se henne med geväret i hand, gevärspipan tätt intill Teräsvuoris bröst. Varför hade jag i går gått och kläckt ur mig att Teräsvuoris alibi kanske inte var vattentätt? Det var ju mina ord som hade provocerat Hanna till det här idiotiska företaget.

Steg ekade nerifrån. Fastighetsskötaren anlände, Kauko Nieminen pustade bakom honom. De följdes av ett helt regemente poliser.

Jag snappade åt mig nyckeln. Det fanns ingen tid att börja undersöka om någon av Helsingforspoliserna stod högre i rang än jag.

"Hjälm och väst?" viskade Koivu när jag direkt stoppade in nyckeln i låset. Jag skakade på huvudet. Ju mindre hotfull rekvisita, desto bättre. Och jag skulle knappast ha fått på mig en skottsäker väst längre.

"Hanna! Lägg ifrån dig vapnet, vi kommer in!"

I hallen syntes ingenting som avvek från det normala. Hanna och Teräsvuori var i vardagsrummet. Teräsvuori satt i fåtöljen och Hanna stod framför honom och svajade en aning fram och tillbaka, men gevärspipan var hårt tryckt mot Teräsvuoris bröst. Skräcken hade förvandlat

306

Teräsvuoris ansikte till en stelnad vaxblek mask, han hade tårar i ögonen. När han fick syn på oss vågade han knappt lyfta blicken från gevärspipan.

"Hanna! Ge mig vapnet", sade jag från vardagsrums- dörren. "Teräsvuori tog inte livet av Noora. Han har ett vattentätt alibi."

"Det är ren lögn", grät Hanna. "Alla är på hans sida, polisen också. Ni skyddar honom, och snart dödar han oss alla om jag inte... Jag måste...,"

Ljudet av skottet slog lock för öronen på tio meters av- stånd. Även om folkmassan dämpade genljudet, ringde det så i öronen att jag knappt uppfattade ljudet som följ- de knallen.

En kvinnas tröstlösa, gälla gråt.

Blåa droppar rann från Hannas ögon, geväret gled ur händerna och ner på golvet, och hon stapplade bakåt, längre bort från kroppen. Det fanns bara ett litet hål i Teräsvuoris bröst, men det sprutade ut blod ur ryggen och kroppen gled sakta neråt längs stolsryggen. Varelsen sprattlade inuti mig som om den blivit träffad, Hanna svajade till mot mig. Bakom oss hördes ljudet av uppkast- ningar. Kauko Nieminen kräktes på sina skor.

Jag hade inte hört ambulansen komma, men nu träng- de män klädda i vitt in, kände rutinmässigt efter Veskus puls, som om det skulle ha funnits något hopp efter den brutala avrättningen. Jag lade min ena arm om den snyf- tande Hanna, med den andra försökte jag massera Varel- sen genom magen.

Ingen tycktes veta vad de skulle göra, förutom ambu- lansmännen som gick ut i korridoren igen. De behövdes inte längre, för det som var kvar av Vesku skulle föras bort först när brottsplatsen genomsökts officiellt.

Lukten av spyor blev starkare, jag började automatiskt andas genom munnen. Kauko Nieminens skrämda ögon blickade bredvid mig, flinten pärlade av svett som om han just hade sprungit en femkilometersrunda i full fart.

"Hanna?" Hans röst var bara ett svagt gnyende. "Hanna sköt…"

Hanna verkade inte höra sin mans röst, men Kaukos beröring fick henne att långsamt vända sig om. Ögonen glodde rakt fram utan att se något, man behövde inte vara läkare för att se att Hanna var i chock.

Det var en lättnad när min före detta chef, kriminalkommissarie Nuotio från våldsroteln på Helsingfors kriminalpolis, anlände och började styra och ställa. Hans viktighetsmakeri var på något sätt lugnande, det påminde om den vanliga, vardagligt hierarkiska polisvärlden, där jag också vanligtvis jobbade. Jag bad om en läkare åt Hanna. Jag sökte efter Koivus och Pihkos ansikten bland de främmande männen som fyllt upp lägenheten, men jag kunde inte hitta dem. Kanske hade de blivit utkörda.

Jag släppte mitt grepp om Hanna, men det var ett misstag. Hon segnade nästan ner på golvet innan Kauko lyckades få ett bättre grepp om henne. Ingen annan vågade närma sig henne, det var precis som om hon efter sin gärning hade drabbats av en smittsam sjukdom som alla var rädda för.

Jag visste att jag borde ha stannat kvar för att delge min version av händelseförloppet, men jag ville plötsligt ut ur Teräsvuoris lägenhet. Jag hade drabbats av en oresonlig ängslan att Koivu och Pihko hade lämnat mig ensam i fiendeterritorium. Snart skulle man anhålla mig också.

Det var ju i själva verket jag som hade tagit livet av Teräsvuori, min tanklösa mun, mitt larvande med om alibit var hållbart eller inte. Jag hade velat att Teräsvuori skulle vara skyldig och därför hade mannen fått en dödsdom för ett mord han inte ens begått.

Jag gick ut på gården, solen hade verkligen slitit åt sig en plats på himlen. Jag hörde fortfarande allt underligt dämpat, trafikens brummande borta vid Västerleden var bara ett litet brus, och måsarna som gapade med sina näbbar gav inte ifrån sig något ljud alls.

Jag kände hur hjärtat kurade ihop sig som en igelkott som hotas av en hund. Ett väldigt tomrum öppnade sig på hjärtats plats, ihåligt, ödsligt och skrämmande svart. Det var bara en sak som fick plats där, vetskapen om att jag begått mitt livs största misstag, och det skulle aldrig gå att reparera.

På gården fanns en övergiven lekplats, man hade väl tagit in barnen av rädsla för skjutandet. De första journalisterna rusade till platsen, jag gömde mig i trappan till rutschkanan, för med min stora mage skulle jag vara lätt att känna igen. Jag satt under ett tak, lindade armarna runt magen och tänkte på den mjölkdoftande babyn som jag skulle vagga i mina armar, lugna den till sömns. Jag insåg själv att jag gungade först när någon rörde vid min axel.

"Maria? Är du okej?"

Pihko. Och i bakgrunden en rödögd Koivu.

"Nej, det är jag inte", sade jag, men försökte ändå resa på mig. Eftersom det var väldigt svårt tog jag tag i Pihkos utsträckta arm.

"Taskinen kom precis. Den där Nuotio vill prata med dig."

"Men just nu orkar jag i alla fall inte", sade jag och önskade att jag åtminstone kunde gråta. "Det här var ju mitt fel."

"Lika mycket mitt", sade Koivu, och inte för att han ville lugna mig. "Jag borde ha fattat att man inte får släppa in Nieminen till Teräsvuori!"

"Hon skulle inte ha gått dit om inte jag hade kläckt ur mig det där om alibit."

"Och du skulle inte ha sagt nåt om jag hade skött mitt jobb noggrannare första gången", konstaterade Pihko utan minsta ilska.

"Men på nåt sätt borde vi ha kunnat förhindra... Försökt få Hanna att lämna ifrån sig vapnet."

Vi stod där hjälplösa under vårsolen som kändes grym. Ingen hittade ord för att trösta de andra, för att inte tala om sig själv.

"Semestern börjar i morgon, och sen kommer jag inte tillbaka", sade Pihko plötsligt. Vi hade tänkt ha avskedsfesten sista kvällen, som var en lördag, men nu skulle det knappast bli någon fest. Jag önskade att jag hade kunnat supa mig apfull, dricka mig in i glömskan åtminstone för några timmar. Varelsen skulle väl inte ta skada av en engångsfylla. Jag övergav tanken omgående med en ännu större känsla av skuld.

En av de uniformerade poliserna kom för att meddela att kommissarie Nuotio ville prata med mig. Jag tvingade mig rent bokstavligen tillbaka in igen, fastän jag ville springa åt ett helt annat håll. Jag kunde ju alltid sjukskriva mig. Det var bara tre veckor kvar till mammaledigheten, jag behövde inte gå tillbaka till jobbet alls. Och efter mammaledigheten? Kanske kunde jag få jobb på någon advokatbyrå, helst en sådan som hade hand om konsumentskyddsärenden eller något annat som var fritt från våld.

Poliserna höll tillbaka några ivriga journalister utanför Teräsvuoris bostad, Nuotio lämnade som bäst sin utsaga av händelsen. I morgon skulle Vesku vara berömd. Det lönade sig att skriva om hans död, för huvudpersonen kunde inte längre kontrollera sanningshalten. Och när tidningarna insåg att den som skjutit karaokekungen var Noora Nieminens mamma skulle de kunna få till flera saftiga löpsedlar om fallet.

Paret Nieminen satt i Teräsvuoris sovrum tillsammans med Taskinen och en kvinna som verkade vara läkare. Lägenheten låg i ett av de första husen i det nya Gräsviken, och planritningen följde 1990-talets höghusstandard. Så sovrummet var trångt, det fanns nätt och jämnt plats för den hundrasextio centimeter breda dubbelsängen, ett nattduksbord och en fåtölj som var full av kläder. Jag var tvungen att sätta mig på Teräsvuoris säng. Täcket hade garanterat varit dyrt, men det var också ovanligt corny, svart skinn och vit päls. Till råga på allt fanns det en spegel i sovrumstaket. När jag kastade en blick i den återspeglade den Kauko Nieminens fortfarande svettiga flint. Kauko och Hanna kurade på sängkanten och höll varandra i hand. Någon hade försökt torka bort de blåa sminkfläckarna från Hannas ansikte, men bara fått till en ännu värre röra. Jag började höra normalt igen, för jag kunde urskilja knäppandet av en kamera i vardagsrummet. Polisens fotograf hade återigen något vackert att fotografera.

Kauko Nieminen grävde med sin fria hand fram en

näsduk ur fickan och torkade av flinten. Den lämnade blåa fläckar efter sig. Hanna verkade underligt avslappnad, kanske hade man redan hunnit trycka i henne lugnande. Sedan hoppade Kauko upp från sängen, han stod tydligen inte ut med tystnaden och väntandet längre.

"Titta nu, såhär gick det", väste han slutligen till Taskinen. "Polisen kunde inte få bort Teräsvuori från oss, så Hanna bestämde sig för att själv agera... Och sen kommer ni och beskyller henne, ni... Om polisen hade gjort sitt jobb och tagit fast Nooras mördare skulle det här inte ha hänt!"

Jag kom ihåg att Ulrika Weissenberg berättat att Kauko inte ville att Hanna skulle gå i terapi. Vreden bubblade upp inom mig, jag ville också hitta en syndabock.

"Är ni så säker på er egen oskuld! Förstod ni inte att Hanna behövde hjälp efter Nooras död! Ni nekade henne det! Se er i spegeln, just det, där uppe i taket! Se på er själv och kom sen och snacka om skyldiga!"

"Maria", sade Taskinen med en röst som var tänkt att tysta. "Inspektör Kallio är förstås chockad över det nyss inträffade och vet inte riktigt vad hon säger."

Jag skulle just öppna munnen för en motvillig ursäkt när Hanna började skrika igen. Nuotio som precis klev in i rummet fann det bäst att vända om igen, Taskinen följde efter. Vilken tur att läkaren var där, annars hade det hamnat på min lott att lugna Hanna.

"Det vore bäst att ta henne härifrån så snart som möjligt", sade läkaren, och Taskinen nickade. Vart skulle de föra Hanna, till Jorv, den slutna avdelningen? Nooras begravning var på tisdag. Ulrika skulle nog få ta hand om sitt planerade spektakel ensam.

312

"Vet ni om er fru har kunnat sova på sistone?" frågade läkaren, en smal kvinna med ljus fläta.

"Ingen av oss har sovit! Vår dotter dog för nio dagar sedan, och sen dess har jag inte sovit mer än en halvtimme i taget, och knappast Hanna heller!"

Då kände jag för första gången medlidande med Kauko Nieminen. Först miste dottern livet, nu var frun en mördare. Skulle Kauko kunna ta tag i situationen på ett annat sätt än det traditionella för finska män, att med båda händerna hälla i sig sprit? Och vad skulle hända med Sami?

Man inledde förberedelserna för att föra bort Hanna, till Jorv, som jag gissat. Och hellre det, för Hanna hörde inte hemma i fängelse.

Om inte, viskade en märklig röst inom mig, om det inte var en del av planen att skjuta Teräsvuori. Tänk om Hanna själv hade tagit livet av sin dotter och på det här sättet ville täcka över spåren.

Jag började nästan skratta åt mig själv. Hanna Nieminen var verkligen inte någon beräknande mördarrobot. Jag hade ju senast i går sett hur äkta hennes rädsla var. Men den rädslan gjorde henne utmärkt att manipulera. Tänk om någon matat henne med tankar om att Teräsvuori var skyldig för att vända uppmärksamheten från sig själv?

Jag kom egentligen bara att tänka på två alternativ. Kauko Nieminen förstås, och dessutom Ulrika Weissenberg. Ulrika, som efter Nooras död hade fungerat som familjens livboj.

Men också den tanken kändes svindlande. Människor lekte inte med varandras psyken på det sättet, som i filmer jag inte hade för vana att gå och se. Det var min egen skuld jag försökte komma undan genom de här tankarna.

Hanna stapplade in i den väntande ambulansen mellan Kauko och läkaren och jag kände ett väldigt behov att skrika ut en ursäkt efter dem.

"Det var det", sade Nuotio som stöddigt satt på Teräsvuoris säng. "Fallet är lyckligtvis väldigt enkelt, eller hur kollega Taskinen? Det finns inget tvivel om gärningsmannen eller motivet. Polisen gjorde vad den kunde, men fru Nieminen hade bestämt sig för att ta livet av Teräsvuori. Om man hade försökt att stoppa henne kunde följderna ha blivit värre. Någon utomstående kunde ha hamnat i fara."

"Men...", stammade jag, och eftersom orden inte riktigt ville komma ut var jag tvungen att skrika:

"Nåt borde vi ha kunnat göra, åtminstone jag! Fått henne att lämna ifrån sig vapnet!"

"Maria, du försökte ju!" Taskinen hade ställt sig bredvid mig, nu tog han tag i mina axlar och nästan skakade mig. "Killarna berättade att du gjorde ditt bästa..."

"Men om vi inte hade rusat in sådär..."

"Maria! Det var inte du som tryckte av, utan Hanna", sade Taskinen och drog mig intill sig. Jag kände rakvattnets havsdoft och kavajens sträva tyg mot min kind. Taskinen smekte mitt hår och jag kände hur tårarna slutligen började rinna, gråten steg upp i halsen som hickningar.

"Vi tar det en annan gång, inspektör Kallio", hörde jag hur Nuotio fnös och snart stängdes lägenhetsdörren efter honom.

När jag till slut kunde sluta gråta hade man redan fört bort Vesku. De mörkröda fläckarna var kvar på golvet, i

314

en av dem gottade sig en fluga som slunkit in genom det öppnade fönstret. Det hade också droppat blod på glasbordet där ett foto av Hanna ståtade i en hjärtformad ram. Det hade åtminstone klarat sig utan fläckar.

Taskinen bad mig att åka med honom och uppmanade mig att ta ledigt resten av dagen. Han erbjöd sig att köra mig raka vägen hem, men jag ville åka till stationen först. Jag var rädd för att om jag inte åkte till jobbet nu skulle jag aldrig mer klara av att återvända dit.

Jag har klantat mig förut också, men tidigare har det åtminstone inte gått åt några liv på grund av mig. I alla fall inte direkt. För ett par somrar sedan vikarierade jag som länskvinna i min hemstad Arpikylä, också då hade jag hamnat mitt i ett mordfall. Om jag hade haft tålamod att lyssna på min gamla klasskompis skulle han inte ha blivit mördarens andra offer. En annan mördare hade lyckats köra sig själv till mos mot en bergvägg för att jag inte bundit ihop händerna ordentligt.

Det allra värsta fallet hittills under min karriär hade varit en arbetskamrats död i händerna på en kidnappare i vintras, på sätt och vis i stället för mig. Det fick en förstås att fråga sig om man själv hade någon rätt att leva. Under de senaste veckorna hade så mycket påfrestande saker skett att jag kände att mina krafter var slut. Ändå ansåg jag att jag åtminstone var skyldig Hanna och Vesku att ta fast Nooras mördare.

"Jag skulle vilja ha laboratorieresultaten före helgen. De skulle komma till lunch", sade jag stillsamt till Taskinen. "Och om nån bara hinner så vore det skäl att förhöra Tomi Liikanen. Nu kanske han pratar om sitt förhållande till Teräsvuori, när denne är död."

"Försök att inte tänka på jobbet nu", sade Taskinen nästan argt. "Jag tänker i vilket fall som helst bevilja dig ledigt i nästa vecka, och företagsläkaren tar emot dig på en gång. Du såg hur en människa dog, Maria. Man får vara chockad längre än ett par timmar efter det."

"Du själv då?" envisades jag. "Du har ju känt Hanna i åratal. Din arbetsförmåga är säkert inte heller mycket att hurra för."

"Jag bekymrar mig egentligen inte över det", suckade Taskinen. "Men vad ska jag säga till Silja?"

Resten av vägen åkte vi tysta, Koivu och Pihko körde efter oss. När vi var framme sade Pihko lite skamset att han var hungrig, och lovade att bjuda mig på lunch sin sista arbetsdag till ära. De andra nickade, man måste äta. Bara tanken på mat fick mig att må illa, men Varelsen kunde mycket väl vara av en annan åsikt. Så jag följde snällt efter männen till matsalen. Det fanns som tur var en varm portion vegetariskt, som jag åtminstone lyckades peta i mig bönstuvningen och potatisen av.

Koivu och Pihko lovade att leta fram Liikanen till för-hör i slutet av eftermiddagen. När jag insåg att de inte hade för avsikt att åka hem från jobbet mitt på dagen, även om de hade sett detsamma som jag, började jag näs-tan ångra mitt beslut att åka hem och vila.

Jag kände hur magen blev hård, den strama men mjuka ytan blev till en hård boll. Det gjorde inte ont, kändes bara underligt, och gick snart över. Men ändå kände jag att jag fått en varning. Varelsen skulle inte födas ännu, utan först om tio veckor. Det kanske var bäst att lyda de förvarnande sammandragningarna och vila, annars skulle jag kanske bli tvungen att ligga på sjukhus i flera veckor.

316

Rapporterna från det kriminaltekniska laboratoriet låg och väntade på mitt rum. I Nooras kläder hade man hittat både gråblå och mörkgröna bomullsfibrer, som härstammade från främmande föremål. Man måste utesluta till exempel Nooras egna kläder och materialet på möblerna i hemmet innan man kunde dra några slutsatser av fynden. De mörkröda fibrer man hittat på ryggen av jackan stämde däremot överens med fibrerna på bilklädseln i Jannes bil. Man hade också hittat Nooras fingeravtryck i bilen. Det bevisade ju i sig ingenting, särskilt som det inte fanns något spår av Nooras blod inne i bilen. Men i bagageutrymmet hade man praktiskt taget inte funnit någonting, inte ens Jannes egna fingeravtryck. Den obehagliga slutsatsen man kunde dra var att bagageutrymmet rengjorts och dammsugits precis före den kriminaltekniska undersökningen.

Jag ville verkligen veta varför. Det var ett väldigt märkligt sammanträffande att Janne fått städmani precis samma kväll som Noora dog, i synnerhet som han inte sagt något om det.

Nagelbiten man hittat i Nooras hår var mycket riktigt Ulrika Weissenbergs. Man hade spårat hennes fingeravtryck på Nooras skridskor, likaså Nooras egna, Jannes, Ramis och Siljas. De hade alla berättat att de fingrat på de nya skridskorna under träningen samma kväll. På skydden fanns däremot bara Ströms fingeravtryck, inte ens Nooras egna. Någon hade torkat av dem.

Min hjärna ville inte dra några fler slutsatser och den underliga, förhårdnande känslan drog i magen igen. Det var dags att åka hem. När jag körde ut genom garagedörren mötte jag Koivu och Pihko, och Tomi Liikanen satt i baksätet bredvid Pihko. Det kändes inte ens svårt att utebli från förhöret.

Hemma kokade jag kamomillte och började fylla upp badvatten. Jag skulle bada, sedan skulle jag ringa min väninna Eva Jensen. Kanske kunde jag titta förbi i kväll och prata lite och samtidigt titta på den fyra månader gamla babyn Talvikki.

Jag hade aldrig känt mig så hjälplös som i det ögonblick Hanna tryckte av. För det mesta dränkte jag min hjälplöshet i huvudlöst beteende. Men varför i helskotta måste jag hela tiden vara hård, orädd och driftig? Anledningen var inte bara att en kvinna i polisstationens manliga värld ständigt måste lyckas till hundratjugo procent för att bli tagen på allvar. Det krävdes tydligen en graviditet för att jag skulle ge mig själv lov att vara svag ens för en halv dag, det krävdes tydligen vetskapen om att det påverkade en annan människa också. Kanske borde jag även lära mig att tycka om mig själv lite mer. Lära mig att förlåta mig själv även för mina misslyckanden.

När jag klivit upp ur badet tog jag tag i något som det egentligen inte var någon brådska med. Min yngsta syster Helenas man hade tittat förbi för några veckor sedan och tagit med sig säckvis med babykläder, arvegods från min systers tre barn. Min andra syster Eevas yngsta, Aliisa, var visserligen bara en och en halv månad gammal, men min syster hade skickat alla Sakus gamla blåa sparkbyxor till mig. Hon ville väl klä sin dotter i rosa och kanariefågelgula färger.

Jag sorterade de vansinnigt små koftorna och byxorna och sockorna, som jag aldrig skulle ha trott att någon skulle få på sig. Sextio centimeter långa, sjuttio centimeter långa, spetsmössor och volangklänningar för en åttio centimeters baby, Helenas Janinas gamla. Det var underligt hur också babykläder var så könsindelade. Det stod *Bonne nuit* på ett pyttelitet nattlinne. Det luktade lustigt surt. Kläderna var tvättade med parfymfritt tvättmedel, så de doftade fortfarande en aning av babyn som hade haft dem.

Varelsen skuttade inuti mig och jag började prata med den, berätta vilka fina kläder som väntade på den ute i världen. Jag lovade att den skulle få använda den fina blåa sjömansoverallen vilket kön den än hade. Varelsen vände sig häftigare än vanligt, som om den hade blivit väldigt glad, och för ett ögonblick kändes det som om jag absolut inte skulle kunna vänta i tio veckor till, så gärna ville jag träffa det barn som fortfarande flöt inuti mig.

15

Nästa dag roade jag mig själv genom ett urkvinnligt tröst-
knep, shopping och chokladbakelser. Jag hade bestämt
träff med min kompis Leena från studenttiden under
klockan vid Stockmann halv tolv. Jag behövde desperat nya
underkläder.

"Och så inga mammamodeller", sade Leena i rulltrap-
pan. Hon var själv ett spetsunderklädesfreak, som inte
ens mot betalning skulle ha tagit på sig puderfärgade bo-
mullstrosor. Jag gick av gammal vana till hyllorna med
sportbehåar, men Leena lockade iväg mig. Hon nästan
skrek av förtjusning när hon hittade en svart amningsbe-
hå av spets i min storlek.

"Den här måste du köpa", sade hon ivrigt. "När jag
var gravid fanns det inga såna här alls, bara anständiga
vita. Köp två på en gång, mjölken sölar så fort ner."

Jag var väl tvungen att tro på en tvåbarnsmor. Jag kas-
tade dessutom ut pengar på ett par trosor i samma stil.
Sedan kom jag ihåg mascaran som bara gett ifrån sig tor-
ra klimpar de senaste dagarna. Så vi gick till sminkavdel-
ningen. Förutom mascaran föll jag för en ögonskugg-
palett med glänsande guld och violett, Leena köpte tre

läppstift att växla mellan efter humör.

"Hattavdelningen också", sade hon när jag var mogen att vila fötterna.

"En hatt? Jag använder bara mössa när jag åker skidor på vintern", muttrade jag när jag blev knuffad tillbaka mot rulltrappan.

"Köp en elegant stråhatt till sommaren." Leena tryckte ner en bredbrättad hatt på mitt huvud som fick mig att se ut som en svamp. Vi fnittrade som skolflickor framför spegeln, och köpte när allt kom omkring inte en enda hatt.

Jag kände mig så pass pigg att jag bestämde mig för att gå på Pihkos avskedsfest på kvällen. Jag tyckte om Pihko, jag skulle sakna hans saklighet och den torra humor som tidvis kikade fram. Jag behövde ju inte sitta med kompisarna länge, högst för ett par pilsner. Men vad skulle jag ta på mig? Vi marscherade bort till klänningsavdelningen, där jag faktiskt hittade en klänning som gick ner till vristerna och påminde om ett tält, precis lagom för en väntande mor. Jag brukar inte vara så slösaktig, men nu lät jag Visa-kortet dansa. Efter graviditeten kunde jag kanske sälja klänningen på loppmarknad.

Sedan satte vi oss vid hörnbordet på ett närliggande café för en chokladbakelselunch och försökte spana in snygga karlar. Resultatet var förargligt klent, så samtalet gled tvunget in på vår jobbstress. Leena var den enda jurist jag kände som när hon satt bakom ratten var rädd för att ens få syn på polisen, men som i sitt jobb kämpade som ett lejon mot samma poliser. Fastän våra åsikter om brott och rättvisan i straffen ofta gick isär var det trevligt att diskutera med en expert som såg saker och ting ur en annan synvinkel än polisens.

"Jag skulle i alla fall inte orka med såna där våldssituationer", suckade Leena när jag berättade för henne om såväl Teräsvuoris och Nooras död som om Jaana Markkanen som tagit livet av sin egen baby. "Jag har nog att svälja i förundersökningsprotokollen och vittnesmålen."

"Jag tycker också att tanken på en lång semester känns underbar. Man hinner fundera lite på vad man ska bli som stor", flinade jag och förde över samtalet på graviditetsgympa. Det var trevligt att prata om allt lättsamt och glatt, sminkfärger, recept och vinnyheter som än så länge var förbjudna för mig.

Den sena eftermiddagsbastun efter att jag kommit hem kändes härligt lyxig. Jag hade vant mig vid att jobba tio dagar i sträck, det var ibland ett måste för en kriminalpolis, men det var först när jag pratade med Leena som jag förstått hur trött jag var. Jag lutade mig emot väggen med fötterna upplyfta mot bastuugnens räcke, nästan halvt i sömnen, när något underligt började hända.

Mina bröst hade under hela graviditeten varit känsliga för kyla. Nu började det värka i dem trots värmen i bastun, en märklig tung känsla spred sig ner i dem och jag hade en känsla av att något mer än svett strömmade nerför huden.

"Titta, Antti! Mjölk", skrattade jag förbryllat.

Egentligen var det inte mjölk, utan något slags klar vassla, som droppade ut ur bröstvårtornas hemlighetsfulla, för ögat osynliga, öppningar. Den värkande känslan förvandlades till värme, och fastän jag försökte hindra brösten från att rinna, lydde de mig först när jag gick ut för att svalka mig i det svala omklädningsrummet.

322

"Skumt. Det ska väl vara så enligt böckerna", sade Antti, som hade läst alla möjliga födsel- och barnskötsel-guider. "Vad satt du egentligen och tänkte på, amning?"

"Ingenting. Absolut ingenting. Jag visste inte att det kunde komma mjölk redan nu. Knäpp känsla."

"Det berodde säkert på värmen", sade Antti och smekte mina bröst som vuxit från normalstora till en och en halv gånger så stora, förde handen längs det mörklila strecket som graviditeten ritat på min mage. Veden i bas-tuugnen hade hunnit bli till kol innan vi gick tillbaka för att tvätta oss, fuktiga av älskogen.

Efter bastubadet tog jag på mig min nya klänning, sminkade mig mer än vanligt och snodde ihop en del av håret i ett slags vild halvknut på hjässan.

"Du ser ut som en slottsfru", beskrev Antti mig när jag gick för att visa upp min utstyrsel. Det var antagligen bäst att ta det som beröm.

Pihkos avskedsfest hölls nära jobbet, i restaurangdelen på hotell Esbo. Männen på vår rotel, vilket fortfarande innebar hela roteln förutom jag, hade börjat med att bada bastu redan klockan sex, och åtminstone Puupponen och Lähde tycktes vara på g. De planerade att fortsätta till Fanny Hill i Helsingfors, en porrklubb där jag varit en gång med Puupponen för att förhöra en privatstrippa. Killarna påstod att Puupponen efter den visiten blivit en av ställets stamkunder.

Min ankomst orsakade en storm av visslingar, vilket jag lugnt besvarade genom att kasta slängkyssar. Det var inte så ofta jag gick ut med arbetskamraterna i normala fall heller, men allra minst nu när jag inte riktigt tålde ci-garettrök. Taskinen dök upp bredvid mig klarare i ögonen än vanligt och med ett konjaksglas i handen. Jag hade aldrig sett honom berusad tidigare, för på rotelns julfest hade jag själv varit så pass på lyran att jag inte kunnat bedöma andras berusningsgrad.

"Roligt att du orkade komma. Nu kan vi överlämna Pihkos present." Taskinen tyckte att det var helt naturligt att om någon skulle räcka över presenten tillsammans med honom, så var det jag. Det hade varit precis likadant på vår kollegas begravning, där hade jag också varit en av kransnedläggarna. Och det berodde inte på att jag var kvinna, utan på att Taskinen på något sätt såg mig som en förtroendeperson.

Taskinen hämtade en kabinväska i garderoben, den innehöll en manlig juridikstuderandes överlevnadskit. Finlands Lag, handklovar som köpts i en porraffär och en ficklampa som imiterade amerikansk polismodell. En flaska Koskenkorva, tabletter mot illamående och Burana. Kondomer, ett par snygga svarta sockor och kalsonger med Kalle Anka-motiv. Tommy Tabermanns senaste diktsamling, som en trist juridikstuderande kunde charma kvinnorna med. Det sista föremålet hade vi haft vilda dispyter om, för jag hävdade att de flesta kvinnor jag kände snarare charmades av Pentti Saarikoski, men Pertsa var orubblig och hade fått oss att gå med på Tabermann, på det villkoret att han själv gick och köpte den. Koivu hade följt med som vittne till en bokhandel i Hagalund, och Pertsa hade tydligen inte klarat att göra inköpet utan att rodna, trots att han krävt att den skulle ingå i presenten.

Efter presentceremonin gjorde alla sitt bästa för att uppnå åtminstone två promilles fylla. Det var ett väldigt

324

oväsen i restaurangen, jag slank in vid ett sidobord bred-
vid Koivu. Han såg nyktrare ut än de andra, och berätta-
de att skälet var att han inte hunnit till bastun för att han
varit tvungen att knacka ner Tomi Liikanens förhörspro-
tokoll.

"Snubben brast som ett korthus när han fick höra att
Teräsvuori var död. Pihko och jag kom överens om att
inte berätta vem som tog livet av honom, vi sa bara att
Teräsvuori blivit skjuten."

"Vem misstänkte han då? Vad fick ni egentligen reda
på?" När jag gick till festen hade jag tänkt undvika att
prata om sådant som rörde jobbet eller gårdagen, men nu
vaknade nyfikenheten igen. Och Koivu berättade tjänst-
villigt, nöjd med sina resultat.

De hade inte behövt pressa Liikanen mycket för att få
honom att medge att Teräsvuori var hans samarbetspart-
ner, hade varit det länge. Genom sin bror hade Teräsvuo-
ri lärt känna några småknåpare inom narkotikahandeln,
och på sina gig runt om i Finland sålde han samtidigt
små mängder cannabis och på senare år också heroin.
Liikanen hade i sin tur börjat föra in billiga hormonpre-
parat österifrån redan på Sovjettiden, under sina gym-
konsultationer. Anton Grigoriev hade varit en av de bästa
kontakterna inom handeln med hormonpreparaten.

"Kunde Liikanen berätta nåt om Grigorievs död?"

"Mycket till och med. Liikanen hade ju varit i Moskva
just då. Det var allt en rörig berättelse, och just därför är
jag beredd att tro på att den är sann."

Kvällen då Grigoriev dog hade herrarna druckit liter-
vis med vodka för att fira en lyckad affär. Anton hade sin
egen Lada, som han trots sitt berusade tillstånd hade be-

slutat sig för att köra hem. Liikanens samvete hade börjat göra sig påmint och han hade ryckt ut Grigoriev ur Ladan just som han skulle starta bilen. Grigoriev hade blivit arg, männen hade börjat slåss och fallit ner på marken. Uppenbarligen hade Grigoriev lämnat växeln i friläge och hunnit släppa på handbromsen, för plötsligt började bilen rulla rakt mot männen. Liikanen hade nätt och jämnt hunnit undan, men inte Grigoriev. Han hade dött på en gång.

Den berusade Tomi hade inte vetat vad han skulle göra. Ladan hade stannat i en liten svacka på parkeringsplatsen efter att först ha kört över Grigoriev. Liikanen hade dragit åt handbromsen och låst bildörrarna, sedan hade han släpat ut kroppen mitt på körbanan, enligt vad han själv sade för att någon annan skulle föra bort honom. Själv hade han några kvarter därifrån tagit en taxi till sitt hotell och lämnat landet på morgonen.

"De försvunna utredningspapperen då? Visste han nåt om dem?"

"Han erkände i alla fall inte det. Vet du varför han gifte sig med Elena Grigorieva?"

"Jag kan gissa. Skuldkänslor. Han försökte gottgöra det."

"Just precis. En underlig typ på alla sätt och vis. Åtminstone ingen kallblodig brottsling. Jag slår vad om att Teräsvuori hade fått reda på nåt om Grigoriev och pressade Liikanen att vara med på sina smutsiga affärer. Men han vill ju inte erkänna nåt."

"Medgav han att han tagit livet av Noora?"

"Nej. Han påstår att han hela tiden trott att det var Vesku."

326

"Varför det!" hojtade jag över oväsendet. "Vesku erkände det väl inte för honom?"

"Inte direkt, men han antydde det."

Sedan kom en av grannrotelns kvinnor, som uppenbarligen hade fått ett gott öga till Koivu, för att kräva en dans med honom. Pihko bockade framför mig, det roade mig att han hela tiden överförsiktigt försökte låta bli att klämma min mage. Vi pratade om juridikstudier och de möjligheter det öppnade inom poliskarriären. Nu, efter cirka fem öl, erkände Pihko att hans högsta önskan var att någon gång bli polismästare.

Efter danserna var jag tvungen att uppsöka toaletten. När jag återvände till restaurangen tog Pertti Ström tag i min arm och ledde mig till ett tomt bord för två.

"Har du nåt att dricka? Jag kan bjuda på en öl."

Det var egendomligt generöst och berodde säkert på att han visste att jag inte drack pilsner just nu. Själv beställde han en starköl, för en sådan som han hemföll inte åt mellanöl på en krog.

"Det var visst en riktigt jävlig dag i går", sade Ström när vi till slut fick våra beställningar. Dittills hade han bara babblat på om ditten och datten och om hotellbastuns finesser.

"Det var onekligen inte en av de bästa i mitt liv."

"Din omtalade relationsfärdighet räckte inte heller till när Nieminens kärring bestämde sig för att skjuta ut expojkvännens inälvor. Sån är moderskärleken. Då vet du vad du själv har att vänta sen när du får babyn."

Jag stirrade förbluffat på Ström. Till polisens oskrivna etiska regler hörde att man inte jävlades med varandra om ett misslyckat uppdrag, för det kunde vara ens egen tur när som helst. Men de här reglerna tycktes inte gälla Ström.

"Tänk efter lite, Kallio. Handlade du egentligen så smart i går? Hade man inte kunnat rädda Teräsvuoris liv om du hade orkat förhandla lite och försökt vinna lite tid. Men du litade väl så mycket på din personliga charm att du störtade in till en kärring som viftar med en älgstudsare bara sådär. Du trodde väl att hon skulle slänga vapnet vid dina fötter så fort du bara tittade på henne."

Jag fick inte ur mig något svar och det hände inte ofta.

"Men tänk efter. Hela operationen var under ditt befäl i går. Och vad gjorde du? Fel lösningar. En person dog. Man kan nog dra slutsatsen att du inte passar i chefskostym."

Nu började mitt huvud fungera igen. Ström visste uppenbarligen mer om stationens befordranden än jag.

"Har du hört nåt nytt skvaller?"

Ström tände en cigarett innan han svarade. Jag fick röken rätt i ansiktet, och det uppenbarligen med flit.

"Man hör lite allt möjligt. Till exempel att det är nästan klart med Taskinens befordran. Och den förra rotelchefen får förstås mygla in sin egen lilla favorit som ny chef…"

"Är Taskinens befordran nästan klar?" sade jag förvånat, utan att först lägga märke till den möjliga fortsättningen på meningen. "Men bäddades inte den tjänsten åt nån från Åbo?"

"De vill inte ha hit honom, för han råkar vara en av de poliser som ratades i den där fastighetsaffärsutredningen nyligen. Därför vill han byta jobb. Men eftersom han redan är skum hjälper det inte att han är en gammal polare

328

till polischefen. Jyrki kommer att befordras före midsommar."

"Hur vet du det?"

"Man hör allt möjligt när man går till skjutbanan med rätt personer", sade Pertsa kallt. "Fundera på alternativen, Kallio. Om du ansöker om Taskinens befattning ser jag till att Teräsvuoris släkt kräver att du avsätts på grund av tjänstefel. Vill du gå igenom det maskineriet?"

När jag blir riktigt förbannad känner jag inte längre hettan eller ser rött. Då genomströmmas jag av is och rösten sjunker till ett lodjurs morrande.

"Du har inte råd med det, Pertti Ström. Du kommer säkert ihåg ett visst par skridskoskydd. Bara dina fingeravtryck fanns på dem. Tänk på det."

"Men det är nåt så in i helvete orättvist om nån mammaledig kärring ska få tjänsten som tillhör mig!" vrålade Ström, och sorlet i restaurangen avstannade tvärt. "Fan också, jag kan nog föreställa mig att du försökt vinna chefens gunst sängvägen. Vems är det där fostret du bär på, din mans eller din chefs, eller vet du det ens själv?"

I normala fall skulle jag bara ha skrattat åt Ströms allra sista replik. Det var de tidigare kommentarerna som gjorde mig ursinnig, de rev sönder mitt självförtroende och min yrkesstolthet som jag just tråcklat ihop.

Jag tog Pertsas öl och hällde den över honom. Sedan fortsatte jag med min egen pilsner. Jag högg tag i ketchupflaskan på grannbordet och började klämma ur den över Ströms huvud innan han hade vett nog att resa sig och fly därifrån. Koivu flabbade högt bredvid mig och sträckte fram senapsflaskan. Servitrisen i sin tur stirrade hjälplöst på det som hände. Restaurangen var full av po-

329

liser, hon förväntade sig väl att någon med det yrket skulle reagera. Å andra sidan var jag synbart gravid och nykter, det var väl ingen som kunde med att hoppa på mig, även om jag orsakade en ölflod och en ketchuphög på restauranggolvet.

"Vad är det egentligen som händer?" Taskinen banade väg genom de gloende kollegorna.

"Ström och jag hade en liten dispyt. Han tycker tydligen att hans ställning är hotad. Du har väl själv hört talas om nyheterna när det gäller befordringarna?" Jag var själv förvånad över att jag var så lugn igen, fastän jag en stund tidigare hade kunnat döda Ström.

"Jag hörde det i går morse. Det har bara inte funnits nåt lämpligt tillfälle att berätta det för dig."

"Grattis." Undrar hur mycket Taskinen hade hört av Ströms smädelser? Sanningen var ju att jag tyckte om Taskinen mer än vad jag borde, jag hade lätt kunnat bli förälskad om jag hade tillåtit mig själv det. Och jag visste att Taskinen trivdes i mitt sällskap, att han gärna rörde vid mig när han kunde, i situationer där båda behövde uppmuntrande beröring. Det förändrade inget att båda hade ett utmärkt förhållande till sina respektive, det var ingen vaccination mot att attraheras av andra.

"Det är bäst att jag pratar med Ström", suckade Taskinen.

"Det var väl inget. Jag kan ta hand om mig själv."

"Det handlar faktiskt om mig också." Taskinen undvek min blick, som tur var. Hälften av roteln spetsade däremot öronen för att höra vårt lågmälda samtal.

"Om din tjänst blir ledig och jag råkar bli vald, ber ni Ström att vikariera för mig under mammaledigheten då?" frågade jag trots att till exempel Lähde, Ströms trognaste bundsförvant på vår rotel, stod precis bakom Taskinen.

"Menar du att det skulle vara att vrida om kniven i såret? Det är svårt", medgav Taskinen.

Jag tänkte inte bara på Ströms känslor. Om han fick sköta min tjänst i ett år före mig skulle han säkert göra det till ett rent helvete för mig att komma tillbaka till jobbet.

Jag orkade inte ens försöka fejka en feststämning längre. Jag ville hem så fort som möjligt, bort från det här rummet som var tjockt av tobaksrök, och där jag ändå resten av kvällen skulle stå under kollegornas uppsikt. Någon annan av mina fulla kollegor ville kanske också börja diskutera gårdagens händelser, vänligare än Ström. Men just det orkade jag inte med.

Jag sökte upp Pihko. Mitt gräl med Ström verkade som tur var inte ha förstört hans fest, snarare tvärtom. Också Pihko hade nog velat drämma till Ström under åren.

"Trevlig fortsättning på festen, jag går nu. Tack för att ni förhörde Liikanen. Det hjälper säkert fallet framåt."

"Det känns lite dumt att jag lämnar det halvfärdigt", klagade Pihko.

"Koivu och jag kan ringa till dig och berätta hur det löste sig till slut", skrattade jag, även om jag var säker på att Pihko om några dagar skulle ha glömt allt om mordet på Noora Nieminen och Tomi Liikanens Rysslandsförvecklingar.

Medan jag körde hem funderade jag på Pertti Ström. Jag hade känt honom sedan början av åttiotalet. Vi hade gått samma kurs på polisskolan, där jag kommit in direkt efter gymnasiet. Pertsa hade gått ett par kurser, hunnit

331

göra lumpen och jobba som väktare. Efter några år som polis hade han också sökt till juridiska fakulteten i Åbo. Vid det laget hade han redan fru och sitt första barn, och mellan raderna hade jag förstått att med tumultet med jobb och studier hade det för Pertsa inte direkt funnits någon tid över för familjen. För tre år sedan hade frun slängt ut honom ur det gemensamma hemmet och ansökt om skilsmässa. Det hade tagit hårt på Pertsas självkänsla att frun redan hade utsett en ny partner.

Jag hade mött Pertsa igen just när skilsmässokrisen hade varit som värst och jag under en kort tid hade jobbat som advokat i stället för polis. Pertsa hade anhållit en oskyldig man för mord, denne hade anlitat mig för att försvara honom. Under utredningsprocessen hade Pertsa många gånger sagt till mig att jag hörde hemma i polisjobbet och inte i rättssalen, och till slut var jag tvungen att medge att han hade rätt. När jag gick förbi honom och löste fallet var jag säker på att han skulle avsky mig resten av sitt liv. Men just Pertsa hade föreslagit mig för Jyrki Taskinen, när Esbopolisen sökte efter en kvinnlig inspektör till sin nya rotel. Fastän Ström på många sätt var en nedrig arbetskamrat hade jag än så länge lyckats stå ut med hans elakheter och dåliga humör, för han skötte i alla fall sitt jobb.

Uppenbarligen var tanken på att jag skulle bli hans chef efter allt det här honom övermäktig. Han hade förhållit sig tvivlande till mitt giftermål, hade genast förkunnat att Antti inte skulle orka med mina ständiga övertidstimmar så värst länge. Han hade förutsatt att min graviditet skulle förflytta mig bort från våldsroteln och yrkesbrottsligheten. Att utreda mord var tydligen inte en

332

mammas jobb enligt honom, och det retade honom att jag inte tänkte lämna jobbet, förutom förstås för mammaledigheten. Och ändå hade han själv velat ha mig som arbetskamrat. Det var svårt att förstå Ströms logik.

Jag slog på bilradion, de spelade inte riktigt Eppu Normaalis *Vem är Pertti Ström*, däremot *Polisen slår med batongen igen. "Att vakta systemet det är polisens jobb, polisen slår hippies med batong."* Jag vred på stereon på högsta volym, ylade med Martti Syrjä i refrängens *oaa* och grubblade över varför Pertsa blivit en sådan stel torrbollsmacho, kände han sig så underlägsen bredvid en kvinna att han var tvungen att förhäva sig. Och hans fientlighet riktade sig inte bara mot kvinnor, utan mot hela världen. Jag hade några gånger hört ryktas att han kunde bete sig våldsamt under förhör, men ryktena hade aldrig materialiserat sig till klagomål.

Men ändå: Pertsa var inte dum. Kanske hade han rätt i att jag inte skulle orka dela ut befallningar i tuffa situationer? Jag hade alltid haft en benägenhet att handla innan jag tänkte. Det kanske inte var rätt inställning i polisyrket?

Men pah, jag kunde nog delegera, och rätt dessutom! Pihko och Koivu hade fått Tomi Liikanen att prata. Jag hade inte tänkt på att fråga om han anhållits för langning av hormonpreparat eller om man släppt honom efter förhöret. Narkotikaroteln skulle nog vilja förhöra honom, men jag hade också en del frågor. Förhoppningsvis hade killarna i så fall haft vett att förbjuda honom att åka någonstans.

Och undrar var Hanna tillbringade den här natten, förmodligen var hon kvar i Jorv. Den rättspsykiatriska undersökningen kunde mycket väl visa att Hanna inte varit vid sina sinnens fulla bruk när hon begick brottet, och hon skulle inte alls dömas till fängelse utan ordineras psykiatrisk vård. I vilket fall som helst skulle jag bli tvungen att vittna i ärendet, och så länge det var under utredning skulle jag regelbundet påminnas om min egen skuld.

Tre veckor kvar att lösa fallet Noora Nieminen på tänkte jag när jag öppnade ytterdörren. Det var tyst i huset, Einstein kom för att puffa på mina fötter bönande om mat, började jama ilsket när jag inte genast rusade in i köket för att öppna en tonfiskburk. Dörren till Anttis arbetsrum var stängd, det lyste i dörrspringan. En stängd dörr var ett överenskommet tecken på att han jobbade och inte ville bli störd. Jag skulle ha velat gå och berätta för honom om mitt gräl med Ström, bli omkramad och uppeppad ur mitt dåliga självförtroende, men jag bestämde mig för att klara mig förutan. Kanske var det bra att göra lite tankearbete. Utan att lägga märke till det hade jag i går när jag åkte från jobbet tagit med mig Nooras senaste dagböcker. Jag hämtade dem i väskan, vände fåtöljen så att jag genom fönstret såg de grönskande åkrarna där säden gått i brodd och fåglarna som flaxade omkring i träden utanför. Sädesärlorna hade kommit först i förra veckan, flera veckor försenade. Nu retades de med den stackars korkade Einstein så mycket de orkade, de flög ner en meter framför katten och viftade på stjärten och fladdrade iväg så fort katten försökte hoppa på dem. Förra sommaren hade Einstein lurpassat på en kull drillsnäppor vid svärföräldrarnas stuga, den uppskrämda honan hade pipande försökt leda kullen i säkerhet. Jag skulle precis gå och ta fast katten när en rådig sädesärla dök upp. Den landade nästan på Einsteins nos, retades och flaxade omkring och ledde katten längs klippan så långt bort från drillsnäpporna som möjligt. Men den virriga katten hade inte ens av det lärt sig att sädesärlorna var smartare än den.

En våldsam östanvind ruskade i lönnen, fortsatte sedan till grandungen vid kanten av åkern. Det var som om vinden haft hundratals osynliga händer som ruskade om träden. Jag fick lust att vinka tillbaka. I stället vände jag blicken mot Nooras dagbok nummer sexton, den sista, där största delen av sidorna förblivit tomma.

Jag tvingade mig att läsa systematiskt, fastän de senaste veckornas anteckningar var fulla av kärleksbekymmer. Det var som om Noora förväntat sig att Janne efter de gemensamma internationella framgångarna automatiskt skulle vara hennes, och sedan blivit enormt besviken. Plötsligt stötte jag på Tomi Liikanens namn:

I dag fick jag Mirafam av Tomi. Han fick mig att lova att inte berätta för nån och sa på ett ganska otäckt sätt att han nog förstod att jag behövde dem. De kostade fruktansvärt mycket också, nästan tvåhundra. De är från Estland, hoppas de är effektiva. Enligt Elena hade en av dem hon tränade under sovjettiden fått hemska utslag av nåt bantningsmedel som reglerar hormonaktiviteten. Elena skulle inte ha velat ge henne dem, men nån på idrottsministeriet hade bestämt det. Men den tjejen blev inte ens EM-medaljör. Innan Slutskaja och Butyrskaja hade alla ryska kvinnliga skridskoåkare varit ganska kassa, i alla fall soloåkarna. Deras bästa skridskoåkare var paråkare och isdansare. Som Irina Rodnina eller Oksana Gritschuk.

Varför hade jag inte lagt märke till det här tidigare! Nu hade jag åtminstone ett konkret bevis mot Tomi Liikanen. Hur hade Noora vetat att hon skulle be just Tomi Liikanen om bantningsmedel, visste hon kanske mer om hans handel med hormonpreparat? Vänta lite… Tomi hade ju ringt hem till Noora kvällen hon dog och pratat om något borttappat halsband han hittat bakom disken på Tommy's Gym. Vad hade Noora egentligen haft för ärende dit? Hade hon rotat bland Liikanens papper?

"Vi kan nog båda gissa vem som tog livet av Noora – och varför." Så hade ju Vesku Teräsvuori sagt till Tomi Liikanen på Fishmaids bakgård. På måndag skulle det äntligen vara min tur att förhöra Tomi Liikanen. Han skulle få förklara både Nooras dagboksanteckningar och Teräsvuoris ord.

Under sina sista veckor i livet hade Noora verkligen inte varit på sitt gladaste humör. Skolans provperiod hängde över henne och Noora ville vara bäst i klassen. Jag hade läst någonstans att konståkare ofta strävade efter fulländning. Dagbokens sista anteckning var från två dagar före Nooras död:

Den där jävla idioten Ulrika! Hon vågar hon lova att vi ska vara med i en sån där idiotisk TV-reklam! Rena undret att hon inte kom på att jag skulle vara kossa och att Janne skulle mjölka!

Jag orkar inte mer. Jag gör min del mer än väl, alla andra bara hånar och vill ha nåt av mig. Jag trodde att allt skulle förändras efter Edmonton, men inget förändrades. Allt det hemska bara upprepas nästan skrämmande.

Jag vill spränga all den här skiten och avslöja alla lögner

336

och kulisser som pallats upp runt omkring mig. Kanske Jan-
ne förstår mig då, fast han hatar mig säkert också. Så som
jag hatar och avskyr mig själv.

Men jag kan aldrig bli världens bästa skridskoåkare om
jag hålls fången av dumma människor och mina egna räds-
lor. Och bara jag kan befria mig själv. Inte Janne, ingen
idrottspsykolog eller tränare. Bara jag kan hindra den hems-
ka kedjan från att bli längre.

Det var som om Noora varit på väg att spåra ur. Undrar
hur stora doser av läkemedlet hon egentligen hade tagit,
och hur hade det egentligen påverkat henne? Nu när vi
visste vilket preparat det var fråga om kunde vi ta reda på
vilka andra ingredienser än fentermin det innehöll. Kun-
de det till exempel ha innehållit korttidsverkande medel
som reglerade humöret, och som hade en så kort halve-
ringstid att man inte hittade det i kroppen längre än ett
halvt dygn efter att det intagits.

Jag hade tittat ganska intensivt på Sportrutan under
världsmästerskapen i Edmonton, självklart främst väntat
på Siljas insatser. Det hade varit roligt att se Nooras och
Jannes intervju efter friprogrammet som gick strålande,
Noora hade bubblat och strålat och försäkrat att om någ-
ra år skulle de slåss om medaljerna, senast 1999, om
världsmästerskapen hölls i Finland då. Jag ville läsa Noo-
ras anteckningar om Edmonton. Det kunde ju inte bara
vara hemskt. Dagbok nummer sexton började tredje
april, Edmonton var alltså i slutet av den femtonde. Jag
öppnade dagboken. Jag kom ihåg att Edmonton hade va-
rit ganska snart efter min födelsedag… Sextonde mars.

I flygplanet ovanför Atlanten.Vad härligt att äntligen komma iväg, det här har vi allt väntat på! Det pirrar av både glädje och spänning i magen, helt fantastiskt att få vara med i seniorernas VM-tävling. Åka skridsko i samma tävling som Jenni Meno och Todd Sand och Artur Dimitriev, som kommit tillbaka med en ny partner, Oksana Kazakova. De vann ju redan EM. Det var kul där också, men i Edmonton finns ALLA och världens mest sakkunniga publik. Utåt försöker jag förstås spela så cool som möjligt, men alla fattar ju hur lycklig jag är. Silja är också glad, hon kom ju med i sista stund.Vilken tur att förbundet hade utsett en reserv till Mila, Ulrika hade tydligen drivit igenom beslutet. Det är också Ulrikas förtjänst att vi sitter på det här planet nu. Den där idiotiska kärringen står åtminstone på vår sida ibland.

Det grämer mig bara att vi åkte till Kanada så här sent, för jag och Janne har bara några dagar på oss att återhämta oss från jetlagen. Många av européerna har varit i Amerika i flera veckor. Å ena sidan önskar jag att tisdagen och kortprogrammet kunde komma snart, å andra sidan är jag helt förskräckt. Om den där sabla Janne inte håller sig upprätt i axeln dödar jag honom!

Nu börjar videon, "Förnuft och känsla". Det ska vara en helt underbar film, Hugh Grant är med också. Söt men inte lika söt som Janne (heh heh).

Måndag 18.3
Man hinner inte skriva så mycket här för det är så mycket att göra hela tiden. Känslorna är på topp, Silja klarade kvalet galant, var tredje bäst i gruppen. Jättehärligt, fastän den avundsjuka delen av mig påminner om att det är helt annorlunda i den riktiga tävlingen. Markus verkade ha lånat nån

338

annans fötter och gick inte vidare, och isdansen gick som den gick. Hela landets förhoppningar riktas nu mot Esboåkarna (enormt högtidligt).

Träningarna har gått väldigt bra, isen här är otroligt vänligt sinnad, precis lagom hård för mig. Janne och jag blev intervjuade för japansk TV! Det är bra, de olympiska spelen är ju där 98. Kanske får vi lätt publiken med oss. En bra stämning i ishallen betyder jättemycket för mig.

Rami är nervös för att det finns gamla Kanada-bekanta till honom här. En ville prata med mig i dag, men jag har inte tid före kortprogrammet.

Janne var lite vresig i går, men i dag hade han hämtat sig från flygresan och sade att det aldrig har varit så roligt att åka skridsko som nu. Och dessutom: "Med dig, Noora, är det fint att åka skridsko." Jag är så lycklig. I morgon ska jag vara Snövit och inte Noora, och jag får helt säkert också min prins till slut.

Tisdag 19.3
Vi ligger på tionde plats efter kortprogrammet!!! Jäklar, hela tio par bakom oss, ukrainare, amerikaner och engelsmän och japaner... Allt gick så bra som det bara kan gå, nästintill perfekt, den enda egentliga tabben var att Jannes fria fot skrapade isen lite i dubbel axeln. Jag vet att vår teknik inte är så säker som hos elitparen än, lyften och hoppen är enklare, men domarna gav oss ändå inte mindre än 4,7!!! Det bästa för framförandet var 5,4!

Det var jättesvårt att lugna ner sig igen efter allt det här, men jag måste tänka på morgondagen. Det är en ännu viktigare dag, fastän vi har lagt en bra grund nu när vi inte gjorde några stora fel i kortprogrammet. Alla säger ju alltid att man

inte vinner nån tävling på kortisarna, men man kan nog för-
lora på det. Det har man ju sett flera gånger. Vi klantade ju
oss också i kortisen i EM, annars hade vi kommit bland de
sju bästa.

Silja ber mig att släcka ljuset och sova, men en sak till.
Jannes pussar efter programmet var inga tjänstepussar. Jag
kunde inte ens med att tillrättavisa honom ordentligt för den
där axeln, för VI ÄR JÄVLIGT BRA TILLSAMMANS!

Onsdag 20.3
Eller det är egentligen redan torsdag och Silja borde få sova,
men jag MÅSTE skriva åtminstone lite, så jag sitter på ho-
tellrummets toalett.

VI KOM PÅ NIONDE PLATS!!! I friprogrammet fak-
tiskt åttonde bäst! Det känns helt fantastiskt, som om man
fått en guldmedalj runt halsen. Rami grät när resultaten var
klara, alla var en enda tjutande, kramande, pussande klump.

De här tävlingarna var tydligen rätt fyllda av tabbar,
inga rena program, i jämförelse med det var det inte så farligt
att Janne ramlade i trippel toeloopen i hoppkombinationen.
Kommentatorn på Eurosport hade tydligen sagt att vår
dödsspiral var den snyggaste i hela tävlingen, det kanske blir
vårt varumärke. Och alla har berömt mina knän, de ska
tydligen vara lika smidiga som på vilken ryska som helst.

Men Hair-tolkningen delade uppenbarligen domarna, po-
ängen för det konstnärliga blev allt från 5,1 till 5,6. Den
dumma vitryska domaren, britten hade däremot bra smak.
Det vitryska paret var förstås före oss efter kortprogrammet,
men vi gick förbi dem trots den där domaren!

Varför ska jag gå och lägga mig? Jag är helt säker på att
Janne och Rami fortfarande sitter på nån krog, de bara lura-

340

de mig att gå till mitt rum. Varför får jag inte sova hos Janne den här natten, vi har ju uppnått allt tillsammans. Jag har kramat och pussat honom hela kvällen och han har kramat och pussat mig.

Jag har aldrig varit så här lycklig, aldrig. Jag vill inte gå och lägga mig. Jag vill inte att det här ska ta slut. Aldrig.

16

Måndagsmorgonen var lika gråkall som hela våren, fastän kalendern hävdade att det var juni. Jag vaknade av att täcket var vått. Jag badade i en pöl som luktade surt, för mina bröst hade läckt under natten. När jag tittade närmare på lakanen upptäckte jag flera intorkade fläckar och sade skrattande till Antti, att nu vet jag hur tonårspojkar känner sig.

Jag släpade mig till busshållplatsen genom den leriga skogen medan jag kollade var jag satte ner fötterna. Jag kände mig lättad efter att jag varit på mödravårdscentralen, blodtrycket hade sjunkit till en normal nivå igen. Det var tomt på stationen, stationsbefälet misstänkte att hälften av killarna hade fortsatt fira av Pihko fram till söndag kväll. Koivu hade åtminstone lyckats ta sig till sitt rum, men även han uppvisade spår av den tuffa helgen. Ögonen doldes av solglasögon och han hade försökt dränka lukten av gammal sprit med en dubbel dos rakvatten. Ingenting kunde dölja de darrande händerna. Han satt nersjunken och orörlig bakom sitt bord med huvudet bakåtlutat mot väggen. Bröstkorgen höjdes regelbundet. Han sov uppenbarligen.

"Lever du eller är du död?"

Koivu ryckte till, lyfte lite på solglasögonen, men drog sedan ner dem över ögonen igen. Jag frågade högt varför och berättade att solen inte syntes till.

"Just nu önskar jag att jag kunde svara att jag är död", morrade han. "Hoppas det inte kommer några köruppdrag i dag, jag har åtminstone en promille kvar i blodet. Och Maria, jag har gjort mitt livs tabbe!"

"Det är nåt som går just nu. Vad har du gjort nu då?"

"Puupponen och jag tog en rejäl bläcka i lördags. Vid midnatt, när vi skulle byta restaurang, hade jag druckit åtminstone tio öl. Sen hamnade jag bredvid Taskinen vid garderoben, och jag började sluddra för honom... Åh, jävlar också!"

Koivu begravde ansiktet i händerna, en gymnastiksko sparkade mot bordsbenet.

"Du började förklara vilken underbar dotter han har, eller?"

"Exakt. Att en människa kan vara en sån idiot! Jag frågade dessutom om jag kunde bjuda ut Silja..."

"Det var dumt gjort. Dagens flickor bestämmer sånt själva. Bekymra dig inte om det, Jyrki är nog smart nog att inte säga nåt till Silja. Har Taskinen förresten synts till i dag?"

"Han är inte här som tur är. Storchefen har kallat in alla rotelchefer på måndagsmöte. De där befordringarna håller väl äntligen på att klarna."

"Intressant. Ursäkta att jag stör dig med arbete en så här kärv morgon, men var kan Liikanen tänkas befinna sig just nu? Sitter han i en cell eller är han på fri fot?"

"Knarket började förhöra honom i lördags kväll, jag

343

vet inte vad de beslutade. Helvete vad jag mår dåligt! Pihko, Puupponen och jag fortsatte hela dagen i går för att vi hade en sån satans bakfylla på morgonen."

Jag lämnade Koivu att kurera sig och återvände till mitt rum för att ta reda på var Tomi Liikanen befann sig. Narkotikaroteln hade mycket riktigt anhållit honom för att förhöras, men inte begärt någon häktning. Man skulle vara tvungen att släppa honom på eftermiddagen.

Jag bokade förhörsrum två och släpade dit den stinkande Koivu medan jag lovade att bjuda honom på korvpizza och ett stort glas mjölk så fort han klarade av att äta något. Liikanen, som leddes av två poliser, såg minst lika eländig ut som Koivu. Den solariebruna huden var gulaktig, skäggstubben som inte rakats på ett par morgnar växte fläckvis på ett komiskt sätt, med tioöresstora hårlösa fläckar i mitten. Den glesa hårväxten fortsatte också på händerna. Håret spretade däremot i en jämn trecentimeters igelkottsfrisyr.

"Hej igen, Tomi. Du har tydligen blivit pratsam under de senaste dagarna. Teräsvuoris död tycks ha skrämt dig?"

Liikanen svarade självfallet inte på något sådant, tittade bara på de slitna spetsarna på sina seglarskor. De korta låren spände ut benen på de gråa collegebyxorna, Liikanen gnuggade händerna mot dem och efterlämnade mörka fläckar.

"Hur länge tänker ni hålla mig kvar här?"

"Det beror lite på vad du har att berätta. I de där hormonaffärerna är jag bara intresserad av Vesku Teräsvuoris andel. Och av Anton Grigorievs död bara om Elena kände till hur hennes man dog."

344

Att uttrycka sig i tal var tydligen inte Tomi Liikanens starka sida, åtminstone inte i en besvärlig situation. Han masserade bara sina lår och fick inte ur sig ett ord. Koivu lutade sig mot väggen med ögonen fortfarande gömda bakom solglasögonen. Det var meningslöst att vänta sig någon hjälp av honom.

"Tomi, kände Elena till sanningen om Antons död?"

Huvudet med den tjocka halsen vreds långsamt fram och tillbaka. Rösten som var för tunn för den robusta kroppen svarade med möda:

"Hon visste inte... Jag berättade aldrig... Men hon visste att jag varit ute med Anton den kvällen och hon sa aldrig nåt till polisen. Kanske anade hon nåt."

"Vilken var Antons del i hormonpreparatsaffärerna?"

"Han ordnade min första kontakt, som jag berättat åtminstone tio gånger", suckade Liikanen. "Idrotten där borta levde ju i princip av dopning. Som i flera andra länder, en del har bara bättre grejer. Anton frågade en gång om det i Finland fanns användning för lite starkare muskeluppbyggande preparat än rena proteiner. Man hade ju frågat mig om det på gymmet."

"Så det var Grigoriev som lockade med dig i knarkhandeln? Var han den enda ryssen som kände till vad du sysslade med?"

Tomi ryckte på axlarna, rörelsen tog längre tid än normalt. Explosionsartad snabbhet var tydligen inte en av hans starka sidor.

"Det intresserade mig inte så länge distributionen fungerade."

"Och den fungerade även efter Grigorievs död?"

När Liikanen nickade började jag fråga om Teräsvuoris del i det hela. Snubblande på orden berättade Tomi att hans källor, efter att Sovjetunionen förvandlats till Ryssland med fri marknadsekonomi, också hade börjat handla med mycket dyrare grejer, främst cannabis och heroin. Det var lättare att transportera det nuförtiden, och samma kurirer förde över både Tomis ganska oskyldiga grejer och starkare saker. Lustigt nog hade Mattinens liga, som jag satt dit i samband med en mordutredning för fyra år sedan, även skött införseln av Liikanens grejer. När ligan splittrades letade köparna efter nya importörer och det var så Liikanen hade lärt känna Teräsvuori. Han hade inte heller några stora affärer, sålde i första hand cannabis till uttråkade ungdomar på landet.

"De försökte nog tvinga på mig och Vesku heroin också, men vi vågade inte ta det. Eller åtminstone inte jag. Men jag tycker inte att det är nåt ont i att man försöker bygga upp musklerna lite. Man blir inte beroende som av knark, och det är ingen som blir tvingad till det", försvarade sig Liikanen.

"Anser du att det är moraliskt riktigt att ge en sextonåring dopningspreparat? Du var också Nooras källa. Ingen idé att neka, jag har läst hennes dagböcker. Var det av rädsla för att det skulle komma ut som du mördade Noora?"

"Jag mördade inte Noora! Jag träffade henne inte den kvällen!"

"Din polare har bekräftat din berättelse om energidrycksköpet, men du skulle ändå haft tid att åka och misshandla Noora till döds. Och med dina muskler skulle det ha lyckats bra också."

"Men jag gjorde det inte!"

"Men du vet vem som gjorde det, eller hur?"

346

Den repliken fick Koivu att räta upp sig och Liikanen att gnugga sina lår ännu häftigare.

"Hur skulle jag kunna veta det?"

"På bakgården till restaurang Fishmaid i tisdags sa Teräsvuori i alla fall till dig att ni nog båda kunde gissa vem det var som hade tagit livet av Noora, och varför. Minns du det?"

Liikanen stirrade förbluffat på mig. Jag tänkte att jag kanske misstagit mig ändå. Det kanske trots allt hade varit någon annan tillsammans med Teräsvuori på lastbryggan.

"Hur känner ni till mitt samtal med Vesku?" frågade han till slut.

"Vi höll Teräsvuori under uppsikt", ljög jag. "Berätta vad Vesku egentligen menade."

"Vad får jag om jag berättar?" frågade Liikanen girigt.

Jag suckade. Jag hade varken lust eller befogenhet att förhandla med Liikanen, narkotikapolisen fick ta hand om honom. Och när Teräsvuori inte längre kunde säga emot kunde Liikanen namnge vem som helst. Jag blev inte alls förvånad när Tomi sade:

"Jag trodde att Vesku pratade om sig själv. Han ville hämnas på Hanna. Polisen borde väl veta det."

Jag skulle aldrig kunna bevisa att Teräsvuori menat någon annan. Men fanns det några andra än Elena Grigorieva som Liikanen ville skydda? Jag bestämde mig för att gå över till andra frågor:

"Hur visste Noora att hon kunde få bantningsmedel av dig?"

Tomi Liikanen reste sig upp och började gå runt i rummet. Tre meter från den ena väggen till den andra, också med Liikanens korta ben hann man bara ta tre steg åt varje håll. Det var säkert svårt att sitta och uggla i en cell utan att göra något om man var van vid att köra ett hårt träningspass sex gånger i veckan. Undrar vilken typ av muskeluppbyggande piller som Liikanen tog? Blev man beroende av dem?

"Hon gissade väl ta mig fan bara! En gång kom hon och frågade efter näringstillskott som skulle minska aptiten, hon ville få bort fett från häcken utan att förlora musklerna eller nåt sånt. Jag var så dum att jag föreslog Mirafam, för de var lite svårsålda."

"Och Noora var villig att köpa det. Visste Elena att Noora tog bantningspreparat?"

"Det var ju den största risken! Elena skulle ha blivit rejält förbannad om hon fått veta att jag lade mig i Nooras affärer."

Det var ingen tvekan om att Liikanen var lite rädd för sin fru. Men hade Elena Grigorieva känt till Liikanens sidoaffärer? Tomi nekade med eftertryck. Elena godkände inte dopning. Hon hade under sin egen karriär sett tillräckligt av följderna. Jag hade aldrig hört talas om att konståkning skulle vara någon särskild dopningsgren, Elena kanske menade sport rent generellt. Skulle hon lämna Tomi efter att hon fått höra om hans affärer och i synnerhet hans del i Anton Grigorievs död? Om åtal skulle väckas eller inte i det fallet fick ryssarna bestämma. Ingen hade ju någon mer information om slagsmålet än Liikanens redogörelse. På något sätt trodde jag på den, den var för enkel för att vara påhittad.

"Hur vågade Noora ta fentermin, det är ju med på dopningslistan?"

Liikanen skakade på huvudet.

"Det var ju inte tänkt att hon skulle äta dem under tävlingssäsongen, utan bara minska ner ett par kilo före Kanada."

Var Tomi Liikanen verkligen så dum som han verkade? En idrottare på Nooras nivå kunde man komma och testa när som helst. Det var svårt att föreställa sig att Liikanen skulle ha varit kallblodig nog att gömma Nooras kropp i en utomstående människas bagageutrymme. Men det kanske bara hade varit turen.

"Var det du som låste in mig på gymmet?" frågade jag Liikanen till slut, helt säker på ett medgivande.

"Nej! Absolut inte! Det sista jag ville var att polisen skulle gå igenom mitt kontor! Låsen har krånglat innan också..." Liikanen såg ut som en liten pojke som försöker övertyga någon om att det inte var hans ishockeypuck som haft sönder grannens fönster.

Jag reste mig också upp, jag gick ifatt Liikanen som stegade runt i rummet. Vi var säkert ett roligt par, en hundrasextio centimeter lång kvinna med rund mage och en tio centimeter längre snubbe med meterbreda axlar. Jag märkte till min förvåning att Liikanen var rädd för mig också. Stackars man. Arnold Schwartzeneggers bicepsmuskler hjälpte föga när han inte tordes säga emot i annat än småsaker.

"För vem hotade Noora att berätta om Mirafamet?"

"Nu har du fattat helt fel. Noora hotade mig inte. Hon var rädd att jag skulle berätta."

"För vem då?"

"Elena... Och andra. Som om jag skulle ha haft råd med det."

349

De som var mindre än han själv hade Liikanen förstås vågat sparka på.

"Men du jävlades med Noora om överflödiga kilon när du fick tillfälle. Din skitstövel! Vilken rätt hade du att döma Noora!"

Jag var själv förvånad över den ilska som plötsligt grep tag i mig. Jag vände mig bort från Liikanen, gick ut i korridoren och sparkade till väggen. Det fungerade som tur var och jag kunde behärskat skicka tillbaka Liikanen till cellen. Narkotikaroteln fick bestämma vad som skulle göras med honom, jag tycktes inte ha ett enda giltigt skäl att begära honom häktad.

Inte än i alla fall.

I hissen kändes det som om jag skulle kvävas, Koivus doftcocktail var så stark. Jag bad honom att skaffa fram förhörsprotokollen från helgens förhör med Liikanen och allt material som rörde mordet på Noora Nieminen från och med dörrknackningsintervjuerna. Det måste finnas någonting i dem som skulle kunna belysa fallet. Söndagen hade gått åt till att Antti försökt få mig att tro på min förmåga som polis igen. En del av mig hade gjort sig lustig över att jag aldrig skulle få reda på vem som misshandlat Noora till döds. För att visa korpen som hånfullt skränade på min axel var jag tvungen att lösa fallet före mammaledigheten.

Men jag hade ingen möjlighet att fly in på mitt rum för att teoretisera. Framför vaktbåset, i det lilla väntutrymmet i korridoren, satt Kauko Nieminen och Ulrika Weissenberg.

"Maria, du har besök", informerade mig vakthavande helt i onödan och tillade sedan med lägre röst: "Taskinen har sammankallat hela roteln klockan ett i fikarummet."

"God dag fru Weissenberg och direktör Nieminen. Ni hade visst något ärende?"

Kauko Nieminen reste på sig för att hälsa. Den svarta kostymen såg nyinköpt ut, kanske hade han veckan innan köpt den i en specialbutik för storvuxna män inför Nooras begravning. Nieminens mustasch hängde utmed de runda kinderna som två förtvinade grankvistar, ögonen var vattniga. Ulrika Weissenberg var däremot återigen oklanderligt elegant. Som utsmyckning till den svarta sammetsdräkten hade hon bara en sidensjal, till och med pärlorna i öronen var diskreta.

"Vi har försökt få träffa kommissarie Taskinen, men han är tydligen inte på plats. Ni har säkert tid en stund, inspektör Kallio?" inledde Ulrika Weissenberg.

Jag visade in dem på mitt rum. Nieminen sjönk ner i soffan som om han inte riktigt förstod var han var. Weissenberg kastade en talande blick mot pärmen, som under fredagens hastiga sorti blivit kvar uppslagen på mitt skrivbord, och på läckerbitssamlingen, innan hon behagade sätta sig ner bredvid Kauko i soffan.

"Vi har precis varit hos Hanna i Jorv."

"Hur mår hon?"

"Inget vidare, som ni säkert kan föreställa er. Hon är fortfarande alldeles ifrån sig och är inte i stånd att vara med på Nooras begravning i morgon. Kauko och jag har bestämt oss för att hålla begravningen ändå, eftersom inbjudningarna redan skickats ut, dödsannonsen satts in i tidningen och skridskoåkarna har förberett sig för minneshögtiden. Har ni sett de här än?"

Ulrika slängde de färska kvällstidningarna framför mig

på bordet. DEN MÖRDADE SKRIDSKOÅKERS-KANS MAMMA SKÖT IHJÄL MÖRDAREN påstod den ena tidningen. Den andra vräkte på ännu hejigare: MODERNS HÄMND – KVINNAN DÖDADE DOTTERNS MISSTÄNKTE MÖRDARE. I båda tidningarna tog ihjälskjutningen av Teräsvuori upp ett helt uppslag. Taskinen hade uttalat sig i en av tidningarna, där betonade han att utredningen av Nooras död inte var avslutad, men att det just nu såg ut som om Teräsvuori inte var den skyldige.

Det var onekligen ett ganska saftigt ämne, där skulle det finnas nog att rota i för flera artiklar. Det var lätt att förstå Ulrikas indignation, men hon skulle väl knappast komma hit enbart för att klaga på tidningsskriverierna.

"Vi kräver verkligen att ni effektiviserar utredningen av mordet på Noora. Om polisen hade löst fallet tillräckligt snabbt skulle fredagens tragedi aldrig ha inträffat."

Weissenberg hade förstås rätt. Men hon var fortfarande en av mina kandidater som den skyldiga. Åt Kauko Nieminen hade jag däremot inte kunnat komma på något skäl att mörda sin egen dotter, även om de hemskaste incesthistorier härjat runt i huvudet under helgen.

"Vi har hela tiden utrett fallet så effektivt vi kunnat", svarade jag förtvivlat.

"Kallar ni huvudlösa gripanden för en effektiv utredning? Anses Janne Kivi som huvudmisstänkt, eftersom ni släpat hit honom två gånger redan? Har ni fått resultaten från hans bil än? De bevisar väl att han är oskyldig?"

"Det senaste gripandet var för fortkörning, och helt

352

motiverat. Janne körde i hundrafyrtio kilometer i timmen
i ett åttioområde. Vad gäller laboratorieresultaten..." Jag
svalde. Jag hade varit nära att berätta sanningen, att den
kriminaltekniska undersökningen egentligen inte varit till
någon nytta. Man hade visserligen hittat främmande fib-
rer på Nooras kläder och väska, men vi hade ingenting
att jämföra dem med. Det bevis som vägde tyngst var i
själva verket den bit av Ulrika Weissenbergs nagel som
hittats i Nooras hår.

"Den procentuella andelen utredda våldsbrott är ut-
omordentlig i vårt land", sade jag och försökte samtidigt
övertyga mig själv.

"De här morden vid Bodomsjön då och alla Kyllikki
Saari-fall? Har inte ..."

"Jag är villig att utfästa en belöning för information
som kan leda till att mordet blir uppklarat", avbröt plöts-
ligt Kauko Nieminen. "Tror ni att hundratusen mark
räcker? Vilka tidningar borde man sätta in annonsen i?
Man borde förstås också ta kontakt med Efterlyst. Och
om det vore till hjälp att anlita en privatdetektiv så finns
det pengar till det också."

Kaukos erbjudande var allvarligt menat. Han tycktes
uppenbarligen tro att det här skulle lösa sig med hjälp av
pengar.

"Tack, herr Nieminen. Om jag var ni skulle jag vänta
med att erbjuda nån belöning. Det kan förstås vara till
hjälp också, men ni vet väl hur penninggalna folk är...
Privatdetektiver kan ni förstås anlita hur många ni vill. Vi
har också funderat på Efterlyst", halvljög jag, saken hade
faktiskt skymtat fram under ett par samtal. På något sätt
tålde jag bara inte programmets smygtittarmentalitet.

353

Det slöt alltför väl in bovarna i teveboxen, som den goda medborgaren tryggt kunde stänga av när hon ville. Visst kände jag till att programmet också hade varit till stor hjälp för polisen, men jag var inte säker på om mordet på Noora var rätt typ av brott att tas upp där.

"Är det helt säkert att Teräsvuori inte mördade min dotter då? Hanna trodde att skurken gjorde det", sade Nieminen bedjande. Det skulle ju ha varit enkelt. Man förklarade att Teräsvuori var skyldig, polisens statistik över andelen lösta brott höjdes ytterligare, och många skulle tycka att det fanns ett klart berättigande i Hannas gärning.

Men Teräsvuori hade ju inte tagit livet av Noora.

"Teräsvuori kan inte ha tagit livet av Noora. Både vi och Helsingforspolisen utreder nu ännu intensivare Teräsvuoris förehavanden. En hel del saker har redan avslöjats."

"Menar ni att den jäveln skulle ha anlitat nån att döda min dotter!" vrålade Kauko Nieminen, knytnäven slog ner i bordet så att min tekopp som samlat mögel under helgen gjorde en volt ner på golvet.

"Det är inte uteslutet."

Kauko Nieminens självkontroll brast fullkomligt. Han rasade om polisens lättja och rättsväsendets oduglighet, för att Teräsvuori klarat sig undan med sina trakasserier med enbart böter.

"Ni gjorde Hanna till en mördare! Om Hanna döms till fängelse, ska jag... jag..." Nieminen försökte förgäves hitta på en tillräckligt ohygglig hotelse. Gömma en bomb under justitieministerns stol? Väcka åtal mot Esbopolisen? Skriva en nådeansökan till presidenten?

"Hur snart blir ni egentligen mammaledig?" frågade Ulrika Weissenberg och mätte min mage med blicken. Just då tumlade Varelsen runt synnerligen synbart och kännbart från en sida till en annan och det fick Ulrika att titta åt ett annat håll.

Jag borde förstås ha svarat att det inte angick henne, men mumlade ödmjukt att till midsommar.

"Om fallet inte är löst till dess så tar nån annan hand om..."

"Kommissarie Taskinen har hela tiden varit chef för utredningen! Av risk för jäv har förhören delegerats till mig." Lungorna steg upp i halsen men det var inte läge att sparka på väggarna längre. "Om ni har tid nu, så skulle vi kunna gå igenom ännu en gång hur er nagel fastnade i Noora Nieminens hår. Vi förflyttar oss till förhörsrummet, jag hämtar en kollega i grannrummet som vittne. Direktör Nieminen kan för min del följa med."

Det fungerade. Ulrika hade förstås inte berättat sanningen om sitt gräl med Noora för paret Nieminen. Kauko Nieminen tittade förbryllat på sin förtrogna, men sedan spred sig förtvivlan över hans ansikte. Just nu skulle han inte haft råd att förlora sitt enda stöd. Men han frågade ändå:

"Din nagel... I Nooras hår? Ulrika, vad i all världen?"

För en gångs skull verkade Ulrika Weissenberg bragt ur fattningen. När hon pratade kunde hon inte se på Nieminen, undersökte i stället sina naglar som i dag var silverglänsande. Jag lyssnade på förklaringen med en underlig belåtenhet. Tyvärr var Weissenbergs redogörelse exakt likadan som förra gången. Kanske fanns det ändå skäl att ringa Silja och fråga om hon råkat höra grälet.

Det hade jag heller inte kontrollerat. Jag var verkligen ingen superpolis. Ändå försäkrade jag Kauko att polisen gjorde sitt yttersta och att utredningen skulle effektiviseras ytterligare.

17

När jag slutligen fick ut duon ur mitt rum kände jag mig trött, kraftlös och med tanke på mitt yttre också löjligt liten. Snart skulle jag gå i bitar, skalas bort i små bitar runt Varelsen och ner på mattan. Jag var för bräcklig för att ta emot ett enda clakt ord till.

Och de skulle garanterat komma i mängder under dagen. Jag kunde ana mig till vad Taskinens möte skulle handla om.

Jag bestämde mig för att rätta till åtminstone en försummelse och ringa Silja Taskinen. Samtidigt kunde jag höra efter hur det gick för henne. Skolan hade slutat i lördags. Silja hade väl knappast fått något sommarjobb, i synnerhet som hon snart skulle åka på träningsläger i Kanada.

"Hej, Maria. Jag städar just garderoben. Jag måste göra nåt som hindrar mig att tänka."

Återigen en tagg i mitt hjärta: duon som nyss gick var sannerligen inte de enda som hade behov av att Nooras fall löstes för att få sinnesfrid. Vi pratade en stund om Hanna och den kommande begravningen. Silja erkände att det kändes hemskt att spela Snövits styvmor under minnesuppvisningen, men på något sätt hade Ulrika lyckats övertala henne. Enligt Ulrika skulle det vara den bästa hyllningen till Noora och samtidigt terapi för dem alla att framföra delarna ur Snövit, för Noora skulle på sätt och vis vara närvarande ute på isen. Den enda hon inte lyckats få med sig var Janne, så uppvisningen skulle i alla fall vara en riktig torso.

"Jag får nog ont i halsen eller stukar foten tills i morgon. Jag kan gå på begravningen, men inte åka skridsko."

När jag förhörde mig om Silja hade hört Ulrikas och Nooras gräl i ishallen suckade hon.

"Ja, jag hörde det, som jag säkert sa, men jag stannade inte kvar för att lyssna. Jag hade hört nog med såna gräl innan. Och det var väl inte första gången som Ulrika gick på Noora. Jag tycker inte om att prata om det här, det är som om jag anklagade Ulrika på nåt sätt."

"Det är bara bra att du pratar om det. Hörde du alls vad Noora sa till Ulrika? Vad som kan ha fått henne att slå till Noora?"

"Säkert det som Noora skrek om Janne. Nåt i stil med, att trodde Ulrika att hon kunde köpa Janne, en sån kåt gammal harpa som redan genomgått klimakteriet. Noora kunde vara ganska brutal."

Din jävla kommenderande gamla häxa hade Ulrika påstått att Noora sagt. Jag borde ha anat att hon använt ett fränare uttryck. Som genomgått klimakteriet och kåt var väl knappast något som roat Ulrika Weissenberg.

"Förresten, hur väl kommer du ihåg våren för två år sen?"

"Då när jag gick i nian, eller? Hurså?"

"Hände det nåt särskilt med Noora då? Fundera i lugn

och ro, du kan berätta i morgon om du inte kommer på nåt nu. Om du har dagböcker från den tiden, så titta efter i dem."

"Ja, jag kan i alla fall inte säga nåt så här på rak arm. I slutet av den våren började ju Nooras mamma umgås med Teräsvuori. Kommer du på begravningen, Maria?"

"Jag skulle tro det."

Jag skulle helst inte gå alls. Jag skulle garanterat börja gråta också. Graviditeten hade gjort mig så lättrörd att jag bölat i ett sträck under de sista tio minuterna när jag varit och sett *Förnuft och känsla*.

"Vi har en träning vid åtta på kvällen i ishallen. De har nån hockeyskola under början av kvällen, Jari Kurri är lärare, så inte ens Ulrika kunde flytta på det."

Inte ens Ulrika hade kunnat hindra Hanna från att skjuta fortsatte jag tankegången efter att jag lagt på luren. Det tröstade mig bara en smula. Jag bestämde träff med Kati Järvenperä på eftermiddagen på sommaruniversitetets kansli på Lisagatan. Att förhöra kvinnan som hittade Nooras kropp i sin bil hade jag också lämnat vind för våg.

Koivu kom med materialet jag bett om, men lät mig inte hugga in på det, utan meddelade att den korvpizza jag lovat honom skulle smaka bra nu. Vi körde till en pizzeria i Grankulla, Koivu funderade en stund när servitrisen kom och beställde sedan en lättöl han också.

"Homeopatisk behandling. Är inte tanken där att det är orsaken till sjukdomen som tar bort den", skämtade han.

Efter att ha ätit hälften av pizzan började han redogöra för gårdagens bravader med Puupponen och Pihko. Även om Koivu inte medgav något verkade det som om

ett av skälen till att hälla i sig sprit med båda händerna för
honom och Pihko hade varit den obehagliga känsla som
blivit kvar efter Teräsvuoris död.

"Det var det bästa på hela året när du hällde öl och
ketchup på Ström", sade Koivu efter att han slukat sin
mat. Jag hade bara fått ner hälften av min basilikapasta,
det fanns helt enkelt ingen plats.

"Nåja. Gick Pertsa tillbaka till festen nåt mer?"

"Nej, han stack. Det var ju därför vi hade så kul."

Koivus telefon ringde, han behövdes på stationen så vi
hann inte diskutera varför jag tvättat Pertsa med öl, och
det var bättre så.

Jag satt med näsan i papperen fram till mötet som Tas-
kinen samlat ihop alla till. Det jag läste var så intressant
att jag nästan glömde bort tiden, och sedan blev jag fast
på toaletten också. När jag anlände till fikarummet var
alla andra, alla de tio männen på vår rotel, redan där.
Taskinen utstrålade glädje och iver.

"Bästa kollegor. Vi kan nog börja nu när Maria också
är här."

"Maria anlände avec", viskade Lähde och gjorde plats
bredvid sig. Jag satte mig där lite försiktigt, en värre gran-
ne än Lähde skulle just nu bara ha varit Ström.

"Som ni vet är det en ganska omfattande befordrings-
hiss på gång vid Esbopolisen just nu. Högsta chefen, allt-
så polismästaren, går i pension i början av oktober. Som
hans efterträdare har man valt chefen för hela våldsenhe-
ten, kommissarie Vainionpää. Och om den här tjänsten
på våldet har det spekulerats vilt, ena dagen har nån ny
varit på väg hit från Åbo och andra dagen från Björne-
borg, men den tjänsten har man nu också beslutat att till-

sätta med nån ur det egna huset…"

Taskinen gjorde en konstpaus, men vi visste ju vad han skulle säga.

"I morse bestämde man sig för att erbjuda mig tjänsten i fråga. Jag börjar i oktober, så den här roteln kommer att behöva en ny chef. Man befordrar mycket gärna nån i samma hus, för man vill gärna ha nån som redan känner till verksamhetsområdet och verksamhetsprinciperna. Och behörighetskravet är en jur.kand.-examen.

Tystnad. Jag stirrade i bordet och kände hur alla andra stirrade på mig. För att lätta upp stämningen fortsatte Taskinen:

"Det är ingen idé att dra en lättnadens suck, ni blir inte av med mig. Jag flyttar bara upp ett pinnhål, så ni får vara lite mer rädda för mig."

Puupponen hade åtminstone vett att skratta.

"Även om jag förutom den här roteln också kommer att leda knarket, stöldroteln och ekonomisk brottslighet och givetvis andra våldsroteln, kommer ni alltid att ligga mig varmt om hjärtat. Den här roteln har fungerat riktigt bra under de två år den funnits i den här formen. Nu har vi ju dessutom det här personalkaoset. Pihko har slutat och hans efterföljare börjar i juli, Maria blir mammaledig…"

Taskinen skulle inte ha nämnt mitt namn. Tisslandet och tasslandet började direkt.

"Under mammaledigheten har du ju tid att göra upp fina utvecklingsplaner för roteln", viskade Lähde till mig.

"Ja, och sortera alla foton", kastade jag ur mig med spelad skämtsamhet. Så hade mina systrar sagt åt mig att fördriva tiden innan babyn föddes.

"Har ni några frågor?" sade Taskinen för att få slut på

viskandet. Puupponen, en snabbkäftad kille från Kuopio, var den första som hade vett att gratulera, och alla gick i tur och ordning fram för att skaka hand med Taskinen. Jag lät med flit bli att krama honom, för att det inte skulle misstolkas.

"Då fortsätter vi med ärendena. Vi ser efter hur det ligger till med de större fallen som är under utredning."

Taskinen började med förhören av småflicksantastaren. Pertsa berättade belåtet att förundersökningsmaterialet började vara ihopsamlat. Fastän mannen inte hade erkänt fanns det så många säkra identifikationer att han kunde hållas häktad utifrån det. Sedan var det ett par misshandelsfall, rutinaktiga spritflaskgräl, som vi i princip hade varje vecka. Efter de korta genomgångarna var det dags för fallet Noora Nieminen.

"Nå Maria, hur ligger det fallet till just nu?" frågade Taskinen fastän han mycket väl visste att det inte rörde sig framåt alls.

"Förhören fortsätter. Teräsvuoris död i fredags påverkar i praktiken inte alls utredningen, för vi hade precis hunnit utesluta Teräsvuori från de misstänkta."

"Och varför det?" hojtade Pertsa. Jag berättade för honom om Teräsvuoris alibi.

"De kriminaltekniska undersökningarna har hittills inte bringat klarhet i var Noora mördades, inte heller i gärningsmannens identitet. I eftermiddag ska jag förhöra personen som hittade kroppen. Sedan ska vi…"

Pertsa avbröt mig igen.

"Får jag fråga varför inspektör Kallio är huvudansvarig för det här fallet, fastän det huvudsakliga ansvaret för ett våldsbrott borde ligga hos en kommissarie?"

362

"Jag har huvudansvaret", suckade Taskinen. "Men jag känner också personligen flera av de inblandade och kan inte förhöra dem opartiskt. Maria råkade inte ha nåt särskilt komplicerat under utredning just då, till skillnad från till exempel dig, Pertti. Fler frågor, eller kan Maria fortsätta?"

Det kändes som om jag stammade värre än en sjundeklassare som är nervös för att hålla föredrag. Jag redogjorde för hur de kriminaltekniska undersökningarna framskred. Jannes och Järvenperäs bil hade genomsökts, i den sistnämnda hade man hittat fibrer som inte motsvarades av något i Nooras garderob eller i Järvenperäs familjs kläder. Jag räknade upp personerna vilkas fingeravtryck funnits på Nooras skridskor, skydden sade jag inget om. Fastän allt fortfarande var deprimerande preliminärt, tycktes det ändå göra gott att högt summera allt jag fått reda på hittills. Jag märkte att jag redan visste ganska mycket, jag upptäckte att något slags mönster kanske höll på att växa fram ur Nooras dagböcker och de samtal jag haft med de misstänkta. Jag insåg att det krävdes helt nya frågor för såväl stationens centraldator som till några personer.

Efter mötet var jag faktiskt ganska nöjd med mig själv. Jag hade kvitterat Pertsas irriterande frågor självsäkert och övertygat de andra om att fallet var på väg att lösas. Jag började nästan tro på det själv.

Men kanske hade jag tillåtit mig själv att känna mig lättad lite för tidigt. När jag vände mig för att gå mot mitt rum följde Pertsa efter mig. När jag öppnade dörren stannade han, uppenbarligen för att prata. Jag förberedde mig redan på att höra ett krav på att betala kemtvätten, men till min förvåning sade han nästan vänligt:

"Har du gått förlossningsprofylaxen än?"

"Den har också drabbats av sammandragningar", fnissade jag till, och Pertsa flabbade tillbaka för att dela mitt dåliga skämt. "Det är bara två gånger, det är sista gången i kväll."

"Din gubbe ska förstås vara med vid förlossningen?"

Jag tänkte först säga att det inte angick honom, men svarade ändå:

"Det är klart. Det är ju lika mycket hans barn som mitt."

"Nuförtiden tycker man väl att den som inte följer med är en oduglig far. När Jenna föddes för tio år sen släppte de inte ens in mig i förlossningssalen. Vi bodde fortfarande i Åbo då, och de var jävligt stränga. Papporna är tydligen bara till besvär, de svimmar och är mer intresserade av prylarna i rummet än av sin fru. Så sa de till mig. Så jag väntade i korridoren i flera timmar. De nedlät sig inte ens att informera mig om att Marja till slut fått göra akut kejsarsnitt för att Jenna hade navelsträngen runt halsen. Janis födelse lät de mig åtminstone vara med om. Det var fint, nåt sånt glömmer man aldrig. De sa att det för familjen närmare varandra, men det var åtminstone inte till nån hjälp för oss. Så gick det som det gick", avslutade Ström, snurrade runt och gick bort mot sitt rum.

Jag stirrade förbluffat efter honom. Vad skulle man dra för slutsats av den där monologen? Och så säger de att kvinnor är oberäkneliga. Jag skakade på huvudet och återgick till mina rapporter.

Det kändes som om det värkte i varenda nackmuskel

när jag sent omsider slutade läsa. Emellanåt fick jag obehagligt sendrag i högra foten. Under de senaste veckorna hade det inte längre varit lätt att hitta en bekväm slapparställning, och jag kände mig inte det minsta piggare av vetskapen att samma situation skulle fortgå i ett tiotal veckor till. Jag hoppades att Varelsen inte skulle dra ut på sin födelse alltför mycket över tiden. Med mitt otåliga sinnelag skulle det vara en påfrestning att vänta längre.

För att mjuka upp kroppen och huvudet gick jag genom Kilo till järnvägsstationen och kände mig som allt annat än en Kilos polis. Min promenadtakt var inte längre sitt gamla raska jag, så den sista biten var jag tvungen att spurta rejält för att hinna med tåget. Fastän magen bromsade mig kändes det förvånansvärt och ofantligt härligt att springa. Undrar hur snart efter förlossningen man fick ge sig ut och jogga igen?

Kansliet till Helsingforsområdets sommaruniversitet låg på Lisagatan i ett gammalt gulddekorerat hus. Aulan var full av studenter som ville anmäla sig till olika kurser. Jag trängde mig igenom massan till Kati Järvenperäs rum. I jämförelse med oredan där såg mitt rum närmast ut som ett tillhåll för en viktigpetter. Golvet i Katis rum svämmade över av pärmar, och bredvid bildskärmsterminalen på bordet såg det ut som om alla universitetssommarprogram som överhuvudtaget kommit ut hade samlats. Men Järvenperä började som tur var inte be om ursäkt för kaoset på något sätt, flyttade bara ner en bunt pärmar på golvet från en stol och frågade om jag ville dricka något. Jaffa dög utmärkt, jag var fortfarande törstig efter att ha sprungit till tåget. Kati hade läst tidningarna och ville fråga om Teräsvuoris ihjälskjutning innan vi gick in på det egentliga samtalsämnet. Jag var förundrad över att jag redan kunde berätta om fredagen precis som om det hade hänt någon annan. Jag tyckte inte riktigt om det.

"Tidigare under dagen läste jag anteckningarna från vårt förra samtal och det allra första förhörsprotokollet och började fundera på ett par saker. Du parkerade väl bilen med bakdelen mot väggen?"

"Precis."

Jag visste inte om informationen hade någon betydelse, men det betydde att personen som hade stängt in Nooras kropp i Järvenperäs bil förmodligen hade varit tvungen att försöka med flera bilar för att hitta en som var olåst. Man borde kanske hämta in de bilar som vi visste var i parkeringsgaraget när det hände för att kontrollera fingeravtrycken, även om det sannolikt redan var för sent. Vid sådant här slaskväder tvättade man bilen oftare än vanligt. Från Järvenperäs egen bil hade man visserligen inte hittat några nämnvärda fingeravtryck. Möjligheten fanns ju alltid att Nooras mördare hade haft vett nog att undvika att lämna fingeravtryck först efter att ha hittat en bra plats att gömma kroppen på.

"Din äldste pojke pratade om nån dum farbror som han såg i parkeringsgaraget på kvällen. Vad var det för grej nu igen?"

"Dumma farbrorn är en sagofigur i vår familj. Det är han som har sönder sandslotten på gården."

"Har Jussi beskrivit honom nån gång? Har han några kännetecken?"

"Nej... Eller jo kanske. I nån leksakstidning fanns en manlig Barbie som viftade med ett svärd, och Jussi sa att

366

det var en dum farbror. Men det behöver inte betyda nåt. Om du har nån erfarenhet alls av barns logik, så vet du nog att den fungerar slumpmässigt."

"Jag vet inte så mycket om sånt. Vad annat kan det där med att se den dumma farbrorn betyda?"

"Jussi säger att den dumma farbrorn har en vit BMW. En gång gjorde en sån bil en livsfarlig omkörning på Hangövägen, och Jussi visste förstås att det var den dumma farbrorn som körde."

"Måste BMW:n nödvändigtvis vara vit? Duger det inte med en guldfärgad?" frågade jag och mindes märket på Ulrika Weissenbergs bil. Men Ulrika skulle man inte få till någon dum farbror, hon var omisskännligt en dum tant.

"Ja, det måste den. Barn är väldigt noggranna med ganska knäppa saker. Fast jag tror att Jussi hittade på att den dumma farbrorn var i parkeringsgaraget först senare. Det måste ju finnas nån förklaring till att tillkalla polisen och att vi vuxna betedde oss så konstigt."

Ofta känns det som om polisjobbet bara är upprepning. Också nu bad jag Järvenperä att återigen redogöra för vad som hänt i parkeringsgaraget, som om jag med mina frågor kunnat få henne att se något som hon inte hade sett.

När jag klev ut på Lisagatan igen regnade det. Det var ingen idé att åka hem före profylaxen, den skulle vara i Olars halv sju. Så jag gick till Fazer på Glogatan och beställde en glassportion. Gravida kvinnor behöver ju kalcium.

Jag slevade andäktigt i mig chokladsås, päron och grädde och tänkte inte på något annat än hur gott det smakade.

Herrarna vid bordet intill hade däremot en häftig diskussion om innehållet i kvällstidningen. Mordet på Teräsvuori väckte förundran över polisens ineffektivitet. Hanna tycktes ha den allmänna opinionen på sin sida. Männen kommenterade också en femtioårig kvinnas bittra redogörelse över hur hon förlorat sin man till förra årets miss Finland: "De där jävla kärringarna! Nuförtiden får man vara vilket slags homolebb som helst, men om en man vill ha nån yngre, och inte ens nåt lammkött, då är man genast där och gnäller."

Jag upptäckte ett ledigt bord längre bak och förflyttade mitt glassnjutande dit. Jag fick nog av skrävlare på jobbet, på fritiden ville jag vara i fred.

Jag hade tagit med mig en av Nooras dagböcker, från ungefär två år tillbaka i tiden. Där hade jag hittat något väldigt intressant, nämligen ett uppehåll. Från det att hon var tolv år hade Noora gjort regelbundna anteckningar, inte riktigt dagligen, men i genomsnitt ett par tre gånger i veckan. Under våren för två år sedan fanns ett nästan fyra månader långt uppehåll, från april till juni.

Först hade jag inte ens lagt märke till saken, för jag hade skummat igenom det och letat efter namn. Sedan hade jag insett att berättelsen plötsligt hoppade från vintern till sommaren och kontrollerat datumen.

Det kunde ju vara så att Noora helt enkelt haft bråttom. Det gavs ingen förklaring till varför hon inte skrivit. Precis före uppehållet väntade Noora på träningslägret i Vuokatti och skrev att Janne var "ofattbart underbar". Efter avbrottet kom det chockade skriverier om mammans förhållande och planer på att lämna familjen.

Jag var säker på att uppehållet var viktigt. Vad hade

Noora låtit bli att skriva?

Noora hade då och då klistrat in foton i sin dagbok. Ett foto gjorde sidorna tjockare precis före uppehållet, det var uppenbarligen det första gemensamma fotot på Noora och Janne när de åkte skridskor. Janne hade en komisk, kort frisyr och såg kantigare ut än nu. Noora såg fortfarande barnslig ut, men huvudet höll hon högt, blicken strålade som hos de bästa seniorerna. Jag tryckte handen mot fotot som om jag genom det kunnat få kontakt med Noora.

Men det hjälpte inte. Jag reste mig, gick på toaletten och borstade tänderna. Sedan gick jag ut i det ändlösa regnet.

18

Babyns huvud som var blodigt och kletigt av vit talg trängde ut ur mamman. Kroppen som var spräcklig av sekret följde efter och barnet gav ifrån sig sitt första krävande illvrål.

"Blä", sade någon bakom mig, någon annan fnittrade nervöst. Jag nästan grät när jag tittade på den förbryllat lycklige pappan och mamman som nyss jämrat sig av smärta. Antti satt bredvid mig och antecknade sköterskans anvisningar om andningen.

Jag försökte koncentrera mig på informationen som strömmade in genom öronen. Epiduralbedövning, förlossningsställningen, klippa mellangården. Jag hade visserligen läst samma saker i böckerna många gånger ur olika synvinklar, konstaterat vilka skilda meningar guruerna inom förlossningsbranschen hade om de mest okomplicerade saker. Också på förlossningsvideon låg kvinnan och flåsade på rygg, fastän man i alla böcker om naturliga förlossningar sade att den enda krystningsställningen som var sämre vore att stå på huvudet. Jag var just på väg att räcka upp handen och fråga varför, när en hög andra frågor studsade upp i huvudet. Jag måste prata med Silja så fort som möjligt. Avbrottet i Nooras dagbok var nog väldigt viktigt.

Jag fick tvinga mig själv att lyssna på amningsråden, även om jag visste att de var väldigt nödvändiga. Jag och Varelsen hade ju inte övat på det innan. Men det var svårt att koncentrera sig när en del av mig hela tiden var på väg att rusa till jobbet för att kontrollera mina anteckningar och till ishallen för att intervjua Silja. Till slut började Varelsen rumla omkring i min mage som för att påminna om sin egen viktighet, och det fick mig att besinna mig. Resten av timmen kretsade mina tankar kring skötseln av en nyfödd baby.

"Går det bra om jag kör hem dig och sen åker till stationen och ishallen i Mattby", sade jag till Antti efter profylaxen.

"Till jobbet igen?" frågade Antti förvånat, kanske lite irriterat också, och erbjöd sig att följa med mig till ishallen.

"Det skulle jag inte rekommendera. De tränar för Noora Nieminens minneshögtid."

Jag behövde inte säga mer. Anttis bästa vän Jukka hade mördats för fyra år sedan. De hade sjungit i samma kör och kören hade sjungit på Jukkas begravning. Att sjunga på begravningen och övningarna inför det hade varit en av Anttis livs svåraste upplevelser. Han drömde fortfarande mardrömmar om Jukkas drunknade kropp och även om personen som tog livet av honom, som han också hade varit vän med. Förmodligen skulle det innebära en orolig natt för Antti att följa träningen inför Nooras minneshögtid. Inte ens tidens gång hade helt förjagat hans känsla av att han, om han lagt sig i händelserna i tid, hade kunnat förhindra Jukkas död. Jag visste inte om det var så, jag hade själv inte handlat särskilt lysande när jag löste fallet.

Jag släppte av Antti på Lillhemtsvägen, och ett ögonblick övervägde jag att inte åka tillbaka, för jag var så förbaskat trött. Jag körde till ishallen via polisstationen, för jag ville få med mig mina anteckningar.

Det var tyst i korridorerna på roteln. Kanske hade de vakthavande också tvingats åka ut på fältet. Jag genomfors av en underlig, svidande känsla när jag tänkte på mammaledigheten som skulle börja. Jag var verkligen i behov av en paus och jag väntade ivrigt på att barnet skulle födas, men ändå... Hur länge skulle jag orka vara hemma med barnet? Mina systrar hade visserligen påstått att man inte hade långtråkigt med småbarn. Skulle det gå så med mig också, att jag inte skulle orka tänka på annat än sparkbyxtvätt och de senaste intrigerna i Glamour? På något sätt trodde jag inte det.

Jag öppnade dörren till mitt rum. Ett eget rum hade känts härligt lyxigt. Dit hade man kunnat fly ifrån männens ibland påfrestande snack på roteln, där hade man i lugn och ro kunnat förhöra människor inofficiellt. När jag kom tillbaka skulle det säkert inte vara lika lugnt. Jag visste inte om jag skulle orka med att jobba på en rotel som leddes av Ström. Och om jag skulle bli rotelchef skulle jag också bli tvungen att avstå från mitt lugn. Ändå ville jag så väldigt gärna bli kommissarie. Jag hade ju inte varit rädd för nya utmaningar tidigare heller.

Jag slet till mig anteckningarna och ett par av Nooras dagböcker. Sedan körde jag till den redan välbekanta parkeringsplatsen utanför ishallen och gick in genom cafédörren. Jag satte mig i nedre delen av E-läktaren, för jag

372

orkade inte klättra över stängslen som skilde läktarna åt.

Ishallen var återigen nästan mörk, endast nödutgångs-skyltarna sken sitt gröna ljus. Sedan hördes susandet av skridskor i mörkret och den första ljuslågan dök upp på isen. Den följdes av ett tjugotal andra, och stråkmusiken i Nilssons *Without you* började dåna i salen. Esbo Konst-åkares teamåkningsgrupp hade tydligen gjort om vårens tävlingsprogram så att det passade minneshögtiden.

Det var egentligen ganska groteskt: ishallen som lystes upp av stearinljus, en sång som nötts fördärvad av många tredje klassens sångare i en så sirapssöt stråkversion som möjligt, flickorna med sina stela ansikten som försökte hitta rätt formationer på isen. Musiken avbröts som tur var ofta och tränaren återförde mig till verkligheten. Ändå betvivlade jag att uppvisningen skulle ha den tera-peutiska effekt på vare sig skridskoåkare eller publik som Ulrika Weissenberg gjort reklam för.

När ljusföljet slutligen åkte av isen och ljusen i ishallen tändes såg jag alla jag väntat mig att träffa på i ishallen på läktaren vid omklädningsrummen. Silja Taskinen stod i träningsoverall med skridskorna på och pratade med Ele-na. Rami Luoto rättade till Irina Grigorievas trikåer som hamnat snett. Jag kom ihåg att hon föreställt dvärgen Bly-ger i Snövit och åkt ett skickligt litet solo. Det kanske ock-så skulle vara med i minnesuppvisningen, eller tänkte man verkligen låta Irina ärva Nooras roll som Snövit. Janne satt och hängde i en skålformad stol på A-läktaren med benen upplyfta på stolsryggen framför. Han hade inga skridskor på sig, men Ulrika Weissenberg tycktes vil-ja ha ut honom på isen. Jag började maka mig närmare så att jag skulle höra deras samtal.

"Du kunde väl åtminstone komma och säga nåt till Nooras minne om du inte vill åka skridsko."

"Jag lägger ner blommorna i kyrkan, och det får räcka. Det här spektaklet tänker jag inte delta i!"

"Vi gör det här för Noora. Hon skulle ha tyckt om det här."

"Ja, det skulle hon, den förbaskade lilla dramatikern. Men hon är inte här för att se på!" Janne reste sig upp och sköt fram ansiktet nästan intill Ulrika Weissenbergs och tog henne i axlarna. En halv sekund inbillade jag mig att han tänkte krama henne, men i stället skrek han: "Hon är död, Ulrika, död! Fattar du! Noora är död! Åt helvete med era dumma uppvisningar!"

Janne ruskade om Ulrika och ett ögonblick såg det ut som om han tänkte knuffa henne nerför trapporna och ut på isen, men sedan tycktes han inse själv vad han höll på med, släppte taget och rusade upp på läktaren utom räckhåll för ljusen.

Irina Grigorieva åkte sitt solo säkert, men mycket mer uttryckslöst än i våras. Jag undrade varför Rami och Elena hade gått med på Ulrikas idé om en minnesuppvisning. Även om konståkning var en disciplinerad syssla, var det väl orimligt att kräva att barnen skulle föreställa glada skogsdjur när Snövit hade mördats på riktigt. Jag mindes återigen Nooras ögon som bönföll jägaren att skona henne, jag mindes Minnis döda kropp i den nergångna spjälsängen och slöt ögonen. Jag ville inte tänka på dem, jag kunde helt enkelt inte. Jag tvingade mig själv att tänka på de saker de lärt oss på profylaxkursen. Öppningsskedet, utdrivningsskedet, efterbördsskedet. Då hände något mycket märkligt.

Det lär tydligen hända andra också. En person grubblade över ett problem i flera veckor, funderade ständigt över det och lekte med olika lösningsförslag, men utan resultat. Och sedan helt plötsligt en stor smäll, när ett skarpt mönster tog form ur röran.

Det var precis vad som hände mig när jag försökte repetera de olika etapperna av förlossningen. Jag insåg vem som hade tagit livet av Noora Nieminen, och varför. Till och med på frågan hur började ett svar ta form. För svaren hade ju rent ut sagt hoppat på mig efter att rätt frågor ställts. Slumpartat hade jag hört förbipasserande uttala dem.

Jag reste mig och gick bort till korridoren. Jag måste ringa Bilregistret. De bekräftade mina gissningar. Jag kontrollerade ett par detaljer i mina anteckningar och i Nooras dagböcker. Jag höll på att inte hitta rätt sidor i min upphetsning, för triumfen av att veta kämpade mot ilskan jag kände mot Nooras mördare. Ändå visste jag inte riktigt vad jag borde göra. Typen jag var ute efter skulle knappast rymma någonstans, anhållandet fick vänta till nästa dag. Jag måste bara lugna ner mig innan jag återvände till ishallen, så att jag inte direkt gick och klippte till mördaren. Det tog några minuter innan jag kunde gå tillbaka ut till läktaren.

Nu var det Silja som i sin tur gjorde bågar ute på isen. De blålila trikåerna, träningsoverallsjackan och den elaka styvmoderns solo tycktes inte riktigt passa ihop. Hon åkte slappt ända från början. När hon förberedde sig för en trippel salchow såg man direkt att farten inte skulle räcka till. Hoppet lyfte lågt ur bågen och Silja kastades ganska otäckt mot isen. Foten fastnade på ett underligt sätt under kroppen, fastän elitkonståkare normalt vet hur man ska ramla utan att skada sig. Och Silja reste inte på sig, utan satt kvar och höll sig om vristen. Rami var den första som sprang ut på isen.

"Stäng av musiken!" hörde jag honom ropa. Han hjälpte Silja upp och stödde henne så att hon med hjälp av sin friska fot kunde glida tillbaka till läktaren.

Jag gick nerför trapporna, kravlade mig med möda över stängslet och gick bort mot Silja längs den övre läktaren. Man hade lyft upp hennes fot och Rami och Elena flängde oroligt omkring.

"Irina, hämta is i kafeterian.", befallde Elena.

"Den är inte bruten, bara stukad på nåt sätt. Den känns åtminstone inte svullen", sade Rami som hade undersökt vristen. "Gör det väldigt ont?"

"Ja, det gör det... Fan också", kved Silja.

"Hej Silja, hur gick det?" hojtade jag längre upp på läktaren.

Ingen verkade särskilt överraskad över att se mig, Silja log nästan.

"Hej, Maria! Jag vet inte. Jag kan nog inte vara med i morgon."

Jag kom ihåg vårt telefonsamtal på förmiddagen och fick kämpa för att inte flina. Det var klart att Silja hade ramlat med flit. Nu skulle hon slippa åka i begravningsuppvisningen.

"Kan inte åka?" Ulrikas röst blev plötsligt gäll. Det var lätt att se att de gångna två veckorna hade tagit på hennes krafter. Jag förväntade mig att hon till slut skulle bryta samman, men hon behärskade sig.

Elena Grigorieva tog kontroll över situationen och

kommenderade ut skogsdjuren, som stått och förundrat sig i korridoren, på isen igen. Jag erbjöd mig att köra hem Silja, men hon sade att hon klarade sig tills hennes mamma kom för att hämta henne.

"Jag har uppkörning när vi kommer tillbaka från Kanada. Sen blir det lättare att ta sig runt", sade Silja. Jag satte mig bredvid henne, vi tittade på skogsdjurens dans, utbytte kommentarer om de små skridskoåkarnas rörelser. Musiken hade väckt Varelsen, som levde runt som för att försöka hålla sig i takt.

Elena Grigorieva drog igenom repetitionen ofattbart effektivt, fastän hon också måste vara i bitar. Tomi Liikanen hade släppts fri, men man skulle fortsätta att utreda hans affärer. Det skulle garanterat väckas åtal för handeln med hormonpreparat, och man skulle säkert förhöra även Elena om det.

Så småningom var träningen över. Föräldrarna hämtade de yngre skridskoåkarna, Terttu Taskinen kom för att hämta Silja, som blinkade åt mig när hon linkade ut ur ishallen vid mammans arm. I korridoren sprang jag på den person jag just insett hade tagit livet av Noora, och kunde trots allt inte hålla tyst. Jag ville klara upp saken genast.

"Jag har några frågor till, om du har tid?" Min röst lät helt säkert hysterisk.

"Det går bra", sade personen i fråga och tycktes inte ana vad det handlade om. Och gjorde antagligen inte det heller. Trodde sig kanske stå över alla misstankar.

Jag gick upp till övre delen av A-läktaren och satte mig på den obekväma plastbänken. Mattby ishall var onekligen hemtrevlig i sin litenhet, men det var väldigt kallt där även en försommarkväll. Jag drog jackan tätare omkring mig och stoppade ner händerna i fickorna.

Vaktmästaren låste de två meter höga järngrindarna mellan läktaren och korridorerna. Han kastade en undrande blick på mig men sade inget. Ljusen i ishallen mattades av. Personen jag väntade på återvände och klev uppför trapporna till mig. Trots skridskorna på fötterna gick det vant och smidigt.

"Kan jag gå?" ropade vaktmästaren från cafédörren.

"Gå du", svarade mitt sällskap.

"Jag låser den här, du har ju nyckel!" Vaktmästaren stängde igen den tjocka glasdörren in till caféet.

Plötsligt var det underligt tyst i ishallen, endast fläkten surrade dovt. Jag undrade vad det egentligen var jag gjorde. Jag hade inte trott att Nooras mördare skulle innebära något hot för mig. Men var det ändå så klokt att bli kvar ensam med honom i den tomma ishallen? Men vaktmästaren skulle väl fortfarande vara kvar vid hallen, den skulle väl inte lämnas tom under natten heller. Det kunde inte vara någon fara för mig. Kanske var det bäst att bara ställa några frågor och sedan åka, låta Nooras mördare fundera över hur mycket jag visste. Att få honom nervös var säkert den bästa taktiken.

"Är det här vi ska prata?" frågade han och drog sin egen jacka tätare omkring sig. "Du fryser väl inte?"

Jag skakade på huvudet och såg in i Rami Luotos odonblåa ögon som nästan lyste svarta i ishallen ljus. Skrattrynkorna i det pojkaktiga ansiktet syntes väl på nära håll, det växte rimfrostfärgat hår i de små öronen.

"Jag frågade dig om Nooras pojkvänner senast vi sågs. Hon var ju väldigt förtjust i Janne, men det var inte öm-

378

sesidigt. Vid obduktionen konstaterades det att Noora inte var oskuld. Vet du med vem eller vilka hon hade ett sexuellt förhållande?"

Rami vände ner blicken. Gissa, stod det i isen. Och det gjorde jag.

"Det hände på vintern för två år sen, eller hur? Då när Nooras mamma började umgås med Teräsvuori. Du har väl alltid tyckt om småflickor?"

"Skrev Noora om det i sin dagbok?" frågade Luoto. Hans kropp skakades av köldrysningar.

Jag nickade. Vad gjorde det för skillnad om jag ljög. Luoto öppnade munnen, men fick återigen inte ut ett ljud. Så hade han gjort många gånger när jag förhört honom. Kanske hade han redan tidigare velat erkänna att han tagit livet av Noora, men hade inte kunnat. Och jag hade inte förstått att fråga.

"Noora var inte ens fjorton då. Minderårig och du var hennes tränare. Vad var det som förde henne i armarna på dig?"

Jag kunde ju inte tro att Luoto skulle ha våldtagit Noora. Utan att det åtminstone hade börjat frivilligt.

Men Luoto ville inte prata. Så vi tittade bara på isens vita yta, som de blåa och röda reklambokstäverna bröt av. Karjala, Sisu, Rautaruukki.

"Tidigare misstänkte jag egentligen inte dig, du verkade ju inte ha nåt motiv för att ta livet av Noora. Du förstår väl att situationen har förändrats nu."

"Har nån annan läst Nooras dagböcker?" Luotos röst hade blivit nästan främmande, lägre och hårdare.

"Polisutredningar är grupparbete", lurades jag igen, för jag hade börjat bli nervös. Om Luoto hade tappat

379

självbehärskningen med Noora kunde han kanske få ett likadant raserianfall igen.

"Jag borde förstås inte ha gjort det. Det var mitt livs största misstag", tvingade Luoto sig själv att säga. "På lägret... Janne och Silja hade tagit med sig vin, de bjöd Noora. Alldeles för mycket. Nåt sånt brukar inte hända. Noora fick ett anfall av svartsjuka när hon var full. Jag tog med henne till mitt rum för att lugna henne. Och... Och... Hon var så vacker. Det bara hände."

Jag mindes fotot av den småflicksaktiga, plattbröstade ballerinan på Luotos vägg, jag mindes de återkommande noteringarna i Nooras dagböcker om hur Rami hade tjatat på henne om viktökningen.

"Du låtsas vara homosexuell för att ingen ska undra varför du inte har förhållanden med vuxna kvinnor", sade jag vasst.

"Man förväntar sig ju att vi ska vara det." Luoto försökte skratta till, men det stannade vid ett försök.

"Jag tror inte att du har lyckats vilseleda Elena eller Ulrika", sade jag och kom ihåg hur Elena hade dragit sin dotter utom räckhåll för Rami. "Det är ju därför du tycker om att träna småflickor. För att helt lagligt få röra vid dem. Därför tänkte du utan invändningar sluta träna seniorerna."

Luoto svarade inte. Av oss två var det nu jag som höll på att tappa behärskningen. Det hade varit väldigt lätt att tycka om Rami Luoto. Det var väl därför som de övriga vuxna i teamet hade blundat för hans läggning.

"Tur för dig att Noora skämdes så för det som hänt att hon inte kunde berätta det för nån på flera år. Sa du till henne att man ändå inte skulle tro på henne? Eller skrämde du henne med att Janne skulle avsky henne?"

Luoto såg på mig som på en främling.

"Sån är inte jag. Jag bad henne om förlåtelse. Flera gånger. Jag trodde att hon sen länge hade glömt."

"Glömt? För att du inte var sexuellt intresserad av henne längre? Hon kanske hade försökt glömma, men blev påmind när hon såg hur du uppträdde mot Irina. Du verkar tycka ganska mycket om henne."

Luoto svalde, han såg ut att skaka och det kom inte ett ljud ur strupen. Jag hade också svårt att prata. Jag var vanligtvis den sista att döma någons sexuella läggning. Men att beblanda sig med barn var något som mina sympatier inte räckte till. Och Luoto var inte ens någon ynklig blottare som lurade i buskarna, utan en vuxen människa som ett barn litade på.

"Noora tänkte väl att allt hade varit hennes fel. Att hon hade varit smutsig på nåt sätt och därför fått dig på sig. Men sen träffade hon i Edmonton en ung kanadensisk kvinna som du tidigare tränat och insåg att hon inte var den enda, att det inte var hennes fel. Och sen började hon se med nya ögon på ditt intresse för Irina Grigorieva. Därför bestämde hon sig för att offentliggöra att du hade legat med henne."

Det var inte alls svårt att föreställa sig händelserna under Nooras sista levnadsdag. Alla sade ju att Noora hade en förmåga att dramatisera. Reklambråket hade retat upp henne, och kanske hade hon i sin ilska skrikit till Rami att hon skulle berätta vad han gjort två år tidigare.

"Du gick inte alls hem. Eftersom det regnade häftigt hade du lånat din systers bil. Du ljög inte alls när du sa att du inte äger nån bil. Du lät bara bli att berätta att du när

381

du vill kan låna din systers vita Renault Clio."

Luoto gned sig på överläppen med sin vänstra hand. Trots att hans kropp skakade av köld hade svettdroppar stigit upp i pannan. Det skulle ha varit enklare om han själv hade berättat vad som hände. Beskrivit hur han plockade upp Noora på vägen. Jag visste ju ännu inte var han hade tagit livet av Noora. Hade han kanske stannat bilen på Krokuddsvägens parkeringsplats och sedan följt efter Noora in i skogsdungen där väskan hittats? Eller hade han misshandlat Noora till döds i bilen? Och varför hade han bestämt sig för att ta kroppen till just Mattby köpcentrums parkeringsgarage?

Kanske skulle Rami Luoto berätta under förhören. Han hade erkänt tillräckligt redan genom att tiga. Det var lönlöst att fortsätta prata med honom, jag skulle åka hem.

Det slog mig att det kanske inte var så klokt att lämna Luoto ensam över natten. Han skulle kanske försöka göra sig själv något. Fast vad brydde jag mig om det. Luoto hade lyckats förstöra ganska många liv redan. Jag visste ju att jag inte fick tänka så, men jag var alldeles för trött för att känna medlidande med Rami Luoto. Rami, den skitstöveln, hade Noora också skrivit, och just nu tänkte jag som Noora.

Jag reste mig, tog väskan från bänken bredvid och tänkte gå iväg. Då tog Luoto mig i armen.

"Vad kommer att hända med mig nu?" frågade han med samma sträva, viskande röst. "Jag dödade inte Noora med flit, förstår du? Det var en olycka. Jag visste inte att... att en människa dör så lätt."

Luoto fick pressa fram orden. Ögonen stirrade in i mina som två tomma bottenlösa gap. Sedan såg jag mitt

382

eget ansikte i dem, misstroget och ilsket. Jag vet inte hur Luoto tolkade mitt uttryck. Plötsligt hårdnade greppet om armen.

"Berätta för mig vad som händer nu? Kom du för att anhålla mig?"

"Släpp mig!"

Men Luoto lydde inte. Då förstod jag att han antagligen hade stirrat på Noora med samma uttryck. Som en hund som höll på att bli attackerad. Den hade inget annat val än att attackera tillbaka.

"Du har inte kommit för att anhålla mig. Du har inte tillräckligt med bevis än. Du bluffade om dagboken också. Noora berättade att hon inte skrev nåt. Att det som jag gjorde mot henne var för hemskt för att ens skrivas ner."

"Jag är inte den enda som vet att du tog livet av Noora", sade jag så lugnt jag kunde. "Släpp mig. Du är anhållen."

Jag hade aldrig ens inbillat mig att Rami verkligen skulle angripa mig. Jag började skaka mig lös, men Luoto släppte inte. Tvärtom. Helt plötsligt lindade han sin andra arm runt min hals och försökte ta strypgrepp på mig.

De hade ju lärt ut i polisskolan hur man klarar sig ur sådana grepp. I normala fall skulle det ha varit en enkel match, i ett fall då jag inte var gravid i tjugoåttonde veckan och min motståndare inte var en aktiv idrottare. Nu bara ryckte och ryckte jag. Det kändes som om lungorna skulle spricka i brist på luft, jag kände hur Varelsens lungor kände detsamma när navelsträngen inte längre transporterade syre till den. Den tanken fick mig att rycka ytterligare lite hårdare och Luotos grepp lossnade.

Jag började rusa nerför trapporna så snabbt jag vågade i mörkret. Att ramla skulle vara ödesdigert. Så fort jag hade tillräckligt med luft i lungorna igen började jag skrika. Ishallen kunde väl inte vara tom ännu. Vaktmästaren måste väl i alla fall vara där. Min väska fanns någonstans där i mörkret, där skulle jag åtminstone ha haft nycklarna och en liten kniv som jag kunnat använda i självförsvar. Och mobiltelefonen.

Jag hörde de klapprande stegen bakom mig och försökte med det omöjliga, att klättra över den två meter höga järngrinden. Men det var ett misstag. Luoto var på mig på ett ögonblick och slet ner mig från stängslet. Jag dunsade ner på marken och Luoto dråsade ner på mig. Smällen kändes våldsam, men smärtan jag fruktade kom inte, åtminstone inte än, och jag kände inget blod rinna mellan benen.

Luoto försökte sätta sig på mig, men jag lyckades rulla undan. Jag hade nästan lyckats resa mig upp när mörkret genomskars av en ljusstråle som studsade mot stål.

Rami hade slitit av skyddet av sin högra skridsko och försökte nu sparka mig. Inte i ansiktet, utan i magen. Jag lyckades väja undan i sista sekunden, men jag hann inte ens börja springa ordentligt förrän han dök ner på mina ben och försökte fälla mig igen.

Jag visste vad han tänkte göra, och det fick mig att gallskrika på ett sätt jag inte trott mig kapabel till. Han tänkte misshandla mig till döds med skridskorna han hade på fötterna. Han riktade en ny spark mot mig, jag hann lyfta upp armen för att skydda magen och skridskoskäret träffade bara min löst sittande jackärm. Jag lyckades slå Luoto på näsan, men jag fick den inte ens att blöda.

Jag måste komma ut härifrån! Det lättaste vore väl att försöka genom cafédörren. Luoto skulle inte klara betongtrappan i sina skridskor utan skydd på.

Jag störtade uppför läktartrapporna, jag lyckades dessutom klumpigt och snyftande slingra mig över det drygt meterhöga järnstängslet som skilde C- och D-läktaren åt. Så nerför trapporna och sen skulle jag vara vid dörren, den måste ju gå att öppna inifrån också.

Jag hade inte hört Luotos steg bakom mig. Jag vet inte vad jag hade inbillat mig, kanske hade jag väntat mig att han skulle sätta på skridskoskydden igen eller att ta av skridskorna helt. Men i stället hade han hoppat ut på isen, susat över den och flög ännu en gång på mig precis när jag tog tag i låset till glasdörren. Och det gick inte upp.

Luoto lyfte foten för att sparka igen och jag dök i min tur ner på golvet. Dörrarna till omklädningsrummen var mitt enda hopp, kanske skulle de stå olåsta. Jag kravlade mig som en orm som ätit för mycket under porten till trapporna som ledde upp till F-läktaren. Luoto var långsammare än jag på sina skridskor, jag hann ända upp till VIP-platserna, där jag suttit och sett på isshowen med paret Taskinen, när han hann upp mig igen.

Jag var tvungen att väja för den högra fotens våldsamma spark som kom emot mig, jag törnade emot en stol och vacklade till. Och i detsamma var jag fastklämd mellan båskanten och Rami Luoto.

Fallet ner till isen var inte långt, kanske tre meter. I normala fall skulle jag garanterat ha försökt hoppa, även om jag riskerade att bryta benen. Nu var risken alldeles för stor, jag kunde ha ihjäl både mig själv och Varelsen.

Jag lade händerna beskyddande om magen och väntade på nästa spark. Jag måste få honom att tappa balansen. Jag hörde mitt eget flämtande, kände hur andedräkten ångade, jag kunde känna hur Rami Luoto luktade starkt av svett.

Men sparken kom aldrig. När jag lyfte blicken från Luotos skridskor såg jag att hans ansikte darrade.

"Jag kan inte...", jämrade han sig och brast i gråt.

Först hade jag svårt att tro att faran var över. När Rami Luoto sjönk ner på närmsta stol och begravde ansiktet i händerna insåg jag att han inte skulle kunna ta livet av mig och Varelsen. Sedan brast väl jag också, för det gick några minuter utan att någon av oss sade någonting.

"Det bara blev så", hulkade Luoto till slut och snöt sig i jackärmen. "Jag körde till kanten av Mattbyskolans parkeringsplats och försökte prata förstånd med Noora. Jag lovade att jag inte ens skulle snudda vid Irina eller nån annan mer. Noora bara hävde ur sig förolämpningar, kallade mig pervers och spottade mig i ansiktet. Hennes väska låg öppen i hennes knä, hon fingrade nervöst på skridskosnörena. Jag snappade åt mig en skridsko och bara slog och slog. Noora öppnade bildörren, jag slog en gång till, Noora föll och slog huvudet i en sten... Jag kommer inte ens ihåg allt."

Ramis berättelse var rörig, som om han genom att glömma händelserna kunnat göra dem ogjorda. Noora hade blivit liggande i regnet i utkanten av parkeringsplatsen, och Rami hade försökt torka bort blodet från hennes ansikte. Sedan hade Rami tänkt att hon borde övertäckas. Han hade öppnat bagageluckan där man vanligtvis förvarade en pläd, men i stället hittat en svart sopsäck. Han hade proppat ner Nooras kropp i den, hade väl intalat sig att hon var femtio kilo hushållsavfall. Sedan hade han stuvat in säcken i bilens bagageutrymme.

"Jag vet inte varför jag körde till parkeringsgaraget. Jag hade väl först tänkt överge bilen där och påstå att den var stulen. Sen ville jag bli av med kroppen. När den där kvinnan kom med sin Merca insåg jag att hon lämnat bakluckan olåst. Jag tog bara säcken i famnen och lät Noora glida ur den in i Mercan. Jag visste nog inte ens vad jag gjorde."

Med sitt rödgråtna ansikte påminde inte Rami Luoto om någon manlig Barbie längre, men det var lätt att förstå varför Jussi Järvenperä hade sett likheten. Luotos frisyr var som på en grånad Ken-docka, likaså ansiktsformen. Det hade varit en viktig iakttagelse när det gällde att identifiera mördaren. Men det hade verkligen inte varit fråga om ett noggrant planerat, invecklat brott. Luoto hade bara haft en enorm tur. Systern hade varit bortrest, så Luoto hade i lugn och ro kunnat åka och tvätta bilen på närmsta bensinmack efter att han först kastat Nooras träningsbag i skogsdungen i Krokudden. Skridskoskydden hade av misstag blivit kvar i bilen, så Luoto hade ett par dagar senare tagit dem till den lilla skogsdungen bredvid busshållplatsen.

"Jag väntade hela tiden på att jag skulle åka fast. Och jag försökte berätta, jag ville… Men sen kunde jag inte. Inte ens när Hanna sköt ihjäl Teräsvuori."

Jag lyssnade bedövad på Luotos berättelse, som då och då avbröts av snyftningar. Jag kunde inte längre känna hat, inte ens avsky. Egentligen var Luoto ointressant för mig. Jag orkade inte tänka på Noora heller.

Jag och Varelsen hade klarat oss, även om jag, min idiot, hade satt våra liv på spel. Men nu var det slut med vansinnigheterna för min del, åtminstone i några månader. Jag var verkligen inte längre bara ansvarig för mitt eget liv. Om det hade hänt Varelsen något hade jag inte varit ett dugg bättre än Rami Luoto.

Jag reste mig upp och den här gången hindrade Luoto mig inte. Efter att ha klättrat över stängsel en stund hittade jag min väska och mobilen, som jag använde för att ringa efter närmaste patrull för att hämta upp Luoto. Snyftningarna ville fortfarande inte upphöra. Kanske fanns det en gnutta lättnad i dem också. Enligt sina egna ord ville han gottgöra Nooras död och han följde efter mig runt i hallen och bad mig om förlåtelse.

Vi satte oss på D-läktaren för att vänta på polispatrullen. Jag orkade inte kliva över ett enda stängsel till, det var nätt och jämnt att jag orkade sitta upp. I detsamma hördes det klampanden från cafédörren och den öppnades. Jag hade väntat mig att få se två uniformsklädda poliser, men i stället klev Janne Kivi in i ishallen. Han såg förundrad ut när han fick syn på mig och den gråtande Rami Luoto.

”Vad i helvete är det som pågår!” ropade han från dörren. Han skuttade lätt över stängslet ut på isen och började springa mot oss. Mitt på isen saktade han farten och stannade mitt på Sisu-reklamens stora gammaldags s.

”Rami?” sade Janne skrämt och hans ansikte blev tomt när han insåg vad det var fråga om. ”Rami? Nej, Rami!” Rösten var gäll som hos ett skrämt barn, jag trodde för ett ögonblick att han skulle börja gråta.

Men nej. Han började springa emot oss igen och innan

388

jag hann göra något hade han hoppat på Rami Luoto. Janne slet upp Luoto från bänken och slog honom i ansiktet så att blodet sprutade ur näsan som redan tidigare fått ett slag.

"Helvete också, jag visste hela tiden att det var du!" skrek Janne och slog en gång till, mot hakan den här gången. Luoto kastades mellan bänkarna av kraften i slaget.

"Jag ska döda dig! Fan, jag ska döda dig!"

"Janne, sluta!" skrek jag, men eftersom killen var helt döv för allt utom sin egen vrede var jag tvungen att börja slita bort honom från Luoto. Det var nästan komiskt att jag hjälpte en person som bara för en kvart sedan hade varit beredd att ta livet av mig och mitt barn. Jag vågade inte fullt ut ge mig in i slagsmålet, jag försökte bara få tag i Jannes starka hamrande händer. Han tänkte knuffa undan mig, men insåg nog sedan vem jag var och lät händerna falla. Luoto, vars ansikte färgats rött av blodet, försökte maka sig undan. Jag lyckades hugga tag i Jannes axel när han sträckte sig efter Luoto igen.

"Janne, det är ingen idé! Hur mycket du än slår så hjälper det inte. Det gör bara saken värre!"

Janne stannade upp ett tag, sparkade sedan till den närmaste plastbänken så hårt att den blev tillbucklad och sjönk ner med huvudet i händerna. Knogarna var helt blodiga. I detsamma steg vaktmästaren in i ishallen med en polispatrull, konstaplarna Jukka Airaksinen och Mira Saastamoinen, som jag kort förklarade situationen för och bad dem anhålla Luoto. Han lämnade efter sig ett mörkrött spår som vaktmästaren tittade förundrat på. Jag tänkte att jag borde ringa Antti. Det var bäst att jag åkte till mödravårdscentralen i Jorv för att kontrollera att allt stod rätt till med Varelsen.

"Kom så går vi, Janne", sade jag till killen som inte ens velat kasta en blick efter sin tränare.

"Ska jag till finkan nu igen?" väste Janne mellan fingrarna.

"Nej då." Jag satte mig bredvid honom. "Du sa att du hade gissat att det var Rami Luoto som tog livet av Noora. Hur mycket visste du egentligen?"

Janne reste sig, gick nerför några trappsteg och lutade huvudet mot måldomarbåsets plexiglas.

"Jag anade väl att det hände nåt på det där lägret som inte borde ha hänt. Det var ju jag som söp Noora full, av ren dumhet. Jag är en jävla idiot jag med! Och Noora försökte indirekt berätta vad som hänt. Men jag ville ju inte lyssna. Jag ville inte höra nåt ont om Rami!" Janne slog handflatan mot plexiglaset som smällde och skakade så att vaktmästaren kastade en ny orolig blick.

Jag gick ner mot kanten av isen, men det skrämde mig att ta mig över den, som om jag på en gång skulle ramla och skada mitt barn. Mina ben skakade också, och jag var fruktansvärt hungrig.

"Kom så går vi, Janne. Vi rengör din hand. Vi pratar om det här senare."

Han vände sig om för att titta på mig. De gröna ögonen var grumliga, ansiktet var väldigt ungt och skrämt.

"Kan du ta dig över isen på egen hand?" sade han oväntat. Utan att vänta på svar tog han tag i min arm och började leda mig över till andra sidan av rinken. Det kändes bra att luta sig mot någon, och jag anade instinktivt att Janne kände det likadant, för han släppte inte greppet utanför rinken heller, utan gick med mig ut till parkeringsplatsen där endast vaktmästarens skåpbil och min lilla Fiat stod kvar.

"Har du ingen bil?" frågade jag Janne.

"Jag har inte vågat köra efter fortkörningen… Det blir bara att jag trampar för mycket på gasen och varje långtradare som kommer emot mig ser lockande ut. Jag får lust att köra rakt emot den."

Jag nickade, men bad ändå Janne att köra mig till Jorv, jag lovade honom pengar till en taxi i gengäld. Jag klarade inte av att köra mer i kväll. Jag orkade knappt slå numret hem och be Antti komma till mödravårdscentralen. Han blev förstås orolig, även om jag försökte lugna honom. Jag hade inte ont, och Varelsen hade precis börjat sparka igen.

"Jag borde förstås ha berättat för polisen med en gång", sade Janne när vi hade svängt ut på Finnovägen. "Men jag var ju inte säker. Och ni misstänkte ju mig… Om jag skulle ha anklagat Rami då hade ni ändå inte trott på mig."

"Det kanske vi hade. Men du ska inte anklaga dig själv i onödan, Janne. Det kan inte ändra på nåt."

"Men skulle Nooras mamma ha gått och skjutit Teräsvuori om jag hade berättat?"

"Välkommen i gänget", sade jag bittert, och Janne sneglade förundrat på mig. Jag berättade för honom hur många som redan kände sig skyldiga för Teräsvuoris död, och varför. Janne svarade inte, torkade sig bara på kinderna emellanåt. Han var knappast i bättre kondition att köra än jag.

Antti syntes inte till på parkeringsplatsen i Jorv ännu,

där vi hade bestämt att vi skulle träffas. Jag grävde fram taxipengarna ur väskan åt Janne och tänkte att någonstans i en annan värld och kanske även i en annan ålder, skulle jag garanterat ha blivit förälskad i honom.

"Den stannar kvar, skuldkänslan. Man blir nog inte av med den. Man får helt enkelt leva med den, även om det kommer morgnar när man inte kan se sig själv i spegeln", sade jag till Janne. Jag önskade att jag kunnat säga något mer tröstande, men det fanns inga sådana ord. Därför kramade jag honom hårt, och Varelsen deltog i ceremonin med några kraftiga sparkar.

Epilog

Den starka förmiddagssolen fick tallstammarna som syntes genom fönstret att glänsa rödbruna. Rosorna blommade i sjukhusträdgården i Ekenäs, det var åtminstone tjugoåtta grader varmt utomhus.

Det var lite svalare i förlossningsrummet. Jag lutade mig mot säckstolen och väntade på nästa ännu intensivare sammandragning. De kom med tre minuters mellanrum nu. Varelsen skulle nog inte dimpa ner än på flera timmar.

Jag hade vaknat vid femtiden på morgonen i en pöl av grönaktigt fostervatten. Vi samlade ihop våra saker och körde iväg i den tysta morgonen, ut i sensommarens fågelsång. Det kändes overkligt: nu skulle det äntligen hända. Varelsen skulle komma till världen.

De senaste veckorna hade jag tillbringat med att ligga i sjö- eller havsvatten. Hettan hade slagit till i slutet av juli, bestrött mitt ansikte med nya fräknar och höjt mitt blodtryck till oroande nivåer. Jag hade ändå varit med på rättegången, där man konstaterade att Hanna inte varit vid sina sinnens fulla bruk när hon tog livet av Teräsvuori. Hon förordnades sjukhusvård tills vidare. Teräsvuoris bror tänkte tydligen överklaga domen.

Handläggningen av Noora Nieminens död skulle äga rum i början av september. Rami Luoto hade erkänt, man skulle åtala honom för dråp och för att ha haft samlag med en minderårig. Jag hade hunnit bli klar med förundersökningen innan jag blev mammaledig. Förhören hade varit tuffa, för Rami hade bett om förlåtelse hela tiden. Det var som om vetskapen att han skulle hamna i fängelse i flera år hade gjort det lättare för honom. Det var kanske tur för honom att han inte insåg ännu vad det i verkligheten innebar. Även om Noora när hon dog egentligen inte varit ett barn, stod de som våldtog och tog livet av barn ändå allra lägst i fängelset. Och en sådan som Rami skulle inte kunna hävda sig i fängelset. Även om jag hatade det Rami hade gjort kunde jag ändå inte låta bli att tycka synd om honom.

Jag hade tagit med mig Jane Austens samlade verk att läsa på sjukhuset, men det gick inte riktigt att koncentrera sig längre än några minuter i taget. Sammandragningarna var så pass kraftiga nu att de fick mig att glömma allt annat. Jag gungade höfterna fram och tillbaka tills smärtan avtog igen.

Janne, Silja, Irina och Elena Grigorieva hade efter midsommar rest till Kanada för att träna. Ulrika hade följt efter en vecka senare. De hade alla varit lättade över att kunna fly undan publicitetscirkusen som följt efter att Nooras död blivit uppklarad. Det hade ju varit en saftig nyhet att tränaren visat sig vara pedofil, precis sådant som folk älskade att läsa om, så länge det bara var en nyhet i tidningen eller i *Agenda*. Och eftersom skurken redan var fast.

Det var inget fel på Siljas vrist. Veckan före avresan hade Koivu samlat mod för att be Silja om en träff, och hon hade gått med på att gå ut och äta och sen gå på bio. De hade setts ett par gånger sedan Silja kom tillbaka från Kanada också, men man kunde tydligen inte kalla det för ett förhållande. Tio års åldersskillnad hade väl betydelse när allt kom omkring, åtminstone för Silja. Stackars Koivu tycktes fortfarande vara ganska förälskad.

En ny sammandragning kom över mig, det var som om ryggen pressats ihop för ett tag. Konstigt att smärtan kändes mer i ryggen än i magen. Jag försökte peta lite i filen jag fått till frukost, jag skulle garanterat behöva energi under de närmaste timmarna, men jag hade ingen aptit. Barnmorskan kom för att koppla mig till CTG-kurvans mätare. Varelsens hjärta slog regelbundet, snabbare än mitt eget. Det var som om det försökt slå i samma takt som Scarlatti som strömmade ur bandspelaren.

När Janne körde mig till Jorv var jag väldigt orolig för barnet. Men ultra- och hjärtljudsundersökningen hade visat att det inte var någon fara med det. Antti hade förstås varit helt rasande över mitt idiotiska soloagerande, och för en gångs skull medgav jag att han hade all orsak till det.

Janne hade också till slut bestämt sig för att åka till Kanada och träna, det var väl Ulrika som fått dit honom. På somrarna samlades skridskoåkare från hela världen där, och Esbo Konståkare hade för avsikt att hitta en ny partner åt Janne, för i Finland fanns det ingen inom synhåll. En amerikansk flicka var troligtvis intresserad och skulle komma till Esbo i början av september för att titta på förhållandena. Jag hade fått ett kort från Silja och Janne i

Kanada där den förra hade beskrivit sevärdheterna. Janne hade bara skrivit en rad. *Still alive. Ibland kan jag till och med titta mig i spegeln, tack vare dig.* Att läsa det hade hjälpt mig igenom några jobbiga nätter när jag vakat på grund av sparkar och rädslor.

Barnmorskan lossade mig från apparaten igen och kikade på livmodermunnen. Redan fem centimeter öppen.

"Jag vågar inte låta dig ta ett bad, eftersom fostervattnet redan gått, men jag rekommenderar en varm dusch. Det lindrar smärtan", sade hon uppmuntrande. Jag bestämde mig för att prova så fort smärtan blev riktigt outhärdlig. Jag ville försöka klara mig utan medicin, även om jag drömt mardrömmar där jag bad dem ge mig vad som helst, om så bara aspirin, bara jag slapp värkarna.

Elena hade slängt ut Tomi från deras hem i Kvisbacka, och skilsmässoförhandlingarna hade tydligen inletts. Ulrika tryckte på inrikesministeriet att bevilja Elena och Irina finskt medborgarskap så snart som möjligt. Hon var väl rädd att förlora Elena till Amerika på andra sidan havet, där ingen skulle känna till alla detaljer i dennas båda äktenskap. Ryska milisen tänkte tydligen inte väcka åtal mot Tomi Liikanen för olyckshändelsen, men andra åtal skulle nog regna över honom.

Ännu en sammandragning, skarp och häftig, nu kom de redan med två minuters mellanrum. Jag försökte tänka på dem som vänner som förde Varelsen allt närmare mig och Antti.

"Ska vi gå in i duschen nu?" frågade Antti när han såg hur mitt ansikte skrynklade ihop sig av smärta. Jag försökte vara avslappnad, men det var inte lätt när det kändes som om mellangärdet satt i ett järngrepp.

"Snart. Sätt på mer musik", bad jag och fortsatte min gungande gång fram och tillbaka genom rummet. Världen runt omkring var tyst, endast sommarvindens sporadiska prasslande i träden, en förbipasserande fågels lirkande ovanför talltopparna.

Jag hade sökt den lediga tjänsten som kriminalkommissarie på vår rotel. Det var bara jag och Ström i samma hus som sökte, och för ett par veckor sedan hade man valt mig. Ström hade förstås överklagat beslutet, och handläggningen av ärendet var ännu inte avslutad, men jag var ganska säker på att jag skulle återvända som chef till min gamla rotel så fort barnomvårdnaden tillät.

"Vi försöker med duschen nu, men först måste jag kräkas", sade jag till Antti när smärtan började bli för mycket att hantera ensam. Vi klädde av oss nakna och trängde in oss i det trånga duschrummet. Det var som om jag klivit in i en annan värld som styrdes av smärta och väntan.

Det fanns inte längre någon annan verklighet än det kvadratmeterstora duschrummet, dess vita väggar och vattnets brus. Där fanns bara min kropp som kräktes och tömdes som om den ville ha ut allt, bara Anttis lugnande ord och nakna bruna kropp. Bara smärtan, en allt mer brännande och åtstramande korsett över magen och korsryggen, smärtan som ett berg som man måste bestiga ett, två, tre... Vid tjugofem hade jag nått toppen, när jag gick ner lättade det igen, tills jag nådde tjugofem igen och smärtan försvann för ett så kort ögonblick att man bara kunde vänta på att den skulle återvända. Ibland skrek jag till, ibland snarare gnällde jag. Det hjälpte att ge ifrån sig ljud.

397

Jag vet inte hur länge jag var i duschen, efteråt sade Antti att det varit nästan två timmar, när det började kännas som om jag borde krysta, den brännande smärtan vid livmodern var så väldig. Antti tillkallade barnmorskan som konstaterade att Varelsen och jag var redo, livmodermunnen var redan öppen. Jag satte mig naken på förlossningsstolen, Antti placerade sig som ryggstöd och lindade armarna runt mig, barnmorskan drog igen persiennerna och gav mig en spegel där jag kunde se hur mitt barn kom fram. Den brännande smärtan intensifierades och blev fruktansvärd och jag krystade, öppnade tillsammans med barnet vägen från en värld till en annan.

Sedan avtog smärtan igen, men trycket mellan benen hade tilltagit. Jag log utmattad mot barnmorskan som log tillbaka, jag bad om ett glas vatten. Jag hann dricka en klunk innan smärtan började igen, trycket pressade mig itu. Det pågick i kanske tio minuter, och jag flämtade och vrålade och krystade allt vad jag kunde varje gång som trycket vällde över mig.

"Den här också... Huvudet syns redan, titta", sade barnmorskan och lyfte spegeln i en bättre vinkel. Där syntes finare ludd mellan mitt eget sträva svarta blygdhår, mitt barns huvud letade sig ut ur mig som en nötkärna ur sitt skal. Jag rörde försiktigt vid det, och när smärtan överföll mig igen morrade jag som kvinnor alltid har gjort, morrade som djuren som pressade ut sina ungar. Så födde också jag ett barn som kom från mig. Jag tog det i famnen och såg att det var en flicka, en vacker blodig människa som var täckt av fostertalg, som såg på oss med öppna ögon och inte skrek. Jag hörde hur Antti grät, men jag grät inte, mumlade bara fåniga ömma meningslösa ord som berättade för vår dotter att hon var välkommen till oss. Babyn svarade på sitt eget språk, genom att lustigt gny till. Jag tryckte den lilla kroppen som luktade fisk mot mitt svettiga bröst, så att den skulle höra mina hjärtslag och känna sig trygg.